Le Goût
du Québec

Maquette de la couverture :
Olivier Lasser

Mise en pages :
Mégatexte inc.

Éditions Hurtubise HMH ltée
7360, boulevard Newman
Ville LaSalle (Québec)
Canada   H8N 1X2
Tél. : (514) 364-0323

ISBN 2-89428-174-9

Dépôt légal : 4ᵉ trimestre 1996
Bibliothèque nationale du Québec
Bibliothèque nationale du Canada

Imprimé au Canada

Le Goût du Québec

L'APRÈS RÉFÉRENDUM
1995

**Des lendemains qui grincent...
ou qui chantent?**

Collectif sous la direction de Marc Brière
Préface de Guy Rocher
Anti-préface de Michael Oliver

HMH

Remerciements

Cet ouvrage n'aurait pas pu paraître sans le dévouement inlassable et largement bénévole de mes secrétaires, mesdames Micheline Robichaud et Julie Fortier. J'ai aussi bénéficié des conseils avisés et de l'aide précieuse d'Éliane Labendz et d'Huguette Guilhaumon. Tous, nous avons pu apprécier l'hospitalité de Philippo Campopiano, du restaurant Il Rubesco, et de Mohand Yahiaoui, du restaurant Rites Berbères. Merci, merci beaucoup!

M.B.

SOMMAIRE

PRÉFACE

Guy Rocher

Comment se fait-il que j'écrive cette préface? Et pourquoi le fais-je? J'ai eu à répondre à cette question pour moi-même. Il n'est donc pas inutile que je fasse état publiquement des réponses que je me suis données. Il faut pour cela que j'annonce d'abord mes couleurs et mes intentions. Je suis souverainiste indépendantiste depuis plus de vingt-cinq ans. J'ai été d'abord sympathisant du Mouvement souveraineté-association (le MSA) créé par René Lévesque après qu'il eut quitté le Parti libéral du Québec en 1967. Je suis devenu membre du Parti québécois à la suite du recours contre le Québec à la *Loi des mesures de guerre* par le gouvernement canadien en 1970. J'ai accepté de travailler durant plus de quatre ans avec le PQ au gouvernement, notamment à l'élaboration de la Charte de la langue française. Durant le dernier référendum, j'ai été un co-fondateur du regroupement des Intellectuels pour la souveraineté (l'IPSO) dans lequel je continue de militer et j'ai signé la Préface du *Manifeste des intellectuels pour la souveraineté*.

Si j'évoque ainsi mon engagement dans la cause souverainiste, c'est pour souligner qu'au cours de ces quelque vingtcinq années, l'histoire politique du Canada, les événements qui l'ont ponctuée, l'évolution du Québec n'ont fait que nourrir et renforcer mon option. Et ces jours derniers, j'ai lu soigneusement les textes du présent ouvrage, dans leur forme presque finale. De cette lecture, mes convictions ne sortent aucunement altérées. Je ne dis pas cela pour déprécier les chapitres de cet ouvrage, bien au contraire : ils peuvent être de nature à faire réfléchir, sinon à emporter l'adhésion.

Si je participe à l'exercice de ce livre, c'est précisément parce que je suis souverainiste et que j'espère que le Québec pourra accéder à sa souveraineté politique dans un climat de calme, de négociation raisonnée et raisonnable, dans un esprit de compréhension et d'acceptation mutuelles. Si les Québécois avaient majoritairement voté «Oui» au référendum de 1980, la souveraineté québécoise aurait été acquise dans une certaine sérénité. Elle aurait été accueillie comme une conséquence prévisible et inéluctable de la victoire surprise du Parti québécois de 1976. Mais depuis, les choses se sont gâtées. Une attitude d'agressivité s'est développée et répandue à l'endroit de la souveraineté du Québec, même à l'endroit de cette coquille pourtant vide qui s'appelle «la société distincte». La panique qui s'est emparée des fédéralistes, de langue française aussi bien que de langue anglaise, n'est pas un phénomène de génération spontanée : elle est l'aboutissement de la montée des esprits observable au cours des quinze dernières années. La peur règne maintenant dans les deux camps, peur de l'autre, peur de soi, peur de l'avenir. C'est cette peur qui est aujourd'hui le plus à craindre.

Sera-t-il possible de juguler cette peur réciproque ? Pourrons-nous exorciser les fantômes, j'ose même dire les démons, qui se sont emparés de certains esprits et qui risquent d'étouffer la voix du bon sens ? Est-il trop tard pour retrouver la rationalité et l'éthique de «l'agir communicationnel», fondement de la véritable pratique démocratique ?

Cet ouvrage se veut à la fois une réponse à la peur et un geste d'appel au dialogue. Il se présente comme un effort d'ouverture à l'autre, en réunissant des contributions venant de différents horizons, exprimant la diversité (ou la divergence) des options. Atteindra-t-il cet objectif ? En lisant ces textes, chacun en jugera.

Je disais plus haut qu'en ce qui me concerne, la lecture des chapitres de ce livre n'a pas entamé mes convictions. La faute n'en revient ni aux auteurs ni à l'initiateur du projet. Ce n'était d'ailleurs pas l'intention de cette initiative de faire des «conversions». Mais elle me fait constater une fois de plus combien, au cours des vingt-cinq dernières années, l'écart est allé grandissant entre ce que j'appellerais la culture politique (d'autres parleraient ici d'idéologie) des souverainistes et celle des fédéralistes, et plus globalement entre celle du Québec (toutes options confondues) et celle du reste du Canada. Les interprétations données aux mêmes faits, événements, symboles sont devenues de plus en plus divergentes. Les arguments opposés se croisent, presque sans se heurter.

Je crois personnellement qu'une des causes profondes de cet écart grandissant réside dans le malentendu identitaire engendré par la définition multiculturelle du Canada. Je sais que je touche ici à un monstre sacré : le multiculturalisme a été associé à la vertu et le mettre en question risque de nous faire taxer de xénophobie. Il en résulte que ce malentendu, pourtant fondamental, est généralement occulté. On n'ose pas s'attaquer au fait que la définition du Canada multiculturel ne cadre ni avec l'histoire, ni avec l'esprit, ni avec les institutions de la société québécoise et de l'État québécois. Mais on a réussi à convaincre les Canadiens que le multiculturalisme est la seule conception possible du pluralisme social. Or, je crois fermement que le Québec n'est pas moins pluraliste d'esprit et de cœur que le reste du Canada, mais veut l'être autrement.

Charles Taylor a eu le courage, ailleurs, d'entamer une réflexion sur ce thème, qui devrait être poursuivie. En ce qui concerne cet ouvrage-ci, il aurait fallu plus que quelques rencontres relativement courtes et la convivialité de quelques repas — dont l'atmosphère paraît bien rappelée par Henry Mintzberg dans sa contribution à ce livre — pour aller au fond d'une question aussi délicate. Elle n'est donc pas traitée ici.

Mais je m'arrête à ce point. On n'attend pas du préfacier qu'il évalue et juge l'ouvrage dont il propose la lecture. Il lui revient plutôt de faire part de certaines idées, de quelques réflexions que la lecture des textes encore à l'état de manuscrits a pu lui inspirer. Je le ferai sur le ton assez personnel que le préfacier peut se permettre.

* * *

Et comme point de départ, je recours à des souvenirs qui me sont revenus à l'esprit en lisant notamment les chapitres de Peter G. White, Naïm Kattan, Henry Mintzberg, Joseph Rabinovitch, René Boudreault, Bernard Cleary, Claude Corbo et Marco Micone.

C'était dans les années 1950, peut-être en 1954 ou 1955. J'étais jeune professeur de sociologie à l'Université Laval. Je reçus un jour une invitation à rencontrer à Québec un groupe de journalistes venant de différents journaux de langue anglaise du reste du Canada, principalement de l'Ontario et des provinces de l'Ouest. On m'avertit qu'ils voulaient entendre un sociologue leur dire pourquoi le Québec demeurait une province traditionaliste, tournée vers le passé et dominée par son clergé catholique (la «priest-ridden province», selon l'expression alors consacrée).

Je m'employai de mon mieux à répondre à cette attente, dans un court exposé de présentation, que je terminai cependant en disant que cet état de choses tirait à sa fin, qu'un changement important était prévisible dans un très proche avenir. J'ajoute tout de suite que, ce disant, je n'avais pas le mérite de prédire la Révolution tranquille quelques années à l'avance. Car, en réalité, la conclusion de mon exposé était plutôt une bravade : je voulais un peu impressionner et provoquer le petit groupe d'auditeurs, j'avais le sentiment de livrer un espoir bien plus qu'une attente et d'évoquer pour les besoins du moment un avenir encore incertain.

Les questions fusèrent rapidement. Directe est toujours l'interrogation chez les journalistes anglophones. Première question : on me demanda de justifier ma prévision. Cela me donna l'occasion d'un second petit exposé sur, d'une part, l'intense et rapide modernisation dans laquelle le Québec était engagé depuis la fin de la Seconde Guerre mondiale, alors encore toute proche, et, d'autre part, le nationalisme canadien-français, les frustrations qu'il exprimait en même temps que la vision qu'il portait de l'avenir du Québec et du Canada. Deuxième question : que faut-il faire pour satisfaire les Canadiens français? J'étais jeune et effronté : je répondis qu'il fallait ouvrir un réseau d'écoles publiques de langue française dans chaque province, comme nous avons au Québec des écoles publiques de langue anglaise, et reconnaître la langue française comme langue officielle dans tout le Canada!

Je n'oublierai jamais les yeux étonnés et incrédules qui accueillirent ces derniers propos. La troisième question témoignait bien de cette incrédulité : «You mean Catholic schools, not French schools?» Réponse : «No, no, I really meant French schools!» Il n'y eut pas de quatrième question sur le sujet : ma suggestion fut jugée impraticable et donc pure utopie. On passa au thème de la «priest-ridden province».

Quelques jours plus tard, je reçus les coupures de presse des articles publiés par ces journalistes à la suite de leur traversée du

Québec. Je n'y trouvai pas la moindre allusion à mes propos. Je ne crus pas utile de leur écrire un petit mot.

À cette époque, je n'avais eu l'occasion de visiter que l'Ontario ; l'Ouest canadien était pour moi une terre inconnue. Ce que j'en pouvais dire me venait des lectures que j'avais faites depuis mon temps de collégien. Voici qu'en 1963, je m'engage dans une tournée des provinces canadiennes avec d'autres membres de la Commission Parent. Dans chacune, la journée était consacrée à de longues séances de travail avec le personnel du ministère de l'Éducation et divers représentants d'associations. Et dans la soirée, nous recevions à l'hôtel, presque en cachette, des représentants de la communauté francophone qui nous exposaient leur triste situation et nous priaient de profiter de nos contacts et de notre statut pour intervenir en leur faveur. Je constatais *de visu* l'état des choses que mes lectures m'avaient déjà fait connaître.

* * *

La lecture des chapitres composant cet ouvrage-ci me reportait à ces souvenirs, parce qu'ils relancent pour moi une question que je me suis souvent posée depuis un bon nombre d'années : que serait aujourd'hui le Canada s'il avait pris au sérieux la thèse des deux nations et l'avait appliquée d'un océan à l'autre ? Je crois que c'est tout ce qui a manqué à ce pays pour qu'il réussisse, pour qu'il soit ce que d'autres croient qu'il est, c'est-à-dire un pays ouvert, accueillant, tolérant, vraiment respectueux de sa diversité constitutive. Par un dangereux paradoxe de l'histoire, c'est pour ses immigrants les plus récents qu'il est peut-être ce qu'il dit être ; mais il ne l'a certes pas été suffisamment pour sa minorité canadienne-française et il l'a été moins encore pour ses autochtones.

Je sais bien qu'on dira, en lisant ce que je viens d'écrire, que je fais partie de ces nationalistes revanchards qui ne font que rabâcher les brimades du passé, et en reviennent toujours à « la conquête », comme le regrette plus loin — non sans raison — Henry Mintzberg. Ce n'est cependant pas dans cet esprit que je fais ces rappels et que j'évoque ces souvenirs. Je veux au contraire mettre en lumière l'évolution présente du **nationalisme québécois** d'aujourd'hui. Je peux en effet le comparer avec le **nationalisme canadien-français** dont il est issu, que j'ai personnellement connu et pratiqué.

Tant que j'ai cru au Canada, j'ai milité au sein du nationalisme canadien-français. Et je souligne en caractères gras le fait — trop méconnu — que ce nationalisme était profondément **canadien**. En effet, il consistait à revendiquer, sur la foi de la thèse des deux nations, la reconnaissance d'un océan à l'autre d'un Canada bilingue et biculturel, l'officialisation des deux langues et des deux cultures dans des symboles concrets tels que la monnaie, les timbres-poste (longtemps unilingues l'un et l'autre), le drapeau, les appellations (traduire, par exemple, le Dominion Bureau of Statistics et autres institutions fédérales aussi unilingues). C'est ce même nationalisme canadien-français pancanadien qui m'engageait à faire aux journalistes anglophones les suggestions tellement «osées» que j'évoquais plus haut.

Ce n'est pas sans de grands déchirements que je dus faire un constat de réalité : le Canada auquel je m'identifiais existait plutôt dans mon imagination que dans la réalité. Quelques symboles avaient pu entretenir mon illusion : la monnaie et les timbres bilingues, des traductions. Mais l'essentiel n'y était pas, manquait même de plus en plus : la thèse des deux nations était récusée, mise au rancart. Rejetant le biculturalisme, le Canada se définissait tout à coup comme multiculturel. Ce n'est pas la reconnaissance de l'apport de l'immigration et des communautés ethniques qui me gênait en cela ; c'était le sort fait à une conception du Canada qui aurait pu être accueillante à ces communautés croissantes sans réduire pour autant «l'autre nation» historique fondatrice. Cette conception du Canada, la Commission Dunton-Laurendeau l'avait bien vue et bien exprimée. Son rapport fut le chant du cygne d'un certain Canada, celui auquel j'avais cru. Il fut balayé du revers de la main par le gouvernement Trudeau-Chrétien.

Il me fallut reconnaître que ceux et celles qui étaient déjà indépendantistes avaient été plus clairvoyants que moi, ou l'avaient été avant moi. Il restait à se replier sur le Québec et à substituer un nationalisme québécois au nationalisme canadien-français, un nationalisme du Québec au nationalisme ethnique qui avait été le nôtre au sein du Canada.

Mais la redéfinition du territoire «national» — du Canada vers le Québec — appelait un changement de contenu. S'il fut d'abord ethnique, le nationalisme québécois s'est engagé dans une évolution vers un nationalisme territorial, nourrissant le projet d'un peuple québécois capable de s'adresser à tous les Québécois. Cette évolution est en cours, elle n'est pas terminée. Mais c'est celle que j'observe tout autour de moi. Les lectures que j'ai faites sur les nationalismes dans le monde me permettent d'affirmer qu'il est difficile d'en trouver un qui ait connu une évolution aussi rapide et aussi radicale. Je suis persuadé que la plupart des souverainistes adhèrent à l'idée d'un Québec qui, majoritairement francophone, sera respectueux des droits acquis de sa minorité anglophone et de la vitalité des différentes communautés ethniques.

Malheureusement, je constate par ailleurs que cette évolution n'est ni connue ni reconnue par un trop grand nombre de nos compatriotes de langue anglaise. Ils ne voient encore que les relents d'un nationalisme ancien, sans porter leur regard sur le nouveau en voie de transition. Il y a là une source grave de malentendus, qui empêche ceux qui veulent sauver le Canada (ce qui est évidemment bien justifiable) de voir ce que le projet québécois peut par ailleurs lui aussi comporter d'avenir pour tous les Québécois, sans exclusion d'aucun.

Je suis sans doute plus sensible aux défauts de compréhension que je relève chez ceux qui ne partagent pas mon option qu'à ce qui, dans mes idées, les irrite ou peut même leur paraître à certains égards erroné ! C'est à dissoudre des malentendus de cette nature, sur lesquels bute le dialogue, que l'initiateur de cet ouvrage a consacré ses énergies, en réunissant ce groupe de collaborateurs qui ont généreusement répondu à son invitation. Ce qui m'entraîne à espérer que, s'il n'est pas possible d'en venir à partager les convictions de l'autre, on puisse au moins lui reconnaître sa bonne foi, l'écouter jusqu'au bout et respecter son option.

ANTIPRÉFACE
OU
DE L'IMPOSSIBILITÉ DE
PRÉFACER CE LIVRE*

Michael Olivier

J'ai été intrigué lorsque Marc Brière m'a téléphoné pour me demander de préfacer, à la place de quelqu'un d'autre, ce recueil d'essais sur les conséquences du Référendum de 1995 au Québec. Il m'a dit que les collaborateurs représentaient un bon échantillonnage de la population québécoise anglophones, francophones, allophones et autochtones et il a mentionné le nom de quelques personnes que je connaissais et estimais. L'idée du livre me plaisait : les Québécois devraient parler librement, par-delà les frontières politiques et sociales qui les divisent. J'ai accepté, et le juge Brière m'a envoyé les chapitres manuscrits ; mais, pour des raisons sur lesquelles je ne m'étendrai pas, près de deux semaines se sont écoulées avant que je puisse les lire. Quand finalement je m'y suis plongé, j'ai été consterné. Je ne suis pas séparatiste ; je crois fermement que le Canada peut et devrait être sauvé. Comment pouvais-je alors écrire la préface d'un ouvrage qui était manifestement en faveur de l'indépendance du Québec ? De nombreux chapitres étaient excellents, tous présentaient de l'intérêt en ce qu'ils reflétaient le questionnement intense entrepris par le Québec post-référendaire.

---

* Traduit de l'anglais par Dominique Issenhuth.

Mais le parti pris pour l'indépendance y était tel que seul un séparatiste pouvait utiliser les outils essentiels du préfacier, à savoir les exhortations habituelles à lire le livre et à y trouver un enrichissement. Lorsque j'ai tenté de me soustraire à mon engagement, j'ai compris à quel point cela dérangerait. Après un moment de réflexion, j'ai estimé que si une recension était présentée en guise de préface, je n'aurais pas lieu de me plaindre après tout, il est fort possible que l'on ne me demande jamais d'écrire une recension! Marc Brière accepterait-il un article intitulé «De l'impossibilité de préfacer ce livre»? Oui. Alors, le voici, cet article. Et tout le mérite revient à Marc Brière pour son courage. Y a-t-il en effet beaucoup de metteurs en scène qui laisseraient un critique hostile dire le prologue d'une pièce qu'ils sont en train de monter?

Quel genre de livre m'étais-je attendu à préfacer? Et pourquoi celui-ci ne correspondait-il pas à mes attentes? J'avais escompté une égalité sommaire entre les points de vue sur l'avenir du Québec, une équation tout à fait différente de celle que je découvrais. À part le juge Brière lui-même, le préfacier (plus l'auteur de l'anti-préface) et les auteurs des articles documentaires, le livre compte seize collaborateurs, dont celui qui se cache sous le pseudonyme de Jean du Pays. À première vue, la représentation des communautés est remarquable de par la diversité et le souci de parité : cinq d'origine française, trois d'origine britannique, cinq d'«autres groupes ethniques» et trois d'origine autochtone. Regardez-y de plus près : la perspective change. On trouve huit souverainistes déclarés (plus un sympathisant), quatre auteurs qui n'affichent pas leur couleur et trois francs fédéralistes. Parmi les collaborateurs d'origine française, pas un seul fédéraliste, bien qu'environ 40% des Franco-Québécois aient voté NON. Cette omission flagrante donne inévitablement l'impression que la question de l'indépendance est un débat entre un bloc uni de Franco-Québécois et une coalition formée par «les autres». Quoique la communauté autochtone ait voté massivement pour le NON, deux auteurs des Premières nations sur trois plaident pour la souveraineté du Québec ou, du moins, sympathisent avec cette cause. Les groupes s'y opposant le plus fortement constitués d'environ 40% des autochtones du Québec (Cris et Mohawks) ont un seul (plaisant) porte-parole, qui ne se prononce pas, du reste. L'un des auteurs d'origine britannique se place du point de vue des autochtones du Québec et prend bien soin de ne pas se prononcer sur l'option de la souveraineté; un autre, séparatiste convaincu, étudie également avec une grande minutie la situation des Premières nations. La communauté juive du Québec est fortement représentée et n'inclut aucun indépendantiste déclaré; cependant, même lorsqu'on sait qu'un auteur (francophone) préfère l'option fédéraliste, on ne trouve pas de franche déclaration d'opinion dans son discours. C'est pourquoi, face à ce bilan rapide des éléments en présence, un fédéraliste invité à recommander ce livre ne peut réprimer un mouvement de recul. Malgré tout, il se peut que la place occupée par les fédéralistes dans le corpus soit si substantielle que le nombre de chapitres consacré aux avantages du Québec à rester dans le Canada importe peu. Je n'ai aucunement l'intention de dénigrer les témoignages animés d'Henry Mintzberg ou de Joseph Rabinovitch quand je dis que l'on peut difficilement comparer leur contribution (qu'il est peut-être possible de considérer comme une contrepartie aux chapitres indépendantistes d'Isabelle Guinard et de Louis Cornellier) aux arguments souverainistes développés abondamment dans le chapitre de Jean du Pays ou dans celui de Claude Corbo.

Le texte de Peter White est en fait le seul à présenter des arguments solides en faveur du fédéralisme. Je l'ai trouvé excellent. Son recours au concept de «minorité nationale» de Will Kymlicka est pertinent, et il bâtit un exposé convaincant sur les arrangements constitutionnels asymétriques et la reconnaissance claire du caractère distinct du Québec. Néanmoins, dans un certain sens, son texte s'apparente aux chapitres qui militent en faveur de la souveraineté du Québec, au lieu de s'y opposer. Parfois explicitement, mais toujours implicitement, White critique le «reste du Canada», son manque de compréhension des aspirations de la majorité des Québécois et son incapacité à faire preuve d'une véritable bonne volonté d'en tenir compte. Il insiste très peu sur les avantages que tous les Québécois peuvent trouver en restant dans la Confédération; il ne s'attarde pas à réfuter les revendications de ceux qui prétendent que la souveraineté est la solution que les Québécois privilégient et considèrent même comme nécessaire pour organiser leur avenir. Il fait chorus avec le vent de critique du Canada qui souffle avec force à travers le livre, au lieu de le contrer par les arguments de Québécois *s'adressant à des Québécois* en faveur d'un Québec restant au sein du Canada, ou par un bilan des vertus que présente la Confédération du point de vue du Québec. J'insiste sur le fait qu'il ne s'agit aucunement là d'une critique de ce que Peter

White a écrit, et si bien écrit. Je tenais simplement à dire que ce chapitre, seule contribution d'un non-séparatiste, ne constitue pas la forte contrepartie fédéraliste dont le livre aurait besoin, ni un butoir suffisant pour repousser certaines assertions des séparatistes, pourtant très sujettes à caution.

Par-dessus le marché, inutile de dire que mon irritation n'a fait que croître lorsque j'ai vu le Canada se faire traiter de «pachyderme asthmatique» (belle invective) sans la moindre allusion au genre d'animal qui pourrait représenter un Québec souverain (doué de quelle agilité, de quelle grâce?). Dans un autre ordre d'idées, les motifs des politiciens canadiens sont fréquemment contestés lorsqu'ils tiennent compte de la responsabilité constitutionnelle du gouvernement fédéral envers les Premières nations, mais les excuses sont toutes trouvées quand il s'agit des gaffes (ou pire) des dirigeants du Parti québécois. Les «faits» historiques sont trop souvent sélectionnés de façon tendancieuse et reflètent souvent une profonde ignorance du Canada anglophone et de son évolution.

Pour en revenir aux assertions souverainistes contestables, que devons-nous penser de la prétention de Claude Corbo selon laquelle (a) le Canada est constitué de trois collectivités : la canadienne, la québécoise et l'autochtone, et (b) le Canada, en amendant la constitution sans le consentement du Québec, en 1982, «a manifestement réinstauré sa relation de conquérant à l'égard du Québec»? Il semblerait que dans cette nouvelle Conquête le Québec ait été envahi par des non-Québécois. Si c'était le cas, comment expliquer le fait que la nouvelle Conquête a été menée par Pierre Trudeau et Jean Chrétien, avec l'appui de tous les autres membres québécois du cabinet fédéral, tous élus au Parlement du Canada par des Québécois? Il est indubitable que la Conquête affecte le raisonnement des Québécois francophones. Cependant, la simplification outrancière des identités et des loyautés en présence brossée par Corbo et, en particulier, son tableau d'un Canada monolithique reconquérant un Québec monolithique sont certainement indéfendables aux yeux de tout préfacier fédéraliste canadien.

Je me suis suffisamment étendu sur les exemples de parti pris et de déséquilibre ainsi que sur mes raisons de refuser de préfacer cet ouvrage ; il y a autre chose à dire sur ce recueil. Deux questions distinctes mais connexes sous-tendent presque tous les chapitres :

Le Québec devrait-il se séparer du Canada? Quels principes devraient régir les relations entre les groupes culturels au Québec? La première question a été posée maintes fois, surtout au cours des trente dernières années. Elle se pose avec une urgence particulière en 1996, en raison du résultat frappant du référendum de l'année dernière qui, en fait, a précipité la publication de ce livre. Les lecteurs n'y trouveront pas grand-chose de neuf. Peu changeront d'opinion. Les mieux informés et les plus sympathisants parmi les Québécois non francophones pourront examiner les arguments présentés par les nationalistes, partager leur immense déception à la suite de l'échec du Lac Meech, et pourtant demeurer tout à fait sceptiques devant la proposition qu'un Québec séparé est la seule, ou la meilleure, réponse au désir légitime de garantir la survie d'une communauté culturelle française en Amérique du Nord. Mais cela ne veut pas dire que les différents auteurs traitent la question de la souveraineté de façon inintéressante. Un des aspects fascinants qui caractérise particulièrement les chapitres de Jean du Pays et de Claude Corbo est la transformation des griefs des Canadiens français, définis ethniquement et linguistiquement et répartis géographiquement d'un océan à l'autre, en griefs du «peuple québécois», défini géographiquement, et ethniquement et linguistiquement composite. Sont mis de côté les arguments concernant ce qui était historiquement juste pour les Canadiens français dans l'ensemble du Canada : le bilinguisme officiel, la représentation proportionnelle dans les services publics, et le respect d'un partenariat égal français-anglais à l'intérieur d'un seul État. En leur lieu et place émerge un concept de justice qui doit prévaloir dans un État «normal», celui justement que les souverainistes veulent faire du Québec : un État officiellement unilingue, qui promeut une seule culture prééminente, et que domine une majorité péremptoire. En fait, c'est un État qui ressemble étrangement à celui que les critiques nationalistes canadiens-français voyaient dans le Canada et dénonçaient par le passé. Par ailleurs, les subtilités conceptuelles et linguistiques qui se traduisent par les passages successifs de l'expression «Canadiens français» à celle de «peuple du Québec» ne sont pas toujours faciles à suivre. Les souverainistes peuvent rarement employer le «nous» ou bien «notre peuple» pour se référer aux descendants des 65 000 Français qui sont restés après 1759; la plupart du temps, le «nous» doit faire référence à tous les citoyens du Québec. Mais il est facile de se tromper. Seuls, les fédéralistes francophones peuvent encore se payer le luxe de laisser échapper un «nous» ethnique au cours de nombreuses discussions politiques canadiennes et continuer imperturbablement à déplorer, au nom de la justice, la violation de leurs droits de partenariat ethnique au Canada. Le chapitre écrit par Bauer est particulièrement réussi en ce qui concerne la classification des termes se rapportant à l'identité.

La manière dont la seconde question les relations entre les groupes culturels au sein du peuple québécois est abordée confère distinction et originalité au livre. À ma connaissance, il n'existe pas d'autre ouvrage écrit par des non-spécialistes qui envisage avec autant de sérieux les relations entre les peuples autochtones du Québec et le reste des citoyens. Ne serait-ce que pour cette raison, les essais forcent l'attention. Effectivement, le statut et les droits des Premières nations au Québec constituent le sujet principal de cinq chapitres ; et dans la majorité des autres, on leur consacre une attention sérieuse. Un cynique pourrait alléguer que le seul but du livre est de séduire une partie de l'électorat allophone/autochtone/anglophone afin qu'elle vote «oui» au prochain référendum, mais, comme d'habitude, ce cynique aurait tort. On perçoit en effet un profond engagement personnel chez les auteurs, en particulier chez les collaborateurs francophones de vieille souche et chez ceux des Premières nations, dans leurs tentatives de trouver les meilleurs moyens pour le Québec de promouvoir la culture française tout en respectant les autres. Ces passages-là sont particulièrement intéressants parce qu'ils abordent une question dont il faudra s'occuper, que le Québec se sépare ou non ; car il y a bien une société distincte au Québec, et il continuera à y en avoir une, qu'il fasse partie du Canada ou non. Il ne sera pas facile de garantir que non seulement les autochtones mais tous les groupes culturels seront à l'aise et auront un véritable sentiment d'appartenance à cette société. En tout cas, les collaborateurs de ce livre, sans exception, ont bien l'intention d'y parvenir.

Qu'il me soit permis de conclure en répétant qu'il y a des passages merveilleux et d'autres tout aussi injustes dans ce livre. Il présente un tableau remarquable, bien qu'incomplet, des aspirations et des dilemmes des Premières nations au Québec, de leur quête d'une reconnaissance et d'un gouvernement autonome. Chose encore plus importante peut-être, il donne une idée, rarement perçue hors Québec, du processus laborieux qui consiste à faire d'une minorité francophone pleine de griefs une majorité québécoise ouverte, réceptive et équitable, et à transformer des Anglo-Québécois préalablement dominateurs en citoyens québécois pleinement participants. Que la séparation ait lieu ou non, ces transitions-là sont d'une importance cruciale pour la démocratie au Québec.

PRÉSENTATION

En janvier de cette année 1996 post-référendaire, inquiet de la montée de l'intolérance, de l'agressivité, de la bêtise, il m'a semblé opportun de réunir des membres des quatre grandes souches québécoises — auto, franco, anglo et allo — une vingtaine de personnes de bonne réputation, choisies au hasard de mon intuition, pour réfléchir ensemble sur les causes de l'incompréhension mutuelle existant entre les diverses collectivités qui forment la société québécoise, et que le mouvement souverainiste a exacerbée.

Le 13 février suivant, au restaurant Il Rubesco, j'accueillais ceux qui, avec enthousiasme, avaient accepté de participer à cette aventure de rapprochement entre les divers groupes culturels formant la société québécoise, dans le contexte tourmenté de l'après-référendum. Je leur tins à peu près ce langage:

« Je vous remercie d'avoir si aimablement répondu à mon invitation. I do thank you all.

Il s'agit de réfléchir ensemble — et de proposer à nos concitoyens le fruit de nos réflexions — sur la situation actuelle, que je trouve dangereusement malsaine, à la suite du récent référendum québécois sur une éventuelle souveraineté et une offre de partenariat ou d'une nouvelle union économique et politique.

Si vous le voulez bien, tentons ensemble de conjurer les esprits malfaisants et le mauvais sort dans lequel ils risquent de nous entraîner tous.

Je ne vous cacherai pas mon option constitutionnelle : j'étais et serais encore, dans la mouvance de René Lévesque, un souverainiste-associationniste. Mais j'ai le plus grand respect pour l'option fédéraliste. De fait, je crois que l'association envisagée par Lévesque et le partenariat proposé au récent référendum sont une forme de fédéralisme à la manière européenne. Cependant, il ne s'agit pas de convaincre quiconque que cette option est meilleure que celle du fédéralisme classique, mais de faire comprendre que ces deux opinions sont éminemment respectables et qu'elles doivent s'envisager, se discuter, d'une manière civilisée, dans un esprit d'ouverture totale aux opinions d'autrui et de remise en question de nos propres préjugés.

Il s'agit de débusquer l'intolérance, qui ne peut qu'aboutir à la violence, et d'installer le dialogue démocratique sans lequel aucune solution de l'impasse actuelle n'est possible.

Mon état judiciaire ne me permet pas — hélas! — de participer directement au débat politique. Aussi me contenterai-je de présider nos débats et de coordonner nos efforts.

Je suggère que nous amorcions ensemble cette réflexion pour en partager très rapidement les fruits avec nos compatriotes sous la forme de deux publications concomitantes, en français et en anglais.

Chacun devrait écrire un court texte, d'au plus une quinzaine de pages. Puis nous échangerions nos textes, chacun le faisant parvenir aux autres, lesquels pourraient y réagir par écrit ou oralement. Après cet échange de vues et d'écritures, chacun arrêterait la forme définitive de sa contribution à l'ouvrage collectif proposé.

Comme point de départ de cette réflexion, je vous propose des textes de mon bon ami Jean du Pays, que la discrétion empêche malheureusement d'être parmi nous.

Je conçois notre ouvrage collectif de la façon suivante. D'abord deux sommités de langue française et anglaise feraient les préfaces. En introduction, Jean du Pays poserait en quelque sorte la toile de fond de nos réflexions. Viendraient alors vos textes. Puis deux postfaces pourraient dégager quelques conclusions.

Chaque texte pourrait présenter sommairement l'option constitutionnelle de son auteur et sa réaction personnelle au projet de souveraineté-partenariat proposé par le Gouvernement du Québec, offrir une réflexion sur le comportement de ses congénères et des autres Canadiens envers les uns et les autres en général et, en particulier, au regard du projet souverainiste québécois.

Pas de langage hermétique, ni de langue de bois! Vous connaissant assez bien, je n'ai aucune crainte à cet égard.

Encore une fois, merci d'avoir répondu avec tant d'enthousiasme et de générosité à mon appel. Maintenant, la parole est à vous.»

À cette première rencontre, on identifia les trois principales questions qu'il nous fallait traiter :

— la légitimité des options constitutionnelles en présence;

— la contribution des Anglo-Québécois à la société québécoise;

— la volatilité du climat politique et les dangers de dérapages extrémistes.

Au projet de publication d'un ouvrage collectif vint s'ajouter celui d'une déclaration de principe, étant entendu que chacun conservait son entière liberté de participer ou de ne·pas participer à l'un ou l'autre des projets.

Les principaux journaux québécois publièrent notre déclaration de principe entre Pâques et la Trinité. Et chacun se mit à rédiger son texte et à le soumettre à la critique de tous.

Dans mon esprit, il s'agissait d'identifier ce qui sépare les Québécois et pourquoi, et ce qui les unit ou pourrait les unir davantage comme parties intégrantes d'un même peuple et d'une société majoritairement et principalement francophone. Pouvions-nous vivre ensemble, former un peuple, fonder un nouveau mode de connivence, de convivance, pour qu'un jour nos enfants enfin réconciliés puissent célébrer le modèle québécois avec fierté, dans l'harmonie féconde et la joie.

Point de départ de cette réflexion, sorte de mise en situation, le texte de Jean du Pays sert d'introduction à l'ouvrage.

Notre déclaration conjointe précède les textes individuels de ceux qui ont pu prendre le temps de l'écriture.

En tête de file indienne, pour nous mettre en appétit, le savoureux texte de Myra Cree s'imposait, alors que Henry Mintzberg

devait immédiatement nous convier à sa table de joyeuses lamenta-
tions. Puis le politicologue Julien Bauer développe les concepts
d'État-nation et de peuple, tandis que le président du Conseil pour
l'unité canadienne, Peter G. White, examine comment ces notions
se sont actualisées dans l'histoire du Canada. De celle-ci Claude
Corbo retient la Conquête, qui a transformé la personnalité des
Canadiens français, de veilles en lendemains, qui sont des veilles...

Après ces textes introductifs, René Boudreault entre dans le
vif de la question autochtone, tandis que Marco Micone pourfend
l'ethnicisme et souligne les avantages du métissage dont a bénéficié
la société québécoise tout au long de son histoire, tant avec les
autochtones qu'avec les conquérants anglophones, puis avec les
immigrants. Ce qui nous ramène aux Premières Nations, avec
James O'Reilly; cet avocat des Cris et des Mohawks expose l'ambition des peuples autochtones à la souveraineté et son fondement
juridique. Robin Philpot, par ailleurs, met en garde contre la tentation de morcellement du territoire québécois à laquelle certains
Indiens et quelques Blancs succombent parfois. Le Montagnais
Bernard Cleary espère, quant à lui, un nouveau contrat social et une
forme de souveraineté-association entre le Québec et ses peuples
autochtones.

Si les autochtones croient savoir où ils en sont et vont, les
Juifs québécois nagent, pour leur part, dans une ambivalence de
tous les instants, selon le directeur du Centre communautaire juif
de Montréal, Joseph Rabinovitch. Faisant contraste, le professeur
Louis Cornellier choisit alors d'étaler ses assurances et son opposition à l'impérialisme de l'anglo-culture internationale.

Pour finir, la jeune avocate Isabelle Guinard évoque son aventure dans «la fosse aux lions», que la chaîne de télévision CBC
organisa et diffusa à l'hiver de 1996 : vingt-quatre Canadiens de
toutes les provinces avaient reçu la mission de refaire le Canada en
soixante-douze heures! Et il convenait de laisser le mot de la fin au
très sage Naïm Kattan.

En postfaces, Julien Bauer et moi tirons quelques conclusions
de notre aventure collective.

M.B.
Juin 1996

DES LENDEMAINS
QUI GRINCENT

Jean du Pays

Quand j'étais enfant, Mère me disait souvent,
et surtout le jour de la fête Nationale,
que je devais aimer le Canada.
Mais je ne pouvais pas aimer le Canada,
bien que je m'y sois appliqué de mon mieux jusqu'à
quatorze ans.
On n'aime pas le Canada,
on en fait partie, voilà tout.
Mère me parlait d'aimer le Canada
comme s'il s'agissait d'une femme [...]
Mais le Canada ne ressemble pas à une femme.
Il ressemble à une famille —
diverse, souvent froide, parfois haïssable,
fréquemment d'une surdité infernale —
mais à laquelle on revient inéluctablement
et dont on ne pourra jamais être vraiment quitte.

Robertson Davis
Fantômes et cie

Whatever its faults, middle-class nationalism
provided a common ground, common standards,
a common frame of reference without
which society dissolves into
nothing more than contending factions.

Christopher Lasch
The Revolt of the Elites and
the Betrayal of Democracy

- A -
En campagne

Au début de la campagne référendaire de l'automne 1995, j'ai ainsi noté la grande déception que j'éprouvais devant le triste spectacle qui se déroulait sous mes yeux.

Les «nationaleux» et les «fédérastes» me donnent la nausée, disais-je, dans cette campagne d'écrasement et de dénigrement. À court d'idées, ils s'en prennent évidemment aux personnes, jusqu'à traîner dans la boue du mépris un homme comme Michel Bélanger, un des grands artisans de la révolution tranquille aux côtés de René Lévesque, parce qu'il ose n'être pas indépendantiste. Ou un Jacques Parizeau, dont on peut ne pas aimer le style, mais dont on doit admirer la force de conviction et la totalité du dévouement et de l'engagement au service, non seulement d'une idée, mais d'un peuple.

Le ton de cette campagne me désespère. Au lieu de rassembler, on sème la désunion, oubliant le célèbre et juste adage de la maison divisée contre elle-même et vouée à sa perte. Ce n'est pas de cette manière qu'on fait des enfants forts, ni des nations souveraines.

Le débat est grave, il devrait être sérieusement mené de part et d'autre. Le choix, quel qu'il soit, sera difficile, car il n'y a pas de solution facile pour notre peuple. Nous sommes condamnés à l'effort inlassable. D'un côté la voie ardue de la souveraineté, de l'autre celle non moins difficile du fédéralisme. Nous devons tenter de faire le meilleur choix entre ces deux voies pénibles. Il n'y a pas de solution de facilité autre que celle de la résignation suicidaire. Et pour réussir à tirer notre épingle du jeu, d'une façon ou de l'autre, il nous faudra un minimum de solidarité nationale. C'est elle qu'il faut bâtir si l'on veut avoir un pays.

Les souverainistes n'ont pas le droit d'usurper le monopole de la fierté ou de la légitimité. La voie du fédéralisme n'est sans doute pas la meilleure, mais elle n'en est pas moins respectable si elle ne signifie pas l'abdication, le renoncement à être ce que nous sommes : un peuple distinct, une nation, que cela plaise ou non, envers tous et contre personne, contre vents et marées. À condition de ne jamais accepter l'infâme constitution de 1982 et les fourches caudines de «la province comme les autres» sans la reconnaissance de ce que nous sommes : un peuple, une nation, aussi légitime et réelle que les Premières Nations elles-mêmes.

Heureusement, les choses se sont améliorées en fin de campagne. Mais les résultats du référendum devaient semer un vent de panique qui allait charrier les propos les plus hystériques. Le climat malsain qui en résulte doit nous inquiéter tous. C'est pour tenter de conjurer le mauvais sort qu'un groupe de Québécois de diverses souches nous livrent, en deuxième partie de cet ouvrage, ses réflexions post-référendaires.

À la toute fin de la campagne référendaire de 1995, j'ai publié deux petits livres, le premier chez Hurtubise-HMH, *Ni oui, ni non... Bien au contraire!*, le second aux jeunes Éditions Flora, *Le pays rapaillé*, deux courts essais sur les questions que pose l'accession du Québec à la souveraineté, suivis d'une collection de textes pertinents et passionnants, émanant d'auteurs québécois, canadiens, américains et français, poètes, romanciers, politicologues, économistes, sociologues et politiciens, traitant des divers problèmes que les velléités québécoises d'indépendance posent au Québec, au Canada et au monde.

Ces courts essais conservent toute leur actualité, puisque la question est loin d'être résolue. Je parlais alors de l'an 2000 comme horizon plus valable que 1995. On y vient maintenant, semble-t-il.

Mais on n'est pas sorti du bois. Et toutes les semaines apportent matière à réflexion. Réfléchissons donc. C'est l'exercice que je continue ici de pratiquer.

J'aurais voulu dédier *Le pays rapaillé* à notre poète national et mon ami Gaston Miron. Dans le feu de l'action, cela s'est perdu. Je le fais donc ici *post facto*.

- B -
Lendemains référendaires

Le référendum du 30 octobre 1995 donna la victoire au Non par 53 000 voix ; les Québécois francophones ont voté Oui à 60 % tandis que les anglophones votaient Non à 95 %.

Cette situation malsaine conduisit le premier ministre Parizeau à faire un commentaire où le dépit et l'esprit revanchard pouvaient faire craindre une remontée d'un nationalisme d'exclusion où le « nous » francophone et les autres « ethniques » seraient irréconciliables, rendant impossible le rêve d'une patrie commune québécoise.

Le lendemain, Parizeau, qui n'est pas raciste, mais un peu trop pur et un peu trop dur, dut annoncer sa démission. Mais, en définitive, il ne s'agissait que d'un incident de parcours de plus dans la longue marche paisible, tranquille, des Québécois vers la souveraineté, dans une association confédérale avec le Canada ou dans l'indépendance.

Même René Lévesque avait eu une réaction semblable le soir de l'élection de 1970 où il avait perdu son siège de député, alors que le Parti québécois obtenait à sa première élection 20% du vote mais ne remportait que quatre députés à l'Assemblée nationale. Il avait attribué sa défaite aux Anglais, «une *"gang" d'enfants de chienne à mentalité rhodésienne*», c'est-à-dire de la même farine que l'apartheid sud-africain de naguère.

Il faut bien reconnaître que les deux solitudes canadiennes ont, en effet, souvent eu des relents d'apartheid.

Certes, il est tout à fait normal que les Québécois anglophones préfèrent demeurer canadiens et accordent leur première loyauté et allégeance au Canada plutôt qu'au Québec, comme il est tout à fait naturel que la majorité des Québécois francophones se sentent d'abord et avant tout québécois et voient le Québec comme leur patrie, le Canada n'étant pour eux qu'un pays «légal», comme l'a dit un jour Robert Bourassa.

Mais la réaction dominante du Canada anglais au lendemain du référendum, réaction remplie de morgue et de hargne à l'endroit du nationalisme «raciste» des leaders québécois, n'est qu'une manifestation de plus de cette forme d'apartheid doucement hypocrite qui s'est installée ici depuis la conquête anglaise de 1760.

Et je comprends mal que mes amis anglophones, par ailleurs si respectables, demeurent encore trop insensibles à cette déplorable situation. Au lendemain du référendum, ils mirent toute leur énergie à combattre la menace d'un nationalisme d'exclusion — dont il faut certes se prémunir — sans se soucier suffisamment de faire le pont entre les deux communautés.

Rien ne fait plus mal aux Québécois, si paisibles jusqu'à en être souvent bonasses, que de se faire traiter de racistes, eux qui accueillent à bras ouverts tous les immigrants et réfugiés du monde au point qu'ils sont en voie de devenir la majorité de la population de la principale ville du Québec.

Et cet anathème leur est servi par des Écossais, des Irlandais, des Juifs, tous nationalistes dans leurs patries, mais universalistes au Québec. «Racistes, les Québécois», dites-vous! S'ils le deviennent jamais — Dieu nous en garde — vous devrez battre votre coulpe, vous les nationalistes «canadiens» qui aurez méprisé le peuple québécois et foulé aux pieds sa légitime aspiration à la dignité et au respect dû à toute nation.

Il n'est pas inutile de brosser rapidement le tableau des diverses réactions qui se manifestèrent dans les semaines et les mois qui suivirent le référendum de 1995. On trouvera en annexe, à cette fin, une brève revue de presse.

- C -
Le peuple québécois

Le Petit Robert définit ainsi le mot *peuple*: «Ensemble d'hommes vivant en société, habitant un territoire défini et ayant en commun un certain nombre de coutumes, d'institutions. Voir *nation, pays, population, société. Le droit des peuples à disposer d'eux-mêmes.* La langue, la littérature, l'art d'un peuple. Le peuple français, américain, espagnol.» Le mot peuple peut aussi désigner une communauté, une population. Il désigne en outre l'ensemble des citoyens d'un État, des personnes soumises aux mêmes lois, formant le corps de la nation.

Comment peut-on nier l'existence du peuple québécois? Celui-ci existe au même titre que le peuple canadien, lequel englobe le premier dans sa dimension de corps de la nation canadienne.

Ceux qui s'entêtent à nier l'existence d'un peuple québécois renient du même coup la nation canadienne essentiellement composée de peuples réunis dans un ensemble fédératif ou confédéral. Ils veulent refaire l'histoire canadienne depuis 1867 et substituer à l'État fédératif canadien un État unitaire, une seule nation, un seul peuple, ravalant le peuple québécois à celui d'une société ou communauté disparate, formée de divers groupes ethniques et culturels, tous minoritaires dans l'ensemble canadien, sauf sa composante de langue et de culture anglo-canadienne.

La société québécoise n'aurait de particulier que la prédominance du groupe francophone, qui devrait cependant demeurer un groupe minoritaire au sein du peuple canadien, malgré son caractère majoritaire au Québec.

Le Petit Robert définit la *société*, dont il s'agit ici et dont on refuse de reconnaître le caractère distinct, comme «l'ensemble des individus entre lesquels existent des rapports durables et organisés, le plus souvent établis en institutions et garantis par des sanctions». Montesquieu aurait dit qu'une société ne saurait subsister sans un gouvernement.

Mais le terme *société* est généralement utilisé dans un sens beaucoup plus large que celui de peuple; il est aussi plus ambigu : une société n'est pas nécessairement le corps d'une nation.

Malgré le refus du Canada de reconnaître que la population québécoise constitue une société distincte par rapport au reste de la population canadienne, la plupart des gens le moindrement honnêtes intellectuellement s'accordent à reconnaître ce simple fait : le Québec a un caractère ethnique, culturel, juridique, différent de celui des autres provinces canadiennes et sa population constitue une société qui se distingue ainsi de celle du reste du Canada. Les plus éclairés n'hésitent pas à parler du peuple québécois, et de reconnaître qu'il pourrait, s'il le voulait, devenir une nation.

- D -
La nation québécoise

La nation est une communauté ; ce sont des liens communautaires qui maintiennent ensemble les individus d'une même nation, à partir d'un héritage culturel commun.

Fernand Dumont

Les habitants du Québec constituent une nation telle que Dumont la définit : plus de quatre-vingt pour cent d'entre eux ont le français comme langue maternelle et cette langue s'est finalement imposée comme langue commune à tous. Sauf les plus récents immigrants, ils ont une histoire commune qui s'est déroulée sur quatre siècles.

En vertu du principe des nationalités, les Québécois ont le droit de former un État politiquement autonome, ce qu'ils ont déjà en partie dans la fédération canadienne. Pour accéder à la pleine autonomie, ils doivent se séparer de la fédération et devenir un État souverain, par voie de sécession.

La nation québécoise se fonde essentiellement sur la langue française et la culture québécoise, mais elle n'est pas ethnique, bien que son assise principale soit l'ethnie franco-québécoise.

Dans l'État-nation québécois, il y aura évidemment des anglophones et des autochtones, c'est-à-dire des minorités nationales dont il faudra respecter les droits et qui pourront s'intégrer progressivement à la nouvelle nation, tout en préservant leur identité de minorité nationale, et même leur double nationalité si l'État canadien le veut bien.

La minorité anglo-québécoise ne devrait pas se sentir trop menacée ou isolée par son nouveau statut minoritaire au sein d'un Québec souverain, forte qu'elle est par ailleurs d'une assise culturelle continentale.

Quant aux peuples autochtones, il est difficile d'imaginer qu'ils pourraient être moins bien traités par un Québec souverain qu'ils ne l'ont été jadis ou pourraient l'être dans l'avenir par le Canada.

Qu'elles soient petites ou grandes, faibles ou puissantes, les nations n'en sont pas moins toutes égales en droit, comme les personnes elles-mêmes.

Pour moi, il ne fait pas de doute que les Terre-Neuviens peuvent, aussi bien que les Ontariens ou les habitants de Colombie-Britannique, former une nation, s'ils le veulent majoritairement. Toutes les provinces canadiennes pourraient ainsi devenir des nations si elles le décidaient démocratiquement, aussi bien qu'elles peuvent se fondre en une nation commune, comme c'est actuellement le cas.

Les habitants de toutes les autres provinces se définissent d'abord comme des Canadiens, et les habitants du Québec d'abord comme des Québécois, tout en souhaitant demeurer canadiens si c'est possible. En ce sens, ils ont une double nationalité. Le problème réside cependant dans le fait que la nation canadienne est hostile à toute reconnaissance de la nationalité québécoise. De sorte que les deux nationalités apparaissent incompatibles. Les Québécois devront choisir l'une ou l'autre, renoncer à leur nationalité première ou renoncer à leur seconde nationalité canadienne, tout en espérant que le Canada trouve profit à continuer une forme de coexistence associée, à défaut d'une cohabitation.

Les nations trop petites ou trop faibles ou trop dispersées n'ont pas les moyens de s'assumer entièrement dans des États bien à elles. Ce sont des nations condamnées à l'état de minorités nationales. Tel est sans doute le sort des autochtones, des Acadiens, des

Canadiens français hors Québec. C'est peut-être aussi celui des Franco-Québécois. Mais André Laurendeau et René Lévesque nous ont révélé que nous étions une majorité et, par conséquent, appelés à en assumer toutes les responsabilités, ce qui exige normalement l'exercice de tous les pouvoirs étatiques, ou presque.

Le Québec est une nation qui hésite entre sa vocation étatique et son histoire provinciale, entre devenir pleinement elle-même, une nation accomplie dans sa nationalité, et devenir une autre, se fondre dans une autre nation par le truchement d'une citoyenneté plus vaste et la désintégration progressive de sa nationalité minorisée.

Trudeau avait raison de vouloir une nation canadienne, comme Lévesque de vouloir une nation québécoise, nations politiques, États-nations. Mais, évidemment, on ne peut pas vouloir les deux, d'où la nécessité de choisir. Nécessité dramatique peut-être, mais impérieuse, inévitable. Un choix libre, volontaire et conscient, ou la dérive.

Le Québec est libre de ses choix, disait Robert Bourassa : il a, en effet, le choix d'être libre et souverain ou de stagner dans le statu quo débilitant que lui impose la majorité canadienne. Il a le choix d'être une province comme les autres ou un pays comme les autres, une province normale ou un pays normal. À moins que le Canada ne s'éveille enfin à la nécessité de faire au peuple québécois une place qui lui convienne dans une nouvelle union canadienne.

- E -
La Conquête

Les Canadiens immigrants ou descendant d'immigrants ne comprennent pas l'importance qu'a la Conquête dans la mémoire des Canadiens français, notamment des Acadiens et des Franco-Québécois, et sans doute aussi, mais différemment, dans la mémoire des Amérindiens.

Le cas des autochtones est différent car ils n'ont pas été vraiment conquis. Alliés des Français ou des Anglais, ils sont simplement rentrés chez eux après la conquête de la Nouvelle-France par l'Angleterre, en 17601763. C'est par la suite qu'ils ont lentement, inexorablement, été dépossédés de leurs terres, conquis et partiellement assimilés aux Canadiens, principalement de langue anglaise, cette langue qui est devenue leur langue commune.

Mais les Acadiens et les Franco-Canadiens ont décidé de ne pas s'intégrer à la nation conquérante qui s'établissait chez eux.

Pendant des siècles ils ont résisté, sur tous les fronts, en Acadie, au Québec, en Ontario, au Manitoba, jusqu'aux Rocheuses, et même au-delà. Partout ils ont été maltraités par les conquérants de jadis, leurs descendants et leurs nouveaux alliés, les immigrants, anxieux de s'intégrer à une puissante nation nord-américaine, insensibles au sort des communautés francophones qui subsistaient de peine et de misère dans cette mer anglophone. Que dis-je, insensibles? C'est plutôt de mépris et de volonté d'assimilation qu'il s'agissait.

Et chaque fois qu'un Franco-Canadien lève la tête, qu'il s'agisse d'un Acadien, d'un Québécois ou d'un Ontarien — car ailleurs ils ont presque disparu — on sent dans le reste de ce beau grand pays si accueillant, si tolérant, un profond agacement. Comment osent-ils encore nous déranger avec leurs perpétuelles jérémiades, leurs éternelles revendications, plus de deux siècles après avoir été conquis par la force des armes de Sa Majesté très Britannique, qui fut trop bonne de leur reconnaître quelques droits. Les choses seraient aujourd'hui tellement plus simples dans notre beau Canada, si on les avait tous déportés ou forcés à s'assimiler. Allez donc être gentil avec du monde de même!

Alors, pour se donner bonne conscience, on réécrit l'histoire et on célèbre les vertus de ce beau, grand, généreux et tolérant pays, qui vole au secours de tous les petits peuples opprimés de la terre, mais continue de nier aux Autochtones, aux Acadiens, aux Québécois, la simple reconnaissance de ce qu'ils sont, de peur que cela puisse leur donner des idées et — qui sait? — un peu plus de pouvoir pour se gouverner librement.

- F -
Égalité et société distincte

Moi aussi je crois à l'égalité des personnes, des nations et même des provinces, ainsi qu'au caractère distinct de chacune d'elles. Nous sommes tous distincts et égaux en droits, qu'on soit grand ou petit, bourré de talents ou débile, beau ou laid, fort ou faible, bien portant ou de santé fragile, avec ou sans handicap.

Le myope qui a besoin de lunettes, le malentendant qui a besoin d'une formation et d'un encadrement particuliers, l'unijambiste qui a besoin de béquilles ou d'une jambe artificielle, n'en sont pas moins égaux à tous ceux qui n'ont pas besoin de prothèses pour vivre normalement. Et celui qui a besoin de béquilles est-il supérieur à celui qui n'en a pas et ne saurait qu'en faire ? Faudrait-il distribuer des béquilles à tout le monde pour éviter que les autres se sentent inférieurs ou défavorisés ?

D'une certaine manière, le Québec est un handicapé. Pour pouvoir continuer à vivre normalement, sans renier sa personnalité française, dans ce continent anglo-saxon, il doit avoir des moyens qui ne seraient d'aucune utilité aux autres provinces. C'est aussi simple que cela. Le Québec a besoin d'une bonne marge d'autonomie, de souveraineté, pour assumer son caractère de pays majoritairement francophone.

Comment se fait-il qu'au Canada on soit obligé d'expliquer des choses aussi simplistes ? La plupart des Canadiens sont pourtant aussi intelligents que moi. L'explication serait-elle que le fanatisme égalitaire en cache un autre, celui du grand tout fusionnel anglo-saxon, qui ne tolère pas qu'on lui résiste, qui n'accepte l'étranger, autochtone ou francophone, qu'à condition qu'il soit de condition inférieure et le demeure ? L'égalité ne serait qu'une façon de camoufler un appétit de supériorité.

Peu de Canadiens contestent le statut particulier dont les nations autochtones jouissent en raison de leurs droits historiques. Mais la plupart d'entre eux refusent mordicus (ou Mordecai!) d'admettre qu'un statut particulier puisse être aménagé pour le Québec dans une constitution comportant un fédéralisme asymétrique. Pourquoi les Québécois, qui ont fondé leur pays en 1608, il y a près de quatre siècles, auraient-ils moins de droit à la reconnaissance de leur identité nationale à l'intérieur du Canada que les peuples autochtones, même si leur établissement ne remonte pas à des temps immémoriaux ? Les Québécois constitueraient-ils davantage un peuple conquis et soumis à la loi du vainqueur que les Premières Nations ? Ou la faute des Québécois serait-elle d'être restés fidèles à leur héritage français, alors que les autochtones adoptaient la langue des vainqueurs comme langue commune ? C'est cette «distinction» culturelle que les Canadiens ne semblent pas pouvoir tolérer, encore moins reconnaître et privilégier.

Il ne suffira pas de reconnaître le Québec, symboliquement, comme une «société distincte» pour que, par magie, la question du Québec soit réglée. Toutes les sociétés sont distinctes, la question n'est pas là. La majorité des Québécois francophones et de plus en plus d'anglophones ne veulent plus vivre dans une société caractérisée par un statut de minorité nationale avec tous les problèmes qui en résultent pour tous. Ils considèrent, ces Québécois, qu'ils forment un peuple, une nation, et veulent être reconnus comme tels, que cette nation exerce ou non sa pleine souveraineté.

L'expression «société distincte» est une supercherie à laquelle les Canadiens ont bien raison de résister. Accepteraient-ils que les Américains refusent de les reconnaître autrement que comme des peuplades nordiques formant une société distincte?

La seule question qui se pose vraiment, ce n'est pas de savoir si les Québécois veulent se séparer du Canada — la réponse est non! — mais de savoir si les Canadiens veulent vivre avec un Québec largement autonome, quasi souverain, au sein d'une nouvelle union canadienne, fédérative peut-être, mais probablement confédérale. S'ils ne veulent pas, c'est leur affaire, mais ils auront voulu que le Québec devienne un État indépendant du Canada, sans pour autant exclure que ces deux pays puissent collaborer comme ils le doivent et le devront nécessairement.

«Oubliez la constitution!», disent les bien-pensants qui veulent s'attaquer aux vrais problèmes, ceux du chômage, par exemple, et du piètre état des finances publiques. Mais oublier la constitution, c'est oublier le Québec, et les Nations autochtones, qui posent au pays un problème constitutionnel.

Prétendre régler ces problèmes par des arrangements administratifs, c'est une lamentable imposture. C'est faire l'autruche. C'est vouloir gagner du temps, non pas pour régler les problèmes réels que ces nations posent au Canada, mais pour les faire disparaître à l'usure, les éliminer en douceur.

Quand il n'y aura plus d'autochtones ni de francophones en Amérique du Nord, alors les Américains et les Canadiens, ensemble, leur élèveront un splendide monument, une Statue de l'*Égalité*, à la mémoire de tous ceux qui seront morts libres et égaux, et non sans une certaine distinction, dans les deux meilleurs pays du monde, enfin purifiés de leurs scories ethnolinguistiques.

J'aurais préféré que Canadiens, Québécois et Amérindiens du Nord, nous nous mettions à l'œuvre, ensemble, pour ériger, à Kanesatake peut-être, un monument à la *Fraternité* des nations canadiennes enfin réconciliées dans une union respectueuse des droits de chacune et qui valorise les liens de solidarité et les formes d'entraide, tout en favorisant les échanges culturels et économiques.

- G -
Racisme - xénophobie-nationalisme

Le dictionnaire *Le Robert* définit ainsi ces termes :

racisme : théorie de la hiérarchie des races, qui conclut à la nécessité de préserver la race dite supérieure de tout croisement, et à son droit de dominer les autres. — *Ensemble de réactions qui, consciemment ou non, s'accordent avec cette théorie.*

xénophobie : hostilité à ce qui est étranger. V. chauvinisme.

nationalisme : exaltation du sentiment national ; attachement passionné à la nation à laquelle on appartient, accompagné parfois de xénophobie et d'une volonté d'isolement. V. Chauvinisme, patriotisme. Doctrine fondée sur ce sentiment, subordonnant toute la politique intérieure au développement de la puissance nationale et revendiquant le droit d'affirmer à l'extérieur cette puissance sans limitation de souveraineté. *Doctrine, mouvement politique qui revendique pour une nationalité le droit de former une nation.*

intolérance : Disposition hostile à la tolérance. Mod. Absence de tolérance, «passion féroce qui porte à haïr et à persécuter ceux qui sont dans l'erreur» (Didier). V. Fanatisme. *Tendance à ne pas supporter, à condamner ce qui déplaît dans les opinions ou la conduite d'autrui.* V. Étroitesse (d'esprit), intransigeance, sectarisme.

Selon le dictionnaire populaire de monsieur Foglia, le racisme serait «la focalisation excessive d'un sentiment particulier d'une communauté particulière»[1].

Une des difficultés de ce vocabulaire, c'est que *race* ne désigne plus seulement les collectivités de couleur, donc visibles, mais aussi les ethnies, les peuples, qui eux-mêmes sont appelés à former les nations. Et que le nationalisme n'est pas seulement une idéologie comportant les gênes du racisme, mais aussi la simple et légitime exaltation du sentiment national, d'appartenance à une nation, une patrie, ce que naguère on appelait patriotisme.

---

1   1. *La Presse*, 2 novembre 1995.

Mais les mots sont dangereux, certains sont assassins. Il faut s'en bien servir, sinon garde à vous!

Les mots aussi se jugent à leurs fruits. On sait ce que le racisme produit, cela est clair, mais ce l'est moins pour le nationalisme. Aussi faut-il se méfier constamment de ce dernier mot, tout en en faisant un usage légitime puisque le mot *patriotisme* est inutilisable et qu'il n'y a pas d'autre mot. Il faudrait pouvoir dire *patrialisme* pour désigner le bon nationalisme. Ou cesser d'utiliser *nationalisme* dans le sens d'impérialisme. On serait *patrialiste*, comme on est souverainiste au Québec.

Mais il faut prendre bien soin de ne pas banaliser le mot *racisme* en l'utilisant à toutes les sauces et de n'être pas terriblement injuste envers ceux qu'on traite indûment de racistes. Car l'accusation est grave, monstrueuse.

Le nationalisme québécois n'est pas raciste, mais il est parfois xénophobe et intolérant.

L'opposition des anglophones québécois, de souche ancienne ou récente, au projet de souveraineté du Québec, n'est pas raciste, même si elle est presque unanime. Elle n'est que l'expression quasi unanime du nationalisme canadien des Québécois anglophones et d'une importante minorité de francophones. On est essentiellement en présence de deux nationalismes. Mais la forte concentration du sentiment nationaliste anglo-canadien lui donne des allures totalitaires. De plus, ses accents francophobes et intolérants lui prêtent des couleurs de racisme qui sont inquiétantes et créent une situation malsaine et dangereuse. Malgré tout, il ne faut pas céder à la tentation de la facilité qui est d'accuser de racisme nos compatriotes anglophones. Ce serait jeter de l'huile sur le feu. Et ce serait injuste, tout comme ce l'est quand ils nous injurient de la sorte.

- H -
Tolérance et racisme

Tolérants, les Canadiens? J'en doute. S'ils tolèrent la présence française dans *leur* pays, si même ils aiment les francophones, c'est à condition que ceux-ci soient soumis à l'idée que ceux-là se font de *leur* pays.

Pourquoi les *Canadiens* sont-ils si véhéments et constants dans leur refus de reconnaître l'existence d'une nation francophone au sein du Canada? Je soupçonne que la réponse à cette question est un sentiment d'intolérance francophobe, conscient ou non, qui juge intolérable la présence obstinée de francophones au Canada et ne souhaite qu'une chose, leur assimilation dans la seule nation canadienne anglophone, multiculturelle peut-être, mais unilingue anglaise.

Évidemment, cette phobie se présente sous des formes et à des degrés éminemment variés; et elle est plus ou moins avouée — plutôt moins que plus — selon les individus. Mais elle existe, cela est certain, et il faudrait bien arriver à la mesurer, à l'analyser, à la comprendre.

Elle provient, à l'origine, de la rivalité multiséculaire des Anglais et des Français, bien avant Napoléon et même Jeanne d'Arc, et qui a survécu à l'Entente Cordiale du début du siècle. Même les Américains, malgré La Fayette, ne sont pas tout à fait libérés de ce sentiment francophobe, qui chez nous a pris des accents racistes envers ces nègres blancs d'Amérique.

N'oublions pas que cette lutte historique entre Anglais et Français pour l'hégémonie en Europe s'est jouée également en Amérique du Nord, en Afrique, en Asie. Sur notre continent, cette lutte fut titanesque de la baie d'Hudson jusqu'à la Louisiane, avec Le Moyne d'Iberville et les autres, et de Louisbourg en Nouvelle-Écosse jusqu'aux Rocheuses avec La Vérendrye et Riel. L'Amérique du Nord a bien failli être française, Boston et New York s'en rappellent encore. Aussi, même quand on accepte l'idée que le Québec puisse constituer un État souverain et francophone en Amérique du Nord, ce n'est pas sans un certain agacement. Et cela se comprend. Les choses seraient tellement plus simples s'il n'y avait pas de francophones en Amérique, ni d'hispanophones aux États-Unis, ni de Noirs, ni d'Amérindiens.

Aussi longtemps que le Québec restera une province comme les autres au sein de la fédération canadienne, cette intolérable tension entre la volonté de survivance des francophones et le désir d'assimilation des autres ne produira que des fruits amers, parmi lesquels le racisme, et peut-être bien de part et d'autre.

Le déclin de Montréal est un de ces fruits amers que produisent les tensions linguistiques dans cette ville pourtant cosmopolite : les Anglais — les «pure-laine», car ils ont les leurs, et les autres — n'acceptent pas les règles que la majorité francophone doit leur imposer pour éviter que leur ville ne devienne tout à fait anglaise ou américaine. Et la situation se détériore d'année en année, grâce, entre autres, au journal *The Gazette* et à tous ses Mordecai Richler.

Seule l'accession du Québec à une forme de souveraineté pourrait remédier à cette situation potentiellement explosive. Un Québec souverain pourrait avoir une métropole cosmopolite, bilingue, harmonieuse et dynamique, libérée de ses frustrations historiques, confiante en l'avenir, accueillante, forte de sa diversité culturelle, au sein d'un État enfin rassuré sur son identité nationale.

Le marasme économique, dont souffre Montréal actuellement et que certains imputent aux aspirations souverainistes de la majorité des Québécois francophones, m'apparaît au contraire comme une raison de plus de faire, sinon l'indépendance, du moins la souveraineté du Québec en association avec ses voisins, sous une forme ou une autre.

- I -
Montréal

Le Québec a besoin d'une métropole dynamique. Et le dynamisme de Montréal tient, en bonne partie, à son caractère cosmopolite et à sa population anglophone, qui ne contribue pas peu à son insertion harmonieuse dans l'Amérique du Nord.

Le problème est que les deux populations de cette ville, celle de langue française et celle de langue anglaise, après deux cents ans de cohabitation, ne font que cohabiter, c'est-à-dire habiter côte à côte cette ville. *Two Solitudes*, a écrit Hugh McLennan, et ces deux solitudes persistent. Il n'y a pas une mais deux villes, celle de l'est, plutôt pauvre, et celle de l'ouest ostensiblement riche, avec un point de rencontre cosmopolite tout le long du boulevard Saint-Laurent, bigarré, grouillant de la vitalité des petites gens de toutes origines et fréquenté tant par les francos que par les anglos.

À l'ouest de Saint-Laurent l'anglais prédomine encore orgueilleusement, outrageusement, avec encore une bonne part de sa morgue de naguère, même si on a appris à y parler français et qu'on veuille bien le faire assez souvent. Mais plus on s'éloigne dans Westmount, Hampstead, Endidji (Notre-Dame-de-Grâce, qui s'obstine encore à refuser de parler français dans ses dépanneurs et ses petites boutiques), le Lake Shore (où il faut dire Bédeurf pour Baie d'Urfé), jusqu'à Hudson et la frontière de l'Ontario, où les quartiers anglophones ont conquis les vieux villages francophones de Pointe-Claire, Sainte-Geneviève, Sainte-Anne-de-Bellevue, Pincourt, Saint-Lazare, plus il est difficile de vivre en français. Dans cette partie du monde, presque tous les noms de rue sont anglais.

Même l'est a conservé, comme noms de beaucoup de ses principales rues, les noms de conquérants comme Amherst, Wolfe, Sherbrooke, Aird, sans compter Ontario, le nom de sa rivale, où vous chercherez en vain, à Toronto, le nom de Québec.

Et l'on s'étonne qu'on ait dû imposer l'affichage commercial en français pour donner à cette ville au moins une certaine apparence bilingue, pour que les immigrants qu'elle accueille ne tournent pas complètement le dos à la ville française et ne s'intègrent pas tous à la ville anglaise.

Anglophones, allophones et francophones devront apprendre à vivre ensemble dans cette ville et ce coin de pays qui leur est commun. La vie publique devra s'y faire en français, sans que l'on veuille en exclure l'anglais, qui devra y trouver droit de cité, un droit normal, ni dominateur, ni contesté.

C'est à Montréal que se joue d'abord et essentiellement le sort du Québec français, donc d'un Québec souverain. C'est à Montréal que la population anglophone du Québec doit être amenée à partager avec les francophones la réalité québécoise, assumer leurs problèmes, vivre leurs joies, développer des projets communs. En somme, Montréal devra apprendre à devenir le creuset de la nation, cette nouvelle nation québécoise à laquelle les Franco-Québécois aspirent avec tant de ferveur depuis déjà si longtemps.

Or, c'est cela justement (ou injustement) que les Anglo-Québécois refusent, rejettent, combattent. Ils ne veulent pas d'une nation québécoise distincte de la grande nation canadienne, d'une nation majoritairement francophone dans laquelle ils deviendraient minoritaires. Cela se comprend, certes. Mais ils devront bien finir par admettre — du moins faut-il le souhaiter très fort et faire en sorte que cela puisse advenir — que leur seul avenir au Québec est de s'y intégrer pleinement, avec enthousiasme, au lieu de perpétuer la guerre de tranchées, de rues, dans laquelle ils continuent de s'embourber. Leur sort est irrémédiablement lié à celui des Québécois francophones, et ceux-ci n'ont qu'un avenir, celui d'un Québec largement souverain au sein d'une Amérique anglophone et toute puissante.

C'est pourquoi il faut qu'advienne ce Québec nouveau, français, mais faisant une bonne place à l'anglais, ce Québec fort de l'intégration harmonieuse de ses populations, ce Québec souverain qui apparaît comme la seule solution réaliste aux problèmes qui actuellement accablent les uns et les autres.

Ce Québec, il faudra sans doute le faire sans eux, mais pour eux aussi bien que pour nous, francophones, car eux font partie de nous, que cela leur ou nous plaise ou non.

- J -
Le nationalisme territorial ou le territorialisme

Le nationalisme ethnique n'est plus à la mode, n'est plus politiquement correct. Alors les Québécois se sont mis à proclamer que leur nationalisme était territorial. Quel contresens! Et quelle erreur!

On pourrait croire qu'il s'agit d'une tromperie, mais quand on se trompe soi-même, de bonne foi, bêtement, il s'agit d'une simple erreur.

Qu'est-ce que ça mange en hiver, le nationalisme territorial? Du territoire. Et cela serait plus respectable, plus légitime, plus correct qu'avoir pour fondement une ethnie, un peuple, une collectivité humaine ayant des caractères communs?!

Je ne comprends pas.

Il me semble bien évident que le nationalisme québécois est d'abord et avant tout et seulement fondé sur la nation québécoise, c'est-à-dire sur une collectivité qui habite un territoire appelé province depuis des siècles et qui voudrait que ce territoire soit reconnu comme son pays, un pays souverain, un État parmi les autres États, une nation.

Quand on n'a pas de pays, on a un territoire, mais le territoire ne justifie rien. Le territoire, c'est un coin de géographie, c'est neutre, c'est là où un peuple réside. En réalité, ce n'est pas tout à fait rien, ni tout à fait neutre. C'est la maison collective, et la maison, c'est sacré, inviolable, indivisible : on est chez soi et, comme les Anglais le savent et le disent, la maison de chacun, c'est son château, sa forteresse imprenable. Bien.

Mais de quel territoire s'agit-il? Du Cap Breton aux Rocheuses, de la baie d'Hudson à Nouvelle-Orléans? Des frontières actuelles de la Belle province? En vertu de quel droit? — du droit international, donc du droit du plus fort! Mais sommes-nous les plus forts?

Et de grandes parties de ce territoire sont aussi réclamées par les autochtones, qui l'ont habité avant nous, et par les anglophones, qui s'y sont installés par droit de conquête — comme tout le monde — et, par la suite, par naissance ou immigration légitime.

Mais à qui donc appartient cette terre, la terre québécoise, la terre canadienne, la terre des hommes — ça vous dit quelque chose, la terre des hommes? Saint-Exupéry, l'exposition universelle de 1967 à Montréal...?

Le nationalisme territorial n'est guère plus respectable que le nationalisme ethnique. Les guerres territoriales, comme toutes les guerres, les guerres ethniques (ou d'épuration ethnique), les guerres de religion, sont toutes honteuses. Seule est valable la légitime défense, et encore vaut-il mieux qu'elle soit pacifique, civilisée, dans le respect de la règle de droit, de la justice, de l'équité, pour tous, dans le respect des droits de chacun, de tous.

La vérité est qu'il n'y aurait pas de nationalisme québécois s'il n'y avait pas de Québécois français, que le nationalisme québécois n'a aucun sens s'il n'est pas français et que, étant français, il a évidemment bien du mal à y intégrer, à s'y associer, des Anglais et des anglophones. Même si ce n'est pas contre eux — mais bien un peu quand même, soyons francs! Quel honneur y aurait-il à être Français sans être franc?

— même si ce n'est pas contre les Anglais que le nationalisme québécois se définit, mais pour nous, 95 % de nos compatriotes québécois anglophones ne veulent rien savoir d'un Québec souverain. Au contraire! Ils voudraient plutôt, comme 95 % des autres Canadiens, que le Québec demeure une province comme toutes les autres, préférablement anglaise, sinon bilingue, au pis aller majoritairement francophone mais avec un fort statut particulier pour sa minorité anglophone — un statut particulier que le Canada refuse obstinément au Québec depuis toujours (c'est l'Angleterre seule, rappelons-le, qui a reconnu le Québec comme société distincte, comme peuple, et lui a accordé dans l'Empire un statut particulier reconnaissant ses droits linguistiques, son droit civil et sa religion catholique; c'était en 1774, sous la menace que présentait alors la pression américaine des jeunes États-Unis qui venaient de faire sécession de l'Empire britannique, de faire leur indépendance).

Alors de quel territoire s'agit-il? Et de quel nationalisme? Quel est ce «nous» pour qui nous voulons un Québec souverain? On voudrait bien qu'il soit inclusif, qu'il comprenne les Québécois anglophones, les «autres» Québécois, mais est-ce bien réaliste? Une nation, c'est une famille. Et une famille peut comprendre des enfants adoptifs, mais elle ne peut pas retenir ses enfants de force. Ceux qui désertent ou simplement refusent d'en faire partie, ne sont plus, ne sont pas de la famille. On peut tenter de les convaincre de rentrer au bercail, tuer le veau gras en attendant le retour des enfants prodigues, mais s'ils ne viennent pas, s'ils s'entêtent à bouder dans leur coin de pays à eux, qu'y pouvons-nous? Les intégrer de force? Soyons sérieux! Et surtout soyons justes.

Notre nationalisme n'est pas pour autant ethnique. La nation québécoise a su, tout au long de sa longue histoire, intégrer une partie non négligeable des immigrants venus de partout dans le monde; d'abord des soldats des armées de la Conquête, Écossais, Allemands, Anglais. Puis des Irlandais, des Américains, des Italiens, des Polonais, des Arméniens. Puis des Libanais, des Haïtiens, des Africains, des Vietnamiens. Même des Juifs et des Grecs. Et elle continue de vouloir accueillir les Québécois anglophones qui résistent encore, et qui résisteront sans doute toujours, à ses charmes.

Elle a même réussi à assimiler ou à intégrer des communautés autochtones, malgré l'attrait puissant que la puissance anglaise ou américaine exerce encore sur ces peuples si longtemps colonisés par le Canada anglais et les ÉtatsUnis.

Le nationalisme québécois n'est pas ethnique au sens sociologique du terme, il n'est pas fondé sur le sang, la laine pure. Mais il n'est pas territorial non plus et, je dirais, encore moins! Mais qu'est-il donc, ce mouvement qui fait vibrer tous les Québécois francophones — eux aussi à 95%, même si un tiers d'entre eux ne sont pas encore favorables à l'accession à la souveraineté — de quel bois se chauffe-t-il en hiver? Qu'il soit de bois franc ou d'espèce plus molle, son feu, sa lumière, sa chaleur sont culturels.

Car c'est bien de culture qu'il s'agit, et non de territoire, même si celui-ci en fait aussi partie.

Cette culture publique commune, c'est la culture québécoise, ni française, ni anglaise, ni canadienne, ni américaine, ni autochtone, ni italienne, ni juive, ni grecque, ni autre. Une culture québécoise métissée, faite de tous ces apports, participant certes plus largement à la culture française puisqu'elle s'exprime d'abord en français, mais pas exclusivement. Une culture qui s'est forgée à travers quatre siècles d'histoire, au contact des Amérindiens, des Américains et des Canadiens. Une culture et une langue riches, malgré et avec ses quétaineries. Qui n'est pas supérieure à toute autre, ni meilleure qu'aucune autre, mais qui est et veut continuer d'être. Et pour ce faire, elle a besoin d'un pays, celui qu'elle a, qu'elle a toujours eu, et qui est le sien, et qu'elle voudrait bien posséder tranquillement, gentiment, souverainement.

Voilà le nationalisme québécois, comme je le sens. Un *patria-lisme*. Un esprit, une âme, une vertu.

Et si dans la maison commune il faut aménager un espace, un salon — pas celui de la race — où tous puissent se sentir à l'aise, comme en famille, faisons-le, que diable! Que ce salon soit Montréal, grande ville cosmopolite, généreuse et accueillante, métropole de ce petit pays dont le cœur sera toujours à Québec, sous le cap Diamant, sur la rive du Saint-Laurent, et dans ses îles d'Orléans, aux Coudres, de Mingan, de la Madeleine, de Sorel ou de Boucherville.

Et qu'on ne me parle plus de frontières et de territoire!

- K -
Les autochtones

La question autochtone est à la fois simple et complexe, fondamentale et incontournable. Les Premières Nations ont des droits historiques, tout le monde le reconnaît. Mais quels sont ces droits et surtout quel avenir peuvent-elles raisonnablement espérer?

Le droit international leur reconnaît le droit d'autonomie mais pas nécessairement celui d'indépendance. En somme, les autochtones ont les mêmes droits que tous les peuples : s'ils peuvent constituer des nations viables, alors la communauté internationale les reconnaîtra comme telles. C'est aussi simple que cela. Mais ce n'est pas évident pour autant.

Les autochtones québécois sont onze petits peuples de quelques milliers de personnes, formant ensemble une population d'environ soixante mille habitants éparpillés sur d'immenses territoires, qu'ils partagent souvent entre eux et avec d'autres Québécois. Dans la majorité des cas, ces Nations ont la taille d'un village, d'une paroisse, si on ne compte pas leurs territoires de chasse et de pêche.

Leur population est moindre que la minorité anglo-québécoise (forte d'environ un million d'habitants) et inférieure en nombre à la plupart des autres collectivités ethniques du Québec. Selon le droit international, aucune de ces minorités n'a de droit de sécession. Seul le voisinage accueillant du Canada leur permettrait de prétendre à un avenir viable en dehors du Québec. Mais ce serait comme parties du Canada et non comme nations souveraines.

Doit-on reconnaître à toutes les collectivités humaines quelles qu'elles soient le droit, non pas de se gouverner elles-mêmes — ce qui est acquis — mais de choisir par qui elles veulent se faire gouverner, à quel autre pays elles veulent s'intégrer ? C'est là toute la question. L'ordre international ne permet pas une solution qui, toute sympathique qu'elle soit en principe, n'apporterait dans le monde que le chaos.

C'est pourquoi les nations autochtones du Québec devraient, à mon humble avis, se donner une vision un peu plus réaliste de leur avenir national. Celui-ci est irrémédiablement lié à l'une ou l'autre des nations canadienne ou québécoise, et leur liberté de choix à cet égard dépend du Canada et du Québec. Si le Canada reconnaît à tous ses peuples autochtones le droit de décider leur rattachement à la province canadienne de leur choix, ou même au pays de leur choix (États-Unis, Groenland, Russie ou Arabie Saoudite), alors le Québec devra politiquement en faire autant. Mais la chose est bien improbable.

D'ailleurs, un Québec indépendant serait un État successeur du Canada quant aux droits historiques issus des traités intervenus entre certaines Premières Nations et la Couronne britannique. Tout comme Ottawa, Québec en serait fiduciaire, par obligation de succession. Et rien n'empêcherait que les deux États conservent conjointement leurs obligations envers les autochtones du Québec et que ceux-ci jouissent d'une triple nationalité, autochtone, québécoise et canadienne... si le Canada le veut bien.

La vérité est que ceux qui se disent prêts à réclamer la partition du Québec — certains anglophones des régions de Montréal et de l'Outaouais — se servent des autochtones pour promouvoir leur cause, qui n'a aucune légitimité morale ou politique, dans le seul but de faire obstacle à l'accession du Québec à la souveraineté.

Les autochtones n'ont rien à craindre d'un Québec souverain qui, que cela lui plaise ou non, devra leur reconnaître les mêmes droits historiques que le Canada reconnaîtra à ses autochtones.

En quoi cela devrait-il être si catastrophique pour les autochtones condamnés à vivre dans un Québec souverain ? Aucune démonstration n'a jamais été faite, bien au contraire, qu'ils avaient quoi que ce soit à envier à leurs congénères des autres provinces canadiennes.

Alors tout ce battage des tambours de la guerre que les chefs autochtones font entendre m'apparaît comme de malheureuses bravades ou de coûteuses provocations, susceptibles de ne laisser dans leur sillon qu'amertume ou violence. Ou je me trompe fort!

Dans *Le Journal de Montréal* du 12 février 1996, le chroniqueur, Michel C. Auger commentait ainsi certains propos du ministre fédéral responsable des affaires autochtones :

> Pour ses propres fins et de façon on ne peut plus paternaliste, M. Irwin agit comme s'il s'agissait d'un divorce et que les autochtones devaient choisir s'ils veulent désormais vivre avec papa ou avec maman. Malheureusement, la réalité n'est pas aussi simpliste.
>
> En fait, le Canada a le choix. Ou bien les nations autochtones sont souveraines ou bien elles ne le sont pas. Si c'est le cas, c'est le cas de tout le monde. Les Cris, comme les Lubicon. Au Québec, mais aussi en Colombie-Britannique.
>
> (...) Là-dessus, une seule chose est claire : jamais le Canada n'a accepté de reconnaître de quelque manière la souveraineté des nations autochtones. Et M. Irwin voudrait nous faire croire que cette souveraineté existe, mais pour les seuls autochtones du Québec. (...)
>
> En fait, elle ne durerait que l'espace d'une seconde. Le temps pour eux de choisir le Canada et de retomber automatiquement dans le paternalisme de M. Irwin et le système néo-colonial des réserves et de la Loi sur les Indiens.
>
> Le manège de M. Irwin est transparent. Enrobés dans un vocabulaire de défense des autochtones, il y a, encore une fois, la menace de la partition et son compagnon indispensable qu'est ce climat de violence appréhendée.

- L -
Mieux vaut en rire

Les 7 500 Inuito-Québécois, comme d'ailleurs les 10 000 Crio-Québécois, ont la prétention de constituer un peuple qui pourrait agir souverainement et détacher leur territoire du Québec, le Nunavik, pour le rattacher au Nunavut (au nord du Manitoba). Leur chef Zebedee Nungak a déclaré fièrement : « Nous avons tracé une ligne dans la toundra ». La phrase est belle, mais cela ferait une drôle de frontière et un bien risible pays qui ne pourrait jamais affirmer sa souveraineté autrement que d'une façon purement théorique dans le giron canadien : quelques milliers de citoyens, ayant pour tout moyen de défense leurs harpons, pour occuper un aussi vaste territoire (le Nunavut représente un cinquième du territoire canadien) !

Le président des Inuit du Québec ajoute, cependant, que son peuple n'a aucun goût pour la violence. Heureusement ! Sa prétention à la souveraineté demeurera une simple chimère de plus dans le paysage politique canadien aux nombreuses velléités partitionnaires. Se rattacher à la future province du Nunavut, pourquoi pas au Groenland danois ou à l'Arctique russe, tant qu'à faire !

Aucune explication n'est donnée de cette peur panique devant le spectre d'une éventuelle souveraineté québécoise.

En revanche, une savante théorie juridique étaye cette thèse de la légitimité de la séparation du territoire inuit de celui du Québec. À propos de la Convention de la Baie James et du Nord québécois, intervenue en 1975 entre le gouvernement du Québec, les Cris et les Inuit, M. Nungak écrit dans *Le Devoir* du 24 février 1996 :

> Il s'agit d'une entente tripartite, une entente négociée entre Ottawa, Québec et les autochtones, soit les Cris et les Inuit. Nous avons négocié avec un gouvernement libéral et non pas un gouvernement souverainiste et avec Ottawa. La Convention de la Baie James a été ratifiée à la fois par le Parlement canadien et l'Assemblée nationale du Québec. Enfin la Convention a obtenu la protection constitutionnelle en 1982 avec la section 35 de la Constitution rapatriée, ce qui lui confère le statut de traité.

> Comme Inuit, nous avons accepté librement de participer à cette Convention, qui nous place sous la juridiction du Québec. Nous l'avons fait dans le contexte d'un Québec faisant partie intégrante du Canada. Toute modification ne peut être faite qu'avec notre approbation.

> Convention ou traité, celui-ci ne serait valable qu'en autant que le Québec ne change pas de statut constitutionnel sans l'accord des Inuit. Aucune virgule de la constitution canadienne ne pourrait

être modifiée par Ottawa et Québec sans l'accord de la nation Inuit! Et si jamais le Canada décidait de se séparer du Québec (plutôt que le Québec du Canada), eh bien! la Convention de la Baie James serait caduque et Québec perdrait son territoire nordique, peu importe qu'il n'ait rien fait. En somme le Québec n'existe que par la volonté des Canadiens, des Inuit, des Cris et des autres nations autochtones, et dans la mesure seulement où ceux-ci veulent bien le permettre!

Bien plus encore, selon la même argutie politico-juridique, le Canada ne pourrait pas se séparer du Québec, s'il le désirait, sans risquer de perdre ses territoires autochtones du Nord-Ouest, la future province (c'est pour 1999 selon le calendrier arrêté par le gouvernement fédéral sans consultation des provinces canadiennes!) du Nunavut (au nord de la Saskatchewan et du Manitoba) et le territoire des Inuvialuit (englobant les îles arctiques), qui pourraient décider de devenir québécoises afin de n'être point séparées de leurs frères Inuit du Québec!

C'est la thèse que les Inuit s'apprêtent à aller défendre à Londres et à Bruxelles, et sans doute à Strasbourg et à New York. Avec l'aide du Canada, peut-être?

Si le Québec est divisible, le Canada l'est aussi. Et pourquoi pas les territoires autochtones eux-mêmes? Puisque tout est divisible dans ce risible pays.

- M -
Le Québec bilingue

Le Cercle Gérald Godin réunit des intellectuels indépendantistes, dont Gaston Miron et Denis Monière. Il publiait, dans *La Presse* du 9 novembre 1995, ses réflexions post-référendaires, parmi lesquelles celles-ci :

2. [...] nous ne voulons plus entendre parler de «société distincte». Que ne laisserons pas se refermer sur nous maintenant, le piège que nous avons ouvert nous-mêmes en valorisant et en regrettant Meech. Meech est calé et il n'intéresse plus du tout le Québec du 30 octobre. Plus jamais de «société distincte» pour caractériser le Québec français et interculturel. Pas de Québec égal «à chacune» des provinces anglaises. Nous n'accepterons qu'une égalité : celle du Québec français et interculturel devant «l'ensemble» des provinces à majorité anglaise qui constituent le Canada.

4. [...] c'est la langue qui est au cœur de l'affirmation souverainiste et de notre identité de peuple. Le premier critère de notre droit à l'autodétermination, l'expression spécifique et dynamique de notre histoire, de nos institutions, de notre culture, de notre territoire. Et qu'il nous appartient alors de rechercher dans le Québec interculturel la solidarité et la compréhension dont le Québec français a besoin, pour faire grandir le Peuple que nous apprenons encore à faire ensemble.

Bien sûr que c'est la langue qui est le fondement du nationalisme québécois, mais le français n'est pas le seul principe d'identité du peuple québécois, puisque ce peuple comprend une importante minorité anglophone. Vingt pour cent d'anglophones québécois, ça doit bien peser aussi lourd que vingt-trois pour cent de francophones au Canada. À moins de vouloir lancer une opération de purification ethnique du Québec, le Québec n'est pas et ne sera pas un pays français. Il ne peut être qu'un pays à majorité française. Et cela est bien différent d'un pays français.

Même après sa sécession du Canada, le Québec, comme d'ailleurs le Canada, continuera d'être un pays bilingue, aussi bilingue que l'Ontario l'est de fait et le Nouveau-Brunswick de droit.

Comment faire un appel vibrant à la solidarité des autres collectivités culturelles (ethniques) si on persiste à nier cette réalité fondamentale : le peuple québécois est majoritairement français et comporte une importante minorité anglophone qui devra se sentir à l'aise dans la nation québécoise, chez elle, tout à fait chez elle, aussi bien que la majorité francophone, pour que la nation québécoise puisse vraiment exister, devenir souveraine, être reconnue et respectée parmi les nations du monde.

Sinon, pas de nation québécoise, pas de souveraineté, pas de pays normal ! Mais une société qui se distingue par le refus de la réalité, une société schizophrénique, une société malade de se prendre pour une autre.

Comment des intellectuels aussi respectables et respectés peuvent-ils être assez aveugles — car ils sont de bonne foi, je serais prêt à m'en porter garant — pour revendiquer d'un même souffle, dans la même phrase, un «Québec français et interculturel» face à «l'ensemble des provinces à majorité anglaise qui constituent le Canada» ?

Le Canada est certes un «ensemble» interculturel et bilingue à majorité anglophone. Mais comment peut-on nier que cela soit aussi vrai du Québec, «ensemble» interculturel et bilingue à majorité francophone ?

- N -
Montréal français ou bilingue ?

De toute évidence un nouveau(?) pacte est nécessaire entre les deux communautés montréalaises, l'anglophone et la francophone. Mais sur quelle base ?

Les Anglo-Montréalais peuvent-ils accepter que Montréal soit une ville principalement française ?

Les Franco-Montréalais peuvent-ils accepter que la population anglophone de Montréal a le droit de vivre normalement en anglais ?

L'un et l'autre groupe peuvent-ils reconnaître l'autre collectivité comme un atout, un actif, plutôt qu'une menace, un obstacle ou un ennui ?

Et les deux groupes peuvent-ils s'intégrer ou continueront-ils de s'ignorer dans leurs solitudes éternellement parallèles ?

Voilà les questions fondamentales qui se posent. Si on n'y trouve pas de réponses satisfaisantes, il n'y aura pas de solution au problème québécois, ni d'avenir au rêve de souveraineté.

Pour y arriver, c'est-à-dire pour fonder ce pacte essentiel, doit-on, peut-on attendre l'accession du Québec à la souveraineté ?

Les choses seront plus faciles après, mais à la condition seulement qu'on ménage une transition harmonieuse entre le régime actuel et le nouveau régime, quel qu'il soit.

Pour ce faire, les anglos exigent avec raison d'être rassurés sur leur avenir au Québec. Ils ont perdu un peu de leur arrogance, c'est bien, mais faut-il les punir ?

Comme geste conciliateur (puisqu'on ne peut pas vraiment parler de réconciliation), il faut atténuer les rigueurs de la loi 101, sans l'affaiblir. Car cette loi comporte une injustice fondamentale qu'il faut corriger au plus vite : l'interdiction faite à nos concitoyens anglophones et allophones d'afficher leur existence dans la langue de leur choix.

Que le notaire, le cordonnier, le dépanneur du coin ne puisse pas annoncer son commerce ou son métier en anglais, en chinois ou en italien, s'il le désire, est inacceptable. En quoi notre ville souffrirait-elle d'afficher allégrement son caractère cosmopolite par ailleurs si agréable, voire recherché ?

Mais à une condition : que Montréal devienne (je ne dis pas demeure) une ville principalement française, que cela se voie, s'entende, se sache, se dise, s'affirme, sans conteste, ni combats de rue.

Il faut donc lever les entraves faites aux libertés individuelles dans le domaine de l'affichage public. Pourvu que cela se limite à l'endroit où le petit artisan ou commerçant exerce son art, son métier. Et que toutes les places d'affaires appartenant à des sociétés anonymes n'affichent qu'en français. Et que Ville Mont-Royal, Westmount, Hampstead et les autres villes consentent à nommer au moins la moitié de leurs rues en français !

Les sociétés commerciales, en effet, ne sont aucunement justifiées, quoi qu'en pense notre Cour suprême, à réclamer les mêmes droits et libertés que les individus, à moins qu'il ne s'agisse de sociétés unipersonnelles (i.e. appartenant à un seul propriétaire).

Aussi paradoxal que cela paraisse, pour que Montréal, comme toute autre ville, puisse jouir d'un statut bilingue, quant à l'usage de l'anglais et du français dans sa réglementation, ses délibérations et son administration (sauf l'affichage public), il faut que le Québec soit unilingue dans ses lois, son parlement, ses tribunaux. Il faut que le Québec soit français, comme l'Ontario est anglais, sauf pour les municipalités dont la population comprend une importante minorité anglophone. Dans ces municipalités, les services de santé doivent être également disponibles dans les deux langues. Quant au domaine scolaire, le régime actuel doit être maintenu, tout en substituant la langue des familles à la confession religieuse comme critère d'appartenance à l'une ou l'autre institution d'enseignement.

Si on faisait disparaître les irritants inutiles, voire nuisibles, dans les lois linguistiques et leur application, les Montréalais trouveraient peut-être la voie de la concorde, d'un pacte social fécond pour l'avenir, un avenir commun.

Quand les Montréalais anglophones auront accepté franchement de vivre en français dans cette ville qu'ils partagent avec une majorité de francophones, ceux-ci accepteront sans aucun doute, s'ils ne sont plus menacés dans leur existence même, de reconnaître à l'anglais un droit de cité normal, pourvu qu'il ne soit ni dominant, ni dominateur.

- O -
Nos vieux démons

Le 24 février 1996, s'adressant au Conseil national du Parti québécois, le premier ministre Lucien Bouchard traitait ainsi de la question linguistique et de la nécessaire concertation entre les diverses communautés culturelles qui forment le peuple québécois :

Alors nous avons une chance incroyable. La souveraineté n'a pas gagné — pas encore. Mais nous pouvons éviter de nous retrouver avec nos vieux démons, avec nos vieux affrontements. Plutôt que de revenir en arrière, nous devons au contraire préfigurer, dans nos réflexions, dans nos décisions et dans nos actions, le pays qui sera le nôtre après le prochain rendez-vous.

[...]

Et le premier test qui se présente devant nous c'est, bien sûr, le débat linguistique.

[...]

Quand on parle de la langue française au Québec, on parle de l'élément central de la culture québécoise. La langue française est au cœur de notre identité de peuple. Que le français tienne encore aujourd'hui cette place au Québec, en plein continent anglophone, relève tout simplement du prodige. Ce prodige, c'est la ténacité de ceux et celles qui, contre vents et marées, ont conservé cette langue, se sont nourris des valeurs qu'elle véhicule et se sont enrichis de l'accès qu'elle ouvre à une civilisation universelle.

Si bien qu'une succession ininterrompue de gouvernements québécois, qu'ils soient d'un parti ou de l'autre, ont reconnu que le Québec est une société dont la langue officielle et commune est le français et qui doit s'épanouir comme telle.

La loi 101 a été le coup de barre qui a vraiment rendu possible la promotion francophone du Québec.

Durant la campagne référendaire, nous avons exprimé nos inquiétudes quant à l'avenir du français dans la région de Montréal. À moyen terme, il semble que notre incapacité d'intégrer graduellement à la majorité francophone une proportion suffisante de nouveaux Québécois pourrait faire basculer l'équilibre linguistique sur l'île de Montréal. Dans d'autres secteurs de la législation linguistique, il existait une sorte de flou artistique qu'il fallait éclaircir.

[...]

D'ici l'été, nous aurons dégagé notre plan d'action et nous pourrons améliorer les choses, dans la mesure de nos moyens.

Je dis : «dans la mesure de nos moyens», parce que nous ne les avons pas tous. J'ai l'intime conviction qu'aujourd'hui, près de 20 ans après l'adoption de la loi 101, l'instrument le plus important à notre disposition pour accélérer l'intégration des nouveaux Québécois et établir notre sécurité linguistique, c'est la souveraineté. Parce qu'au cœur de l'enjeu de l'intégration, il y a l'identité. Et l'identité, elle dépend du pays.

C'est pourquoi je n'ai pas le moindre doute : le meilleur amendement à la loi 101, c'est la souveraineté.

Ça ne signifie pas que nous sommes impuissants, d'ici là, au contraire.

Cependant, je pense qu'il faut cesser de se faire mener par nos vieux démons, dans ce débat. Ce n'est pas vrai que le débat linguistique doit forcément se faire dans la confrontation. Ce n'est pas vrai que les droits linguistiques sont un match où on compte les points. Ce n'est pas vrai qu'en matière de langue et de culture, le bonheur des uns fait nécessairement le malheur des autres.

Voici un exemple. À Montréal, il y a une mesure bien simple qui permettrait une bien meilleure intégration des jeunes allophones à la majorité francophone : des commissions scolaires linguistiques. En ce moment, des milliers de jeunes allophones apprennent le français dans la commission scolaire anglophone. Il faudrait changer ça.

Eh bien, savez-vous que, depuis deux ans, la communauté anglophone est favorable à cette mesure et que c'est la commission scolaire de la majorité francophone qui nous empêche d'avancer ?

Je vous le dis comme je le sens, ayant vécu à Montréal ces six dernières années, dans un quartier culturellement très diversifié. Je crois que nous sommes à une étape où la majorité francophone d'une part et où les minorités anglophone et allophone d'autre part ont un intérêt commun. Elles ont intérêt à préserver et promouvoir la vitalité culturelle montréalaise et québécoise.

Pour y arriver, il faudra réunir trois ingrédients :

D'abord, il faudra une majorité francophone en situation de sécurité linguistique et qui assume sereinement sa position majoritaire ;

Ensuite, il faudra un flux régulier de nouveaux arrivants dont une nette majorité s'intègre, graduellement, aux francophones; Finalement, il faudra une communauté anglophone dont l'identité et la vitalité seront préservées, comme le Camp du changement s'y est d'ailleurs engagé lors du référendum.

Ces trois objectifs ne sont pas contradictoires. Ils l'ont peut-être déjà été dans le passé. Mais, pour l'essentiel, ils ne le sont plus.

Aujourd'hui au Québec, nous pouvons tendre vers ces trois objectifs en mobilisant toutes les bonnes volontés, dans toutes les communautés.

À cet appel de son premier ministre, aucun Québécois ne peut demeurer insensible, aucun Canadien ne doit refuser d'en reconnaître la sincérité et la légitimité.

- P -
Drôle de pays

Drôle de pays quand même que ce Québec qui n'a d'autre nom que celui de sa capitale, de sorte qu'on ne sait jamais, quand on parle des Québécois, s'il s'agit de ses citoyens ou des habitants de sa ville historique!

Drôle de pays dont la fête nationale est celle de sa collectivité franco-québécoise, naguère canadienne-française, laissant hors jeu toutes les autres communautés dont on voudrait bien cependant qu'elles se reconnaissent comme parties du peuple québécois. Le 24 juin, malgré la Loi de la fête nationale, demeure la fête de la Saint-Jean-Baptiste, patron des Canadiens français catholiques du Québec, de l'Ontario, et de l'Ouest. Cette fête n'inclut pas les Acadiens, qui ont la leur le 15 août, fête de l'Assomption de la Vierge Marie, leur patronne. Ni les Irlandais, qui fêtent la Saint-Patrick. Ni les autres. Il est grand temps de mettre un peu d'ordre dans tout ça et de lever une ambiguïté aussi gênante.

Drôle de pays dont l'emblème est la fleur de lys des rois de France et qui se veut la république de tous ses citoyens venus de partout — même si le Canada n'est guère mieux avec sa reine importée d'Angleterre!

Drôle de pays qui n'a pas d'hymne national!

Drôle de pays dont l'un des deux grands partis politiques usurpe l'épithète nationale qui devrait appartenir à tous.

Si Pierre Perrault a pu dire du Canada qu'il était un pays sans bon sens, ne pourrait-on pas penser que le Québec est le pays du non-sens?

Qu'attendons-nous pour faire le ménage de nos vieilleries et rendre la maison accueillante pour tous ses habitants?

- Q -
Le Canada mythique

Le Canada meilleur pays du monde est un mythe. La réalité est plutôt que, si aujourd'hui les représentants des provinces canadiennes se réunissaient à nouveau, à Charlottetown ou à Bytown, comme les pères de la Confédération l'ont fait en 1867, eh bien! ils ne pourraient pas s'entendre pour fonder le Canada. Le Canada d'aujourd'hui existe dans un passé dont il est prisonnier parce que les Canadiens n'ont plus de volonté commune, ce vouloir vivre ensemble essentiel à toute nation.

D'ailleurs, l'ont-ils jamais eue cette volonté?

Le Canada s'est fait historiquement d'abord contre les États-Unis, puis avec tous les exilés forcés de quitter leur pays d'origine par les persécutions, les guerres, les famines. Le Canada anglais est un refuge. C'est par la force des choses que les Canadiens sont ensemble.

Certes, les Canadiens anglophones ont développé un vouloir-vivre collectif et ils forment aujourd'hui une véritable nation. Mais cette nation n'est pas celle des autochtones, ni celle de la majorité des Québécois. Pour ceux-ci, comme a dit Robert Bourassa dans un moment de terrifiante lucidité, le Canada est le pays «légal» et le Québec, leur patrie. C'est tout dire. C'est se mentir à soi-même et mentir aux autres que de prétendre le contraire.

Je ne dis pas qu'il n'aurait pas pu ni ne pourrait en être autrement. Mais il est bien tard. N'est-ce pas se faire une dangereuse illusion, n'est-ce pas une imposture que de croire et de laisser croire que le Canada peut devenir la patrie de tous les Canadiens?

Mais ne peut-on pas en dire autant du Québec? Les autochtones pourront-ils jamais s'y sentir chez eux plutôt que de reprocher aux Québécois (et, ailleurs, aux Canadiens), avec une amertume historique, de vivre chez eux, d'occuper leur territoire? Les allophones pourront, je crois, avec le temps, s'intégrer à la nation québécoise, de même que les anglophones, mais à la condition que la nation québécoise se montre accueillante envers eux, ce qui n'a pas été tout à fait le cas jusqu'à présent. Je dis accueillante et non pas tolérante. Il ne suffit pas de tolérer l'autre comme un corps étranger dont on est obligé de souffrir la présence.

Le Québec devra être la patrie de tous ceux qui y vivent. Comme le Canada devra l'être pour les autochtones, les Acadiens, les Franco-Ontariens et les autres.

Et si ces deux pays peuvent vivre ensemble dans une union canadienne, eh bien! je crois qu'on aura réussi à faire de «la belle ouvrage»! Sinon, de toute manière, nous devrons bien trouver le moyen de vivre ensemble dans une plus vaste union nord-américaine. Seuls les imbéciles — mais ils sont nombreux — refusent de voir qu'on est condamnés à vivre ensemble d'une manière ou d'une autre.

Nécessité fait loi, disait-on en des temps plus sages. À défaut d'un impossible mariage d'amour, ayons au moins la lucidité de contracter un mariage de raison, fondé sur le respect mutuel et des intérêts communs.

- R -
Le respect

Sans respect mutuel, aucune solution, ni fédéraliste, ni souverainiste-associationniste. Que l'indépendance pure et dure des uns et des autres, avec sa kyrielle de traumatismes, de soubresauts, de misère. Le cauchemar.

Il faut donc commencer par là, par retrouver l'estime de ses voisins, la compréhension réciproque, l'acceptation des uns et des autres. À défaut d'amour, au moins le respect, et un peu d'estime, de considération.

Cesser l'escalade des injures, des agressions verbales, ne pouvant que mener à la violence. Arrêter les propos haineux, apocalyptiques. Apprendre à vivre ensemble, en harmonie, de quelque souche qu'on soit.

Cette révolution des mentalités précède toute solution et peut seule lui permettre d'être durable.

Certes, il y aura toujours des extrémistes de tous bords, mais que les populations et leurs notables soient au moins moyennement vertueux, de cette vertu sans laquelle aucune société ne peut vivre démocratiquement.

Cesser l'intolérance sous toutes ses formes, plus hypocrites les unes que les autres, en particulier celle qui se vante de tolérance et ne voit que l'intolérance de l'autre.

Le Canada d'hier, le Canada d'aujourd'hui, n'est pas un pays de tolérance — les autochtones, les francophones, les Chinois et les Japonais de l'Ouest, les mormons, les juifs, les Noirs de Jamaïque ou d'Haïti, les sikhs, les métis, à peu près tous les Canadiens, sauf les WASPS (blancs anglo-saxons protestants), le savent bien dans les chairs meurtries de leur histoire en terre canadienne. Les Acadiens devraient le savoir aussi. Et aussi les Franco-Ontariens. Et les Franco-Québécois. Les Canadiens doivent aussi le reconnaître.

Il faut prendre la mesure de notre intolérance si l'on veut en sortir. Le Canada n'est pas un pays de tolérance. Il doit le devenir.

Ce n'est pas grâce au Canada et au fédéralisme que les francophones et les autochtones ont pu survivre. Mais grâce à leur ténacité, à leur résistance farouche de tous les instants contre les forces assimilatrices, contre les persécutions, contre la volonté majoritaire de les anéantir. Grâce aussi au fait qu'ils ont réussi à se servir des institutions fédérales pour assurer leur survie. Faut-il rappeler les années de lutte des Canadiens français pour obtenir, non pas la reconnaissance de leur existence comme peuple distinct, mais seulement un peu de français sur les chèques émis par le gouvernement fédéral! Exemple trivial, mais combien éloquent.

Et on voudrait qu'on aime ce pays qui refuse de nous reconnaître tout en faisant semblant de nous aimer! Qu'on le reconnaisse comme le meilleur pays du monde où l'on pourrait vouloir vivre! Ce pays qui traite de raciste et de fasciste quiconque a l'audace de vouloir que soit reconnue son appartenance à sa nation, soit-elle première ou seconde.

Ce pays qui divise pour régner, qui mobilise les Canadiens de toutes origines et les Premières Nations contre un Québec qui se veut un pays francophone, qui divise les Québécois entre eux, qui voudrait bien pouvoir diviser, morceler le Québec lui-même, à défaut de pouvoir asservir le tout, afin de conserver au moins son empire sur des parcelles de territoires, de colonies.

Ce pays qu'on aurait aimé pouvoir aimer et dont on a peine à vouloir se séparer.

Ce pays qui doit devenir aimable s'il veut durer d'une manière ou d'une autre.

DES LENDEMAINS
QUI CHANTENT?

DÉCLARATION CONJOINTE

D'entrée de jeu

Nous sommes des Québécois de toutes origines ethniques et culturelles, souverainistes, fédéralistes ou autres, troublés par le climat politique post-référendaire, qui nous paraît malsain, et inquiets du sort des collectivités particulières auxquelles nous appartenons, aussi bien que de l'avenir du Québec et du Canada.

Nous ne représentons personne et ne formons qu'un groupe ponctuel, réuni seulement par la conjoncture actuelle et la bonne volonté, celle de réfléchir à nos problèmes et à nos défis communs en toute liberté et ouverture d'esprit, dans l'espoir d'y voir plus clair et de trouver la voie de la concorde par un dialogue franc et respectueux des valeurs démocratiques.

Si, au bout de cet exercice, chacun devait demeurer inébranlable dans ses comportements, son quant-à-soi, sans la moindre concession, alors notre échec serait malheureusement trop éloquent. Par contre, si nous pouvions contribuer à l'amorce d'un nouveau pacte ou contrat social susceptible de s'avérer bénéfique tant pour le Québec que pour le Canada et les Premières Nations, alors nos efforts n'auraient pas été vains.

Voilà le défi, voilà l'enjeu. À chacun sa mise, cartes sur table.

D'entrée de jeu, nous nous entendons pour affirmer :

(1) l'égalité de tous les citoyens vivant au Québec et formant le peuple québécois;

(2) la liberté de ce peuple de déterminer démocratiquement son statut constitutionnel, c'est-à-dire d'accéder à la pleine souveraineté nationale ou de continuer à partager celle-ci avec les autres provinces canadiennes, dans une

union fédérative ou confédérale — et, par conséquent, la légitimité des trois grandes options en présence ;
(3) la fraternité et la solidarité qui doivent unir les Québécois entre eux, de même que les collectivités culturelles ou ethniques qui composent la société québécoise ;
(4) le caractère principalement français de cette société dont le français est la langue commune ;
(5) la reconnaissance de l'enrichissement qu'apporte à la société québécoise la vitalité de la culture anglo-québécoise ;
(6) la nécessité d'assurer le reflet du caractère pluraliste de la société québécoise dans toutes les sphères de l'activité sociale, culturelle et politique ;
(7) le respect des libertés et droits fondamentaux, des personnes et des collectivités, ainsi que des valeurs démocratiques et de la règle de droit ;
(8) le refus de toute violence physique ou verbale, de toute forme d'intolérance, de racisme, de francophobie, d'anglophobie ou de xénophobie ;
(9) la volonté de trouver ensemble, par le dialogue et la voie démocratique, des solutions pacifiques à nos projets communs, dans le respect absolu des convictions et des options légitimes de chacun.

Les signataires reconnaissent ces principes comme les leurs et comme fondement de leur recherche, qu'ils s'engagent à poursuivre comme gens de bonne volonté et compatriotes, et ils espèrent que les autorités québécoises et canadiennes, de même que tous ceux qui participent au débat public, auront le souci de respecter ces mêmes valeurs.

René Boudreault	Myra Cree	Marco Micone
Marc Brière	Françoise David	Joseph Rabinovitch
Gretta Chambers	Claude E. Forget	Guy Rocher
Bernard Cleary	Naïm Kattan	Charles Taylor
Claude Corbo	Takis Merlopoulos	Peter White

Par la suite, un certain nombre de personnes ont tenu à exprimer leur soutien à cette déclaration, notamment le bâtonnier Guy Gilbert, Huguette Guilhaumon, Jean-Guy Rens et Chantal Sauriol.

QUE VOUS ENSEMBLE ?
(SPLITLEVEL : LEVEL OR SPLIT !)

Myra Cree

Ainsi donc «l'une en a de l'un assez
alors que l'un n'est point de l'une las encore».[1]
Québec fille mal courtisée par un Canada mauvais coucheur
qui a oublié qu'une femme bafouée ouvre des volcans à chaque pas.

D'où ce couple qui ne se ménage pas,
se dressant plutôt que se pressant l'un contre l'autre.
«C'est là, ça parle, ça a à voir avec...»[2]
les problèmes de la vie en commun.
Tandis que la famille, doublement accablée, déguste.

Disons les choses comme elles sont.
Chacun n'est affairé que de lui-même.
par «surdité culturelle»?[3] par «avarice mentale»?[4]

---

1. Jean-Luc Benoziglio, in *Tableaux d'une ex*, Seuil.
2. Marguerite Duras, écrivain.
3. Rémi Savaro, anthropologue.
4. Dominique Ferrensez, écrivain.

Il n'importe, le résultat est le même :
le fond de l'air effraie.

Meanwhile, back at the teepee
l'Indien, le «pure fur»[5]
(appellation qui vous a un petit côté mythe miteux)
contemple le vertigineux décalage
entre sa réalité et ses aspirations.

Or, après avoir professé un mépris d'acier à son endroit,
voici qu'on lui fait des avances.
Il n'était pas de la noce
mais voici qu'on l'invite à prendre parti advenant un divorce.

Alors l'hôte de ses bois
pendant si longtemps confiné à sa solitude,
cette «troisième solitude» dont parle Henri Dorion,
se met à croire qu'au fond du couple fondateur
sommeillait un Lamartine qui enfin avoue :
«un seul hêtre vous manque et tout est des peupliers.»

Bien sûr, la vérité est autre.
Car l'Indien n'est pas dupe
et pratique sa propre grammaire :
je m'appartiens,
tout m'appartient,
let's make a deal, let's *do* a «ménage à trois».

Dans «La défaite de Platon», Claude Allègre rappelle ceci,
que sauf à être sourd et aveugle on ne saurait ignorer :
«Produit de l'évolution biologique, l'Homme, par nature,
est congénitalement tourné vers son avenir.
Il doit l'affronter avec détermination, mais aussi
en disposant de tous les atouts que lui fournit sa propre histoire,
c'est-à-dire d'abord et avant tout la connaissance.»

Libre à nous par la suite de choisir
l'histoire nouvelle dans laquelle nous désirons nous inscrire,
sans aigreur, mieux avec jubilation,
loin des aquoibonistes, des toutourienistes,

---

5.   Henry Mintzberg, Université McGill : voir texte 3.

loin des vociférations politiques
qui ne font pas les grands destins
mais les extinctions de voix.

Silvina Ocampo a cette phrase très belle
dans *Mémoires secrètes d'une poupée* :
«Certaines postures nous font croire au bonheur :
le fait d'être couchée m'a fait parfois croire à l'amour.»

Si jamais nous devions déserter la couche «Queen size»,
if ever push comes to shove,
puissions-nous conserver cette suprême élégance :
glisser de la passion au détachement, aux lits jumeaux
sans tomber dans l'indifférence.

WHINING AND DINING
UNE TABLÉE DE JOYEUSES
LAMENTATIONS OU UNE SOIRÉE
QUÉBÉCOISE PARFAITEMENT
CANADIENNE*

Henry Mintzberg

J'ai reçu une lettre d'un certain juge m'invitant à écrire un chapitre d'un livre sur le Québec, où l'on «examinerait les causes d'incompréhension réciproque et proposerait une réflexion inspirante». Bon, cela recommence, me suis-je dit. Qui va s'intéresser à ça? Ce n'est pas moi qui ai créé le «climat malsain» dont il est question dans cette lettre. Nous sommes un million, de langue maternelle différente, qui venons juste de nous faire rejeter comme «ethniques» par notre propre chef d'État, vraisemblablement parce que nous avons «mal» voté au référendum. Et cela, après qu'il nous eut si généreusement accueillis quand il avait besoin de nos votes.

Dans la lettre du juge il y avait une liste de tout un groupe d'«autos, francos, anglos et allos» invités à des réunions d'organisation.

---

* Traduit de l'anglais par Dominique Issenhuth.

J'ai appelé une amie qui connaît pratiquement tout le monde au Québec, afin de me renseigner sur cet homme. «Il est correct, m'a-t-elle répondu, c'est un type gentil et, qui plus est, un péquiste de longue date». J'ai donc décidé de téléphoner à Marc Brière. Je lui ai dit ce que j'avais ressenti en me faisant traiter d'«ethnique» et ce que je pensais de son projet — que ce serait un véritable dialogue de sourds. Nous ne nous sommes pas quittés dans les meilleurs termes. Pourtant, il m'a semblé que je ferais mieux d'aller à l'une de ces réunions, ne serait-ce que pour faire un geste amical.

C'est ainsi que je me suis retrouvé au restaurant *Il Rubesco* le 27 février 1996 à 17 heures. Nous étions une dizaine, tout un échantillonnage allant de Josée Legault («pure et dure», selon ses propres termes) à moi (pas si dur ni si pur que ça). «Josée Legault!», me suis-je dit quand on me l'a présentée. Je venais juste de lire un article qui exposait en long et en large le point de vue de cette femme. Elle ne me paraissait pas vraiment merveilleuse.

On est tout de suite entrés dans le vif du sujet — après tout, on était à Montréal, au Québec, au Canada pendant l'hiver 1996 — bien que certains se montraient plutôt conciliants. L'atmosphère s'est quelque peu échauffée quand Marc a sorti sa «Déclaration», un document assez inoffensif en fait, qu'il voulait nous faire signer. Je ne voyais pas à quoi cela rimait (et de toute façon je préfère ne pas signer de documents collectifs), mais un autre «anglo» achoppait sur l'expression «le peuple québécois» (qui n'était pas expliquée dans cette ébauche). Qui en faisait partie? Il voulait le savoir. La réponse fusa de plusieurs côtés, tout à fait prévisible : tous ceux qui vivent dans l'esprit du Québec d'aujourd'hui. Belle attitude de modernité et d'ouverture... Pourtant, quelque chose semblait légèrement suspect, à certains d'entre nous, du moins. Pas une fois où les gens ont défilé à la Saint-Jean-Baptiste en scandant «Le Québec aux Québécois» je n'ai eu l'impression qu'ils s'adressaient à moi. Bien entendu, j'aurais pu marcher avec eux. Aurais-je alors été l'un des leurs dans leur esprit?

Plus tard, la «Conquête» est venue sur le tapis. (Les purs et durs raffolent de la Conquête. Elle définit la cause, pour ne pas dire l'ennemi.) Un instant, me suis-je écrié. Jadis, l'Angleterre et la France étaient partout en guerre. Chacune a envoyé son armée ici. L'une est arrivée à peine un an avant la grande bataille, l'autre, deux ou trois ans avant. Rien à voir avec l'invasion du Lac Saint-Jean par les Torontois.

Plusieurs se sont empressés de me corriger. (Par les temps qui courent, on doit toujours être politiquement correct au Québec.) Vous ne saisissez pas à quel point les Québécois peuvent éprouver la Conquête et ses conséquences, m'a-t-on fait remarquer.

Non, bien sûr, je ne comprends pas. C'est vrai, il n'y a que 236 ans que cette bataille a eu lieu et, en gros, seulement un siècle depuis les événements du Manitoba. Et c'est vrai que nous avons réussi à nous construire une existence paisible et prospère depuis, y inclus l'émergence du Québec au sein de la Fédération canadienne, en tant que l'une des cultures francophones les plus palpitantes qui soient. Mais quelle importance, puisque tout allait si mal il y a un siècle ou deux! Ce qui importe maintenant, c'est de corriger le passé, pas de profiter du présent, même si cela doit nuire à l'avenir. Était-ce cela qui m'échappait?

Il y avait là une contradiction flagrante, mais qui ne me frappa que plus tard. Si le fait d'avoir la Conquête dans le sang caractérise à ce point un vrai Québécois, alors comment est-il possible de faire partie du «peuple» quand on n'est pas un pur laine? Il faut que ce soit inscrit dans vos gènes, n'est-ce pas? Il ne peut y avoir le moindre rapport avec les rappels quotidiens des journalistes et des professeurs d'histoire.

Alors comment quelqu'un qui est arrivé après 1760 (ou avant 1534, en l'occurrence) peut-il faire partie du «peuple québécois»? Prenez M. Le Hir, par exemple, ancien ministre du gouvernement péquiste, qui est arrivé de France de son vivant. Comment vit-il ce sentiment d'appartenance? (Il devrait peut-être plutôt ressentir la «Conquête» de Waterloo.) Et qu'en est-il des branches irlandaises des familles Ryan et Johnson et des tas d'autres laines impures, sans parler du reste d'entre nous, purs ethniques?

Quoi qu'il en soit, je suppose que vous avez une bonne idée du ton de notre réunion de ce soir-là. Vous ne serez donc pas surpris d'apprendre que notre réunion ne s'est terminée ni sur une décision en faveur de l'indépendance du Québec, ni sur une «formule» de fédération renouvelée.

Certains sont partis et quelques-uns ont décidé de rester souper. J'étais en compagnie de Marc, Josée, Joe Rabinovitch (qui dirige le Centre communautaire juif de Montréal) et Myra Cree (une Mohawk francophone qui travaille à Radio-Canada). C'était assez bien équilibré, en fait (si on ne tient pas compte de ces quelques

Canadiens originaires des Îles Britanniques) — en des termes que je préfère, deux «pures laines», deux «purs cotons» et une «pure fourrure».

Quand nous nous sommes mis à table, nous avons laissé tomber la politique, et l'ambiance a tourné à la jovialité. Il y a eu des tas de discussions agréables et bien des rires, dans les deux langues. Personne ne l'a fait remarquer sur le coup ni ne s'en est même rendu compte, je crois; cela s'est fait tout seul. On était bien au Canada après tout, pas en Belgique ni au Burundi : nous pouvons nous quereller à propos de politique, mais à part cela, nous nous entendons très bien.

Josée Legault était charmante et sans doute la plus animée du groupe. Je suivais ses gestes depuis un moment lorsque j'ai lancé : «Vous savez, vous me faites penser à une JAP!» Elle a eu l'air légèrement contrariée, mais surtout amusée. (Je suppose que ce n'est pas tous les jours que cette «pure et dure» se fait traiter de «Jewish American Princess». Elle savait très bien que ça voulait dire enfant de riches particulièrement gâté, pourri.) Alors, on a sorti les blagues JAP. J'ai demandé : «What is a JAP's favorite wine?» Répondez d'une voix plaintive : «I wanna go to Flori-da.» (Je veux aller en Floride.) Cette plaisanterie est bien sûr intraduisible mais les mots anglais wine (vin) et whine (plainte) se prononcent de la même manière!

C'est alors que j'ai été frappé par ce qui venait de se passer. Nous vivions là une soirée québécoise parfaitement canadienne, ai-je dit, à nous disputer comme des enragés au sujet de théories politiques, puis, après avoir laissé tomber le sujet, à rire et à passer un moment absolument merveilleux. J'ai intitulé un chapitre du livre que je venais de publier[11] «Regardez par votre fenêtre». Je prétends que si nous passions plus de temps à regarder dehors, là où nous pouvons nous apprécier mutuellement — et apprécier nos vies quotidiennes — au lieu de regarder ce maudit téléviseur qui nous rend enragés contre «eux» — tous ces gens et toutes ces vies qu'on ne connaît même pas — alors on se sentirait tous sacrément mieux. (Le journaliste montréalais Josh Freed l'a énoncé de façon beaucoup plus succincte quand il a dit que le Canada, ça marche en

---

1. *Les propos d'un «Pur coton» : Essai sur la problématique canadienne* (Québec/Amérique, 1995).

pratique et que ce n'et qu'en théorie que ça ne marche pas. Il aurait
dû ajouter que l'inverse peut tout autant s'appliquer à l'indépendance du Québec.) Certains ont semblé ne pas approuver ma
remarque, mais je n'avais pas non plus à remettre la politique sur le
tapis, pas vrai? De toute façon, ça n'a pas duré. L'ironie plaisante a
repris le dessus. Puis, vers la fin du repas, Myra a lâché la conclusion parfaite, déclenchant un rire énorme : «We had been whining
and dining!»

Je suis rentré chez moi encore plus décidé à ne pas écrire le
chapitre pour Marc. Puis j'ai commencé à y voir plus clair. On est
là, on regarde bien par la fenêtre, mais vers l'intérieur. Pourquoi ne
pas écrire là-dessus? Y a-t-il un «climat malsain» naturel dans notre
pays, ou bien a-t-il été fabriqué à partir d'événements qui ont eu
lieu il y a des siècles? Serons-nous capables de mettre de côté les
théories politiques assez longtemps pour apprécier la compréhension réciproque que nous avons construite ici? Sommes-nous
vraiment prêts à tout laisser tomber?

QUEL PEUPLE ?

Julien Bauer

Le traité de Westphalie (1648), qui mettait fin à la Guerre de Trente Ans, a jeté les bases de l'État. Il accordait au souverain le droit d'imposer la religion à ses sujets mais, en contrepartie, devait accorder le droit à l'exil pour ceux qui refuseraient de se convertir. Depuis lors, on a assisté à une multiplication des États et à un renforcement de leur rôle. La démocratisation progressive des sociétés, surtout occidentales, a entraîné un transfert de souveraineté du monarque, du duc et des autres barons au peuple. La philosophie sous-jacente à Westphalie, la valorisation de populations homogènes — au moins religieusement homogènes — est encore présente dans la valorisation des États-nations, des structures politico-administratives chapeautant un peuple. Si tout peuple n'a pas son État et si tout État ne se limite pas à un seul peuple, une certaine adéquation a été cherchée pour faire coïncider, dans la mesure du possible, les frontières étatiques et les zones habitées par les peuples.

Cette adéquation n'étant pas parfaite, on a vu apparaître, en particulier dans les États issus de la disposition des empires austro-hongrois et ottoman, des minorités. Ces minorités nationales, sources de conflits et de guerres en Europe, étaient tiraillées entre l'appartenance à un peuple vivant majoritairement dans un autre État et l'appartenance à un État où leur statut était minoritaire. La lecture des journaux nous montre à quel point les relations Étatpeuple-minorités constituent un problème omniprésent sans solution facile.

Plusieurs définitions de ce qui constitue un peuple ont été présentées. Elles ont généralement pour but de prouver que le groupe auquel appartient l'auteur est un peuple et que le ou les groupes qu'il n'aime pas sont, tout au plus, des peuplades, des tribus, des minorités, bref des groupes inférieurs. Certains insistent sur la race — que l'on baptise pudiquement d'ethnie pour être politiquement correct — d'autres sur l'histoire, la géographie, la religion, la langue, la culture, etc.

Les peuples, au sens biologique, supposent une continuité ethnique parfaite sans aucun apport d'autres groupes humains. À moins d'habiter une île perdue, on voit mal comment un peuple pourrait être complètement coupé du reste de l'humanité. Les peuples, au sens culturel, correspondent à l'image qu'ils se font de leurs propres cultures. Les définitions qui nous paraissent les plus satisfaisantes et les plus honnêtes sont celles de Renan et de Weber. Renan nous propose une liste des ingrédients qui peuvent aboutir à la constitution d'un peuple : race, langue, affinité religieuse, géographie, intérêts économiques, nécessités militaires. Toutes ces conditions sont insuffisantes s'il manque l'ingrédient principal, la volonté d'être un peuple. «Une nation est une âme, un principe spirituel..., c'est l'aboutissement d'un long passé d'efforts, de sacrifices et de dévouements; avoir des gloires communes dans le passé, avoir fait de grandes choses ensemble, vouloir en faire encore, voilà les conditions essentielles pour être un peuple» (*Qu'est-ce qu'une nation*, 1882). Pour Weber, un peuple, ou plus précisément une ethnie, est un «groupe humain qui nourrit une croyance subjective à une communauté d'origine..., croyance qui devient importante pour la propagation de la communalisation, peu importe qu'une communauté de sang existe ou non objectivement» (*Économie et société*). Peu importe les gênes et autres arbres généalogiques, peu importe la réalité objective, un peuple existe lorsqu'il croit être un peuple, lorsque ses membres sont persuadés qu'ils ont un passé commun et veulent continuer à vivre ensemble. Il n'est donc pas surprenant que les peuples aient des mythes fondateurs qui permettent à tous leurs membres de se situer. Ces mythes ont souvent fait l'objet d'un endoctrinement systématique pour renforcer le sentiment d'appartenance au peuple. Le cas le plus célèbre est sans doute celui utilisé en France : «nos ancêtres, les Gaulois». Cette idée, qui semble ridicule de nos jours, a été à la base même de l'éducation républicaine laïque en France pendant plus d'un siècle. On peut se permettre aujourd'hui de la ridiculiser car elle a fonctionné. Des enfants martiniquais, basques, juifs, lorrains, savoyards, algériens, espagnols, dont la caractéristique commune est de suivre un enseignement français, sont persuadés que leurs ancêtres ressemblaient à Vercingétorix. Ils ont donc une origine commune mythique et, comme les irréductibles Astérix et Obélix, entendent vivre ensemble dans le présent et le futur.

Le mythe canadien propose qu'en 1867 deux groupes humains, l'un d'origine française, l'autre d'origine britannique, ont décidé d'unir leurs destinées pour former un nouvel État. Les races fondatrices, devenues peuples fondateurs, seraient ainsi deux peuples qui ont décidé de vivre dans un État. L'existence de ces deux groupes est vérifiable. L'oubli des autochtones parmi les fondateurs s'explique par la vision prédominante de l'époque coloniale où les fondateurs représentaient la civilisation et les autochtones, la sauvagerie. L'absence des minorités se comprend aussi : si, dès les débuts de la colonisation il y a eu des individus d'origines autres que française et britannique, ils étaient trop peu nombreux pour que l'on puisse parler de peuple ou même de minorité. La première minorité, les Irlandais, ne s'est établie au pays que peu de temps avant la Confédération. L'idée que les deux peuples qui se partageaient ce qui est devenu le Canada ont décidé de secouer conjointement le joug colonial est séduisante. Elle est surtout une tentative de récupération de l'histoire. Si ces deux peuples avaient voulu leur indépendance, ils auraient pu se soulever avec les Américains. Si les Français d'Amérique, à qui la nouvelle république ne garantissait aucun droit particulier, avaient voulu se débarrasser de la Couronne britannique, ils auraient pu tenter, avec l'aide des États-Unis, de constituer leur propre État.

Un peu moins d'un siècle plus tard, ce ne sont pas les pressions populaires qui ont abouti à la Confédération mais la décision du Gouvernement de Sa Majesté d'octroyer une très large autonomie à la lointaine colonie pour simplifier la gestion de l'Empire. Plutôt que de gérer à distance la vie quotidienne des Canadiens, Londres a préféré se débarrasser des soucis du gouvernement et se garder un droit de veto et un rôle de centre politique et surtout économique de l'Empire. La reconnaissance du fait français en 1867 suit la même logique que la reconnaissance du fait français

après la Conquête; elle n'a rien à voir avec le droit des peuples à
disposer d'eux-mêmes — un anachronisme — ou avec un amour
pour les Français — une absurdité — mais a tout à voir avec le désir
de ne pas se compliquer la vie et de laisser les locaux se débrouiller
entre eux.

Peut-on parler de peuple canadien? La réponse à cette question est, selon la majorité des intéressés, les Canadiens anglais et les
Canadiens français, négative. Les arguments sont connus : deux
langues, deux confessions — ce qui nous paraît secondaire aujour-
d'hui mais a joué un rôle historique extrêmement important —,
deux systèmes juridiques. Ces arguments sont objectifs mais ne
nous paraissent pas probants. C'est au niveau subjectif, à celui des
croyances, des perceptions, des mythes que se situe le problème. Les
deux groupes ne partagent pas la même vision de l'histoire, de leur
histoire. Ils peuvent s'entendre sur une façon de vivre ensemble, sur
un système politique, constitutionnel, mais même si ces éléments
faisaient l'unanimité, ils ne changeraient pas le fait que les enfants
n'apprennent pas la même histoire à l'école. Ce qui est progrès pour
les uns est régression pour les autres. Parler d'un peuple canadien et
inculquer deux histoires aux enfants est une contradiction dans les
termes.

Peut-on parler de peuple canadien anglais et de peuple canadien français? La réponse est, historiquement, positive. Chacun des
deux, outre les distinctions relevées plus haut (langue, religion,
droit), a un ingrédient qui en fait un peuple : la conscience d'une
origine commune — fondée ou non est peu important —, la
conscience d'intérêts communs — qui dépassent de loin les intérêts
économiques mais englobent des traits de culture, le sentiment
d'être proche des autres membres du peuple —, la volonté de
perpétuer et de développer une expérience commune. Passé partagé,
présent partagé, avenir souhaité, voilà qui, à la suite de Renan et de
Weber, justifie que l'on parle de peuple canadien-anglais et de
peuple canadien-français.

Peut-on parler de peuple québécois? Les chapitres de ce livre
évoquent à peine le sujet tellement la réponse positive est tenue
pour évidente. Si les choses étaient aussi limpides, le présent débat
sur l'avenir du Canada en serait fort simplifié : deux peuples, un
canadien-anglais et un québécois, décident s'ils veulent un État
chacun, un État comprenant les deux peuples, deux États liés par
une structure fédérale, confédérale ou autre.

Peuple québécois signifie que tous les Québécois, quelles que soient leurs origines, partagent un passé, un présent et un futur communs, qui les distinguent de tous les autres Canadiens. Cela signifie une réduction drastique sinon la disparition du peuple canadien-français. Amputé de sa masse critique, les Canadiens français du Québec, limité aux Canadiens français hors Québec (Acadiens, Franco-Ontariens, etc.), ce peuple aurait peu de chances de survie. Cela signifie aussi que les non-Canadiens français du Québec sont membres et se sentent membres à part entière du peuple québécois et réduisent ou suppriment leurs liens avec le peuple canadien-anglais.

Historiquement, tout a été fait pour s'assurer que les minorités soient coupées du Québec franco-catholique. Considérant les immigrants comme une menace à la société franco-catholique, le Québec a choisi de les diriger du côté anglo-protestant. Ce n'est qu'en 1969 que les enfants non catholiques ont eu le droit de fréquenter les écoles franco-catholiques. Les enfants juifs et grecs orthodoxes ont ainsi été scolarisés en anglais et ont appris la version canadienne-anglaise de l'histoire. Contrairement à une idée répandue, les écoles anglo-protestantes, loin d'accueillir à bras ouverts les nouveaux venus, les ont traités de façon méprisante. Dans les années 1960, certaines municipalités refusaient encore le droit de vote aux parents juifs pour les commissions scolaires. Cette attitude n'a pas empêché l'anglicisation des minorités jusqu'à la Loi 101. Des trois minorités les plus importantes à l'époque — Grecs, Italiens, Juifs —, deux, n'étant pas catholiques, étaient rejetées par le système d'éducation canadien-français, et les Italiens, bien que catholiques, se retrouvaient dans des écoles anglaises. Malgré les politiques discriminatoires des commissions scolaires protestantes, malgré la politique officiellement antisémite de l'Université McGill jusque dans les années 1960, le secteur anglais a fini par s'ouvrir aux minorités au point qu'aujourd'hui les minorités les plus anciennes sont considérées comme en faisant partie. Pendant que se produisait ce lent phénomène d'acculturation, le nationalisme québécois continuait à repousser les minorités. Le décalage d'environ une génération entre la relative ouverture des Anglo-protestants et celle des Franco-catholiques explique que ces minorités établies ne se sentent pas attirées par le nationalisme québécois.

Les minorités plus récentes, arrivées à partir des années 1960 et 1970 et que visait la loi 101, ont envoyé leurs enfants à l'école

française. Le Protestant School Board of Greater Montreal, qui
avait développé un réseau français, avait un avantage sur la Commission des écoles catholiques de Montréal. Il avait pris l'habitude
d'enfants et d'enseignants non canadiens-anglais alors que la
CECM était encore quasi exclusivement canadienne-française
catholique, tant au niveau des écoliers qu'à celui des enseignants.
Que la CECM ait réussi à attirer des enfants de familles immigrées
en est d'autant plus remarquable.

De nos jours, une partie des nouvelles minorités est élevée
dans des écoles de langue française et de tradition canadienne-
anglaise et une autre partie dans des écoles de langue française et de
tradition canadienne-française. Les premiers apprennent la version
canadienne de l'histoire, les seconds la version québécoise. Les minorités se retrouvent souvent majoritaires dans leurs écoles et ont
aussi peu d'occasions de faire le lien entre l'histoire enseignée à
l'école et la société québécoise francophone.

Passé commun, il est difficile de voir comment les descendants de Canadiens anglais et les descendants de minorités rejetées
se sentiraient plus québécois que canadiens. Les nouveaux venus
sont plus susceptibles de se sentir québécois, mais ce phénomène se
heurte à deux obstacles : l'invocation des grands ancêtres, qui allait
de soi pour les générations précédentes, est de plus en plus remise
en question dans les sociétés occidentales et elle ne porte fruit que si
elle est partagée avec les descendants de ces grands ancêtres, partage
que rend difficile le départ des Canadiens français des écoles à forte
proportion d'immigrants.

Si le passé est diversifié, qu'en est-il du présent? Ne peut-on
avoir conscience d'une histoire différente et cependant participer à
la vie d'aujourd'hui? Pour qu'une telle situation se présente, il est
nécessaire que le peuple déjà installé ait une politique d'intégration
des autres. Le passage de peuple canadien-français à peuple québécois pourrait être une réponse. Autant il est compréhensible que des
citoyens dont les origines ne remontaient pas à la Nouvelle France
et qui n'étaient pas d'obédience religieuse catholique romaine
n'aient pu devenir canadiens-français, autant il semble plus facile
qu'ils se sentent membres du peuple québécois. Cela suppose un
double mouvement de rapprochement. Il ne va pas de soi. Pour
toutes sortes de raisons (historiques : les immigrants sont venus au
Canada plus qu'au Québec, symboliques : citoyenneté, passeport,
hymne national..., psychologiques : peur de l'inconnu, etc), les

citoyens d'origines autres que française se sentent plus Canadiens du Québec que Québécois. Cela n'empêche pas une relative symbiose. Dans une étude qui avait eu le don d'agacer tant la majorité québécoise que la minorité juive, j'avais relevé, en 1990, que les Juifs du Québec présentaient des caractéristiques qui les distinguaient des Juifs ailleurs au Canada et aux États-Unis. Ils acceptent plus facilement la conception, prédominante au Québec et peu répandue au Canada anglais, qui valorise les droits collectifs par rapport aux droits individuels et un certain corporatisme chapeauté par l'État. Ce début de symbiose sociétale, et on peut supposer qu'il en va de même pour d'autres groupes, ne va pas jusqu'à une symbiose nationale.

Du côté de la majorité, le vocabulaire utilisé dénote la permanence du canadianisme français sous la terminologie québécoise. Les Français hors Québec sont considérés comme perdus et abandonnés à leur triste sort. Les Québécois ne désignent que les Canadiens français du Québec. Il y a cinquante ans, un Juif qui parlait français était traité de «Juif catholique», expression qui montrait bien la difficulté de distinguer la religion de la langue. De nos jours, Québécois, dans le vocabulaire courant, signifie un descendant du peuple canadien-français. «As-tu marié une Québécoise?», question fréquente, ne veut pas dire as-tu épousé une femme du Québec, quelle que soit son origine, mais une femme d'ascendance canadienne-française. Que le vocabulaire mette du temps à évoluer est normal. Plus étonnant est le ballet sémantique officiel. Je ne parle pas des déclarations des dirigeants politiques — beaucoup gagneraient à apprendre l'art du silence — mais des textes officiels qui reflètent la vision qu'a la majorité de ce que constitue le Québec.

Lors de la création du ministère des Communautés culturelles et de l'immigration en 1981, la loi évoque la «communauté francophone». La même année, le *Plan d'action à l'intention des communautés culturelles* parle de «Québécois francophones» et de «société québécoise». Plus tard, en 1990, *Au Québec pour bâtir ensemble* utilise l'expression «société francophone». Le peuple québécois se définirait donc par la langue. Si tel est le cas, tout francophone au Québec serait *ipso facto* membre du peuple québécois et toute personne parlant une autre langue n'en serait pas membre. Cette définition purement linguistique a une première conséquence : elle empêche l'appartenance au peuple québécois de tout citoyen dont la langue est autre que le français. Assure-t-elle l'appartenance des francophones non canadiens-français au peuple québécois? La réponse semble être négative, car le texte de 1981 nous signale qu'il faut «favoriser l'intégration des communautés culturelles dans la société québécoise et spécialement dans les secteurs où elles ont été jusqu'ici sous-représentées, particulièrement dans la fonction publique». Or plusieurs de ces communautés culturelles sont, totalement ou partiellement, francophones. Le fait qu'il faille les intégrer tendrait à faire croire qu'elles ne le sont pas. Le fait qu'elles soient quasi absentes dans la fonction publique pose également problème.

Dans la perception que la majorité a d'elle-même au Québec, le secteur public — État et administration publique — a joué un rôle essentiel. Jusqu'à la Révolution tranquille, un partage des tâches était accepté. Les Anglais se spécialisaient dans le domaine des affaires, les Français dans celui de la politique (le «salon de la race») et de l'administration publique. Cette division s'accompagnait de deux philosophies différentes de la vie — les affaires d'un côté, la religion et le «petit pain» de l'autre — et de l'éducation — absence d'écoles secondaires dans les commissions scolaires catholiques. La Révolution tranquille allait bouleverser cet état de choses. En l'espace de quelques années, le taux de scolarité des Canadiens français du Québec, qui était un des plus bas du Canada, connaissait une remarquable ascension grâce à la création d'écoles secondaires franco-catholiques, de cégeps, de l'Université du Québec. Des entreprises publiques travaillant en français, comme Hydro-Québec, la Société Générale de Financement, une nouvelle génération d'entrepreneurs canadiens-français s'affirmaient. Sans aucun changement constitutionnel, le peuple canadien-français du Québec rattrapait son retard et témoignait de ces capacités d'éducation et de gestion. Les Français sont entrés dans les affaires, les Anglais y sont restés et n'ont pas cherché à travailler dans la fonction publique. Trente ans plus tard, la situation de l'administration publique est restée la même : une réserve canadienne-française. Si les Canadiens anglais n'étaient guère attirés par la fonction publique, les minorités, elles, maîtrisant de mieux en mieux le français et à la recherche d'emplois dans tous les secteurs, y compris le public, n'ont réussi à franchir que certaines portes. On en trouve dans les cégeps, les universités, les hôpitaux, mais quasiment pas dans la fonction publique proprement dite, les ministères. Or l'administration publique est au cœur du système politique québécois.

L'absence ou, plus exactement, la minime présence des non-Canadiens français dans la fonction publique, minime présence que les dirigeants politiques ne cessent de regretter et qu'ils promettent de corriger, est un trait permanent du système. Il ne peut pas ou ne veut pas accepter les minorités, elles se sentent exclues. Faut-il s'étonner que des citoyens qui ne participent pas au système ne se sentent pas membres du peuple québécois que représente ce système ?

Exclus de l'administration publique, les citoyens non canadiens-français participent-ils à la vie politique québécoise ? La réponse est mitigée. Pendant des générations, il était entendu que des Canadiens anglais auraient des ministères économiques dans les gouvernements du Québec. Cela correspondait à la division des tâches notée plus haut. Un premier député ni français ni anglais était élu en 1915. Il a fallu attendre les années 1970 et 1980 pour que des députés autres deviennent ministres.

Le fait que des citoyens parlant français, ayant des noms à consonance anglaise, aient été élus députés, ministres et premiers ministres va dans le sens d'une québécisation de la vie politique. Il n'est pas nécessaire d'être canadien-français, être canadien-anglais francophone est suffisant. Par contre, les non-fondateurs sont très peu nombreux. Pour un Goldbloom, un Ciaccia et un Sirros — exceptions remarquables et remarquées — le reste des conseils des ministres est purement fondateur. Le gouvernement actuel n'a aucun ministre d'origine autre. C'est inévitable étant donné que le Parti québécois n'a pas de député autre (à l'exception de David Payne, originaire de Grande-Bretagne). Le PQ n'a pas de député autre non seulement parce que les minorités ne votent pas pour lui, mais parce qu'aucun minoritaire n'a été choisi comme candidat pour un comté sûr. La spirale fonctionne ainsi : les candidats d'origine minoritaire sont exclus des comtés sûrs (ex. : Sciortino) et présentés dans les comtés perdus d'avance (Cohen à Outremont) ; la députation et donc le gouvernement sont canadien-français ; les autres se plaignent de la fermeture du PQ ; le PQ se plaint du vote hostile des minorités ; tout le monde est uni dans la complainte. Il fut un temps où un candidat minoritaire péquiste était élu (Jean Alfred, d'origine haïtienne, dans Papineau de 1976 à 1981) ; le Bloc québécois compte Nunez parmi ses députés. Les chances de changement sont minimes dans la situation actuelle. Après le discours de

Parizeau, les minorités ne vont pas se bousculer pour militer au PQ et les militants ne vont pas faire de cadeau aux minoritaires.

Une non-participation de près de 20% de la population au gouvernement provincial n'aide pas à créer un sentiment d'appartenance nationale. Ce problème est spécifique au PQ. Le Parti Libéral du Québec, les partis fédéraux (Parti Libéral du Canada, Parti Conservateur, Bloc Québécois) et les partis municipaux ont réussi, eux, à des titres divers, à faire élire des candidats puis à les faire participer, pour autant que le parti soit majoritaire, au gouvernement ou au conseil municipal. L'absence des autres dans le présent gouvernement québécois n'est pas un déterminisme, elle est la conséquence d'un choix délibéré des dirigeants politiques. Les appels pieux à la solidarité tomberont à plat si les rares militants péquistes non canadien-français continuent à être snobés par leurs propres chefs. Si un militant minoritaire qui croit à la souveraineté du Québec, et, on peut le supposer, se sent membre du peuple québécois, est traité ainsi, il semble peu réaliste que les autres minoritaires aient l'impression qu'ils sont considérés comme des membres à part entière du peuple québécois.

Passé diversifié, présent parallèle plus que convergent, peut-on imaginer un futur commun? Le seul point commun qui saute aux yeux est le sport national québécois, que revendiquent avec une belle unanimité tous et chacun, la peur et l'humiliation. Pour des raisons historiques et démographiques, les Canadiens français se sentent une minorité menacée d'être engloutie dans une mer ou plutôt un océan anglais; les Canadiens anglais voient leur statut de peuple fondateur remis en cause; les minorités ont peur de faire les frais d'une nouvelle entente entre les deux peuples fondateurs, que le Québec soit souverain ou non. Ces peurs, qui paraissent ridicules à ceux qui ne les vivent pas, existent bel et bien. Elles sont manipulées par les ténors politiques. Il est fascinant que les tenants du oui et du non, loin de faire appel aux lendemains qui chantent, d'exalter un avenir qui donne envie d'y participer, insistent surtout sur la peur, peur que le fait français disparaisse ou peur que le Canada disparaisse. Cette attitude n'est pas le ciment constitutif d'un peuple québécois mais plutôt d'une branche québécoise du peuple canadien français et de segments du peuple canadien anglais.

La langue française pourrait jouer un rôle coagulateur. Elle laisserait de côté la question des anglophones en l'assimilant à un problème de minorités. Si le français devenait une langue nationale, cela supposerait que tous ceux qui le parlent, indépendamment de leurs origines, soient égaux non seulement devant la loi, ce qui est le cas, mais également devant les institutions politiques, comme les partis, et administratives, comme la fonction publique, ce qui n'est pas encore le cas. Changer la réalité ne se fera pas à coup de déclarations mais d'actions. Et ces actions n'auront d'effet qu'à long terme. Le sentiment d'appartenance à un peuple ne se légifère pas, il est le produit d'une longue évolution. Pour le meilleur et pour le pire, l'évolution n'a pas été vers la constitution d'un peuple québécois aux composantes multiples, mais vers celle d'un peuple canadienfrançais du Québec réclamant soit une plus grande autonomie dans le système canadien, soit l'indépendance. Elle ne justifie en soi aucune politique particulière. Même si le peuple québécois existe, rien ne l'oblige à vouloir un État et même s'il n'existe pas, rien n'empêche le souhait d'un nouvel État.

Construire un État est une chose, affirmer qu'un peuple dépasse le cadre de ceux qui s'en sentent membres en est une autre. L'affirmation que le droit à un État indépendant découle et ne découle que de l'existence du peuple québécois, peuple qui comprend tous les habitants du Québec, ne résiste pas à l'analyse. Un peuple ne peut avoir comme membres des citoyens qui ne partagent pas un sentiment d'appartenance. Les non-Canadiens français, à de rares exceptions, ne semblent guère avoir ce sentiment et il ne peut pas leur être imposé. Par contre, si la connaissance du français servait de sésame pour entrer de plain-pied dans la «société québécoise francophone», cette société pourrait se transformer en peuple québécois.

Les arguments utilisés pour justifier la notion de peuple sont en fait des arguments pour justifier un État. Ainsi la distinction entre code civil et *common law* a des conséquences institutionnelles que l'on peut démontrer. Cette distinction est-elle perçue, que ce soit par les Canadien anglais ou les Canadiens français, comme essentielle à la vision qu'ils ont de leurs collectivités? C'est moins clair.

Aucune loi de l'histoire n'aboutit inéluctablement à un résultat politique donné, depuis le *statu quo* jusqu'à l'indépendance en passant par toutes les solutions intermédiaires. Ce que nous enseignent Renan et Weber — ils ont l'avantage, et pour cause, de ne pas être impliqués dans le débat qui agite le Canada et le Québec — c'est qu'un peuple existe d'abord et avant tout dans les cœurs et les croyances de ses membres. Que les Canadiens français constituent un peuple est un fait attesté par l'existence d'un passé et d'un présent communs, d'un futur plus aléatoire, certains insistant sur sa dimension canadienne, d'autres sur sa dimension québécoise. Que les non-Canadiens français du Québec deviennent membres du peuple québécois n'est pas une impossibilité, ce n'est pas non plus une réalité déjà présente. Tenter de faire porter le blâme pour cette situation sur quelque groupe que ce soit n'offre pas de solution. Comprendre la situation, être conscient du bagage historique que nous portons tous est déjà un pas vers le respect mutuel.

Affirmer que deux structures institutionnelles, le gouvernement fédéral canadien et le gouvernement provincial québécois, correspondent à deux peuples suppose que les États sont plus importants que les peuples. Nous croyons plutôt que les peuples sont plus importants que les États et que ces peuples ne peuvent se transformer que progressivement. La société québécoise francophone peut se prévaloir du passé canadien-français et du présent canadien-français québécois. Elle ne deviendra un peuple québécois que si elle réussit à convaincre tous ceux que ce peuple souhaite représenter qu'ils «ont de grandes choses à faire ensemble».

L'ÉGALITÉ ET LA SÉCURITÉ CULTURELLE DE LA MINORITÉ FRANCOPHONE DU CANADA

Peter G. White[1]

Nous devons nous rendre à l'évidence : le seul risque sérieux de rupture du Canada réside dans les relations entre francophones et non-francophones, plus particulièrement dans celles qui existent, d'une part, entre le gouvernement francophone et le peuple québécois et, d'autre part, entre les autres gouvernements et les non-francophones du Canada.

Cette relation est au cœur de l'identité et de l'unité canadiennes depuis 1760, date de la capitulation de Montréal devant le général britannique James Murray, successeur du général James Wolfe. Ce n'est pas et cela n'a jamais été une relation statique. C'est une relation qui a constamment évolué au fil des circonstances, plus précisément des changements démographiques, géographiques, politiques et légaux. Puisqu'il s'agit d'une relation

1. Notes pour une causerie donnée par Peter G. White, Président du Conseil pour l'unité canadienne au Centre d'études politiques de l'Université Queen's, à Kingston, en Ontario, le mercredi 13 mars 1996 à 17 heures

*   Traduit de l'anglais par Dominique Issenhuth.

dynamique, on ne peut l'envisager comme un «problème» qui puisse jamais être «réglé» une fois pour toutes, mais plutôt comme un ensemble complexe d'interactions imbriquées qui doit être constamment géré des deux côtés de la frontière linguistique.

Les francophones en tant que minorité au Canada

Depuis la fin des années 1700, les Canadiens français, qui étaient à l'origine pratiquement les seuls Européens dans l'ensemble du territoire qui allait devenir le Canada, sont numériquement inférieurs aux autres Canadiens non aborigènes. Les Canadiens français, qui avaient constitué la majorité européenne au Canada pendant les deux siècles qui ont suivi la fondation de la ville de Québec en 1608, sont passés au rang de minorité européenne au Canada à la fin du XVIIIᵉ siècle, alors que le nombre d'immigrants non francophones finit par les dépasser. Le fait fondamental que les Canadiens français soient dans une position minoritaire permanente au Canada depuis maintenant deux cents ans a forgé leurs attitudes depuis lors. Tous les Canadiens francophones ont pertinemment conscience d'appartenir à une minorité linguistique au Canada et d'être potentiellement (et souvent en réalité) à la merci démocratique de la majorité non francophone dans tous les domaines où les principaux intérêts des deux groupes risquent de diverger.

Dans une démocratie, les membres des groupes minoritaires identifiables apprennent vite qu'ils risquent constamment d'être repérés par la majorité démocratique ou peut-être même d'être victimes de discrimination de sa part, soit délibérément, soit par inadvertance. Ils identifient rapidement les facteurs susceptibles de devenir matière à discrimination. Et s'il leur est impossible de changer ces facteurs, ou s'ils sont trop essentiels à leur identité pour qu'ils acceptent de les changer, ils ne tardent pas à devenir hypersensibles à tout traitement discriminatoire fondé sur ces facteurs distinctifs; il n'est pas rare de les voir militer en leur faveur, voire combattre toute forme de discrimination qui les affecte. Parallèlement, les majorités tendent instinctivement à éprouver méfiance et rancune envers les minorités qui refusent de s'assimiler, qui insistent pour garder, voire célébrer, leurs différences essentielles, et qui forment bloc pour la protection et la défense de ces différences — bien qu'une telle cohésion minoritaire soit la réaction naturelle et souvent nécessaire à une attitude discriminatoire de la part de la majorité.

En ce qui concerne les Canadiens français, les domaines risquant d'engendrer une discrimination de la part de la majorité ont été principalement religieux à l'origine, religieux et linguistiques par la suite, pour devenir exclusivement linguistiques aujourd'hui. Les Canadiens français considéraient la religion catholique romaine comme un élément essentiel de leur identité, et ils refusaient de l'abandonner même quand elle occasionnait beaucoup d'injustice et de discrimination de la part de la majorité non catholique. Aujourd'hui, la plupart des francophones voient dans leur langue un élément clé non négociable de leur identité, bien que ce soit (et peut-être aussi parce que c'est) la principale cause de discrimination possible de la part de la majorité non francophone. Les francophones du Canada sont donc généralement combatifs lorsqu'il s'agit de protéger leur identité et leurs droits linguistiques, et ils sont prêts à aller extrêmement loin pour exiger la reconnaissance et le respect de cette identité et de ces droits dela majorité non francophone.

C'est pourquoi la seule menace sérieuse à la survie du Canada est bel et bien la relation, pas seulement entre les francophones et les non-francophones, mais entre la *minorité* francophone et la *majorité* non francophone au Canada, dans les innombrables manifestations de cette relation, qu'elles soient politiques, économiques, légales ou, surtout, *psychologiques.*

Presque toutes les minorités facilement identifiables ont un sentiment aigu de vulnérabilité et d'insécurité, qui peut facilement se muer, à tort ou à raison, en sentiment d'injustice, de persécution et de victimisation. Elles peuvent ainsi devenir une cible toute désignée pour la désinformation et la démagogie qui alimentent la prédisposition à croire que bon nombre de leurs problèmes résultent d'une discrimination de la part d'une majorité hostile ou indifférente. Seul le sentiment très fort d'être à l'abri de toute discrimination ou de toute mauvaise juridiction de la part de la majorité peut créer un rempart efficace contre l'exploitation par les démagogues de l'insécurité normale à laquelle sont sujettes les minorités. Sans ce sentiment à la fois de sécurité et d'égalité de ses droits culturels au sein de l'État, une minorité culturelle qui se trouve devant l'option réaliste de devenir majorité culturelle en fondant son propre État indépendant risquera toujours de céder à la tentation de se séparer d'un pays dans lequel elle semble destinée à rester une perpétuelle minorité.

Aborigènes et francophones, les deux minorités nationales du Canada

Cependant, les Canadiens francophones ne représentent pas une simple minorité ordinaire parmi tant d'autres au Canada. Les Canadiens francophones, de même que les peuples aborigènes du Canada, constituent l'une des *deux minorités nationales du Canada.* Qu'est-ce que j'entends par «minorités nationales»? Permettez que je cite un extrait du livre *Citoyenneté multiculturelle — Une théorie libérale des droits des minorités,* publié par le brillant jeune théoricien politique canadien Will Kymlicka chez Clarendon Press, à Oxford, en 1995.

Kymlicka identifie deux sources principales de diversité culturelle dans un pays : les minorités nationales et l'immigration. Les minorités nationales naissent, précise-t-il (p. 10), «de l'incorporation de cultures qui étaient antérieurement dotées d'un gouvernement autonome et se trouvaient concentrées territorialement. Il est courant d'observer dans ces cultures incorporées le désir manifeste de survivre en tant que sociétés distinctes parallèlement à la culture majoritaire, ainsi que l'exigence de diverses formes d'autonomie ou de gouvernement autonome qui garantissent leur survie en tant que sociétés distinctes.»

Un groupe ethnique, quant à lui, «voit le jour à la suite de l'immigration individuelle et familiale. Ce type d'immigrants se regroupe souvent en associations assez lâches[...] Leur désir manifeste est de s'intégrer à l'ensemble de la société et d'y être acceptés comme des membres à part entière. Bien qu'il leur arrive de revendiquer une plus grande reconnaissance de leur identité ethnique, ils ne visent ni la sécession ni l'autonomie. Leur but est plutôt de modifier les institutions et les lois de la société en place pour qu'elles tiennent davantage compte des différences culturelles.»

Bien entendu, il s'agit là de tendances générales, pas de lois de la nature[...] Mais nous ne pouvons ni appréhender ni évaluer les politiques du multiculturalisme à moins de constater à quel point l'incorporation historique des groupes minoritaires a façonné leurs institutions, leur identité et leurs aspirations collectives.

Et Kymlicka d'expliquer (p. 11): il y a minorité nationale partout où nous observons «dans un État donné la coexistence de plusieurs nations, où le terme "nation" signifie une communauté historique plus ou moins complète du point de vue des institutions, qui occupe un territoire donné ou patrie et qui a une langue et une culture distinctes[2]. Dans ce sens sociologique, la notion de «nation» est étroitement liée à celle de «peuple» ou de «culture» — et, en fait, ces concepts sont souvent définis les uns par les autres. Par conséquent, un pays où vit plus d'une nation n'est pas un État-nation mais un État-multination, et les petites cultures forment des «minorités nationales". L'incorporation de différentes nations dans un seul État peut être involontaire, comme cela se produit quand une communauté culturelle se trouve envahie puis conquise par une autre, ou cédée par une puissance impériale à une autre, ou encore lorsque son territoire national est envahi par des colons. Mais un État-multination peut se constituer délibérément lorsque différentes cultures s'entendent pour former une fédération en vue d'acquérir des avantages mutuels[...]

> Le développement historique du Canada a impliqué la fédération de trois groupes nationaux distincts (les Anglais, les Français et les Aborigènes). Au départ, l'incorporation des communautés québécoise et aborigène à la communauté politique canadienne a été involontaire. Les territoires indiens ont été envahis par les colons français, qui furent à leur tour conquis par les Anglais. Bien que la possibilité d'une sécession soit tout à fait réelle pour les Québécois, la préférence historique de ces groupes — comme ce fut le cas des minorités nationales aux États-Unis — n'a pas été de quitter la fédération mais plutôt d'en renégocier les termes, de manière à y accroître leur autonomie.
>
> Bon nombre des tournants de l'histoire canadienne ont coïncidé avec ces tentatives de renégociation des termes de la fédération entre Anglais, Français et Aborigènes [...] La tentative la plus récente s'est soldée par un échec en octobre 1992, quand la proposition d'amendement à la constitution (l'Accord de Charlottetown) a été défaite lors d'un référendum national. Cet Accord aurait entériné un "droit inhérent à un gouvernement

---

2. Quelques définitions du terme «nation» incluent la notion d'un désir commun de vivre ensemble, d'*un vouloir-vivre commun* (en français dans le texte). PGW.

autonome" pour les Aborigènes, et aurait accordé au Québec un statut spécial en tant que "seule société de langue et de culture majoritairement française au Canada et en Amérique du Nord".

De nombreuses autres démocraties occidentales sont également des États-multination, soit parce qu'elles ont incorporé de force des populations indigènes (par exemple, la Finlande, la Nouvelle-Zélande), soit parce qu'elles ont été constituées par la fédération plus ou moins délibérée d'au moins deux cultures européennes (par exemple, la Belgique et la Suisse). En fait, de nombreux pays à travers le monde sont des États-multination, dans le sens que leurs frontières délimitent un territoire préalablement occupé par des entités culturelles qui étaient souvent dotées de leur propre gouvernement. C'est le cas de la plupart des pays de l'ancien bloc communiste et du Tiers-Monde.

Dire que ces pays sont des États-multinations n'est pas nier le fait que leurs citoyens se considèrent comme un seul peuple pour certaines fins. Par exemple, les Suisses ont un vif sentiment de loyauté, en dépit de leurs divisions culturelles et linguistiques. En effet, les États-multination ne peuvent survivre à moins que les différents groupes nationaux ne témoignent leur allégeance à la communauté politique plus vaste où ils s'insèrent.

Quelques commentateurs voient en cette loyauté commune une forme d'identité nationale, et considèrent donc la Suisse comme un État-nation. Il me semble que cette conception est erronée. Il convient de distinguer la notion de *"patriotisme"*, sentiment d'allégeance à un État, de celle d'*"identité nationale"*, sens d'appartenance à un groupe national. En Suisse, comme dans la plupart des États-multination, *les groupes nationaux éprouvent un sentiment d'allégeance envers le pays pour une seule et unique raison : le pays reconnaît et respecte leur existence nationale distincte.* Les Suisses sont patriotes, mais la Suisse envers laquelle ils sont loyaux se définit comme une fédération de peuples distincts. Pour cette raison, il convient mieux de la qualifier d'État-multination et de voir dans les sentiments de loyalisme commun qu'elle suscite le reflet d'un patriotisme partagé, et non d'une identité nationale commune.»[3]

---

3. *Ibid.* p. 11-13 (c'est l'auteur de l'article qui souligne).

Kymlicka prend bien soin de faire remarquer que les groupes nationaux dont il parle ne sont pas fondés sur le sang (p. 22) :

Il est important de souligner que les groupes nationaux, dans le sens où j'utilise ce terme, ne se définissent pas d'après la race ou la descendance. C'est une évidence dans le cas de la société anglophone majoritaire au Canada et aux États-Unis. Ces deux pays connaissent un fort taux d'immigration depuis plus d'un siècle, tout d'abord en provenance d'Europe du Nord, et maintenant principalement d'Asie et d'Afrique. Conséquemment, les Américains ou les Canadiens anglophones de pure descendance anglo-saxonne forment une minorité de plus en plus restreinte.

Mais ceci est également vrai des minorités nationales. Le niveau d'immigration au Canada français a été faible pendant longtemps, mais il a rattrapé celui du Canada anglais ou des États-Unis à l'heure actuelle, et le Québec recherche activement des immigrants francophones en provenance de l'Afrique occidentale ou des Caraïbes. Il y a eu, d'autre part, un taux élevé de mariages entre les peuples indigènes d'Amérique du Nord et les populations anglaise, française et espagnole. Par conséquent, on observe dans tous ces groupes nationaux un mélange de races et d'ethnies. Le nombre de Canadiens français de seule descendance gaélique, ou celui des Amérindiens de seule descendance indienne est, lui aussi, de plus en plus restreint et ne va pas tarder à devenir minoritaire.

Par conséquent, ce que j'entends par minorités nationales, ce ne sont pas des groupes de races ou de descendances communes, mais des groupes culturels. (Pour cette raison, il serait plus exact de parler de Canada anglophone et francophone, plutôt que de Canada anglais et français, parce que ces termes insinuent à tort que ces groupes sont définis par une descendance ethnique plutôt que par l'intégration à une communauté ethnique. Je ferai remarquer qu'à l'origine la conception que les Canadiens français avaient de leur nation reposait bel et bien sur la notion de descendance. Et une minorité substantielle de Québécois ont encore une conviction qui s'en rapproche. Une étude réalisée en 1985 a révélé qu'environ 40% des personnes interrogées croyaient que plus les ancêtres d'un individu étaient arrivés depuis longtemps au Québec, plus cet individu était "québécois", et 20% étaient d'opinion que les immigrants ne pouvaient pas se qualifier de Québécois. Il en découle que l'évolution de l'identité québécoise, de la descendance à la participation à une société francophone, est incomplète[...] Cependant, tous les principaux partis politiques au Québec, y compris le Parti québécois, pourtant nationaliste, rejettent explicitement cette notion d'appartenance nationale fondée sur la descendance).

Les conceptions d'appartenance nationale fondée sur la descendance sont de toute évidence teintées de racisme et manifestement injustes. Voilà bien un test qui permet de jauger une conception libérale des droits des minorités en ce qu'elle définit l'appartenance à une nation en termes d'intégration à une communauté culturelle plutôt que de descendance. L'appartenance nationale devrait être possible, en principe, pour toute personne qui, sans considération de race ou de couleur, désire apprendre la langue et l'histoire de la nation, et prendre part à ses institutions sociales et politiques.

Certains prônent qu'une véritable conception libérale de l'appartenance nationale devrait reposer uniquement sur des principes politiques de démocratie et des droits plutôt que sur l'intégration à une culture politique. Cette conception non culturelle de l'appartenance nationale est souvent perçue comme ce qui différencie le nationalisme "civique" ou "constitutionnel" des États-Unis du nationalisme "ethnique" anti-libéral. Mais [...] c'est une erreur. Aux États-Unis, les immigrants doivent non seulement prêter allégeance aux principes démocratiques, mais aussi apprendre la langue et l'histoire de la société qui les accueille. Ce qui distingue les nations "civiques" des nations "ethniques" n'est pas l'absence d'une composante culturelle quelconque par rapport à l'identité nationale, mais plutôt le fait que n'importe qui peut s'intégrer à la culture commune, sans considération de race ni de couleur. [...]

Cette compréhension erronée peut être imputée à une lecture fautive de l'histoire américaine. À l'époque de la Révolution, une majorité écrasante d'Américains avaient la même langue, la même littérature et la même religion que les Anglais, nation contre laquelle ils venaient tout juste de se rebeller. Dans le but de renforcer leur sentiment de nation distincte, les Américains ont mis l'accent sur certains principes démocratiques — liberté, égalité, démocratie — principes qui avaient justifié leur rébellion.

Certains en concluent que le nationalisme américain est idéologique *plutôt que* culturel [...]. Mais c'est une erreur. Les Américains, tout comme les Anglais, ont conçu l'appartenance nationale en termes de participation à une culture commune. Bien entendu, l'accent qu'ils ont mis sur les principes politiques a affecté la nature de cette culture commune, et c'est ce qui a donné à l'identité nationale américaine un caractère idéologique distinctif que l'on ne retrouve ni en Angleterre ni dans les autres sociétés colonisées par les Anglais. L'idéologie a formé, mais n'a pas remplacé, la composante culturelle de l'identité nationale. Une définition purement non culturelle du nationalisme civique n'est pas plausible et conduit souvent à l'auto-contradiction. On pourra se référer, par exemple, à la conception du "patriotisme constitutionnel" de Habermas, qui présuppose à la fois que la citoyenneté devrait être indépendante de caractéristiques ethno-culturelles ou historiques particulières, comme la langue, et qu'une langue commune est indispensable à la démocratie [...].

Kymlicka continue à décrire plus abondamment les minorités nationales et à en donner de nombreux exemples à travers le monde, y compris aux États-Unis. Il démontre clairement que c'est un mythe de croire qu'il n'existe pas de minorités nationales aux États-Unis; et qu'il est tout aussi illusoire de penser que tous les Américains sont traités avec une équité absolue (p. 11) :

De nombreuses démocraties occidentales sont des États-multination. Il y a, par exemple, une quantité de minorités nationales aux États-Unis, parmi lesquelles les Amérindiens, les Portoricains, les descendants des Mexicains (Chicanos) établis dans le Sud-Ouest quand les États-Unis ont annexé le Texas, le Nouveau-Mexique et la Californie après la guerre contre le Mexique de 1846-1848, les autochtones hawaïens, les Chamorros du Guam et plusieurs autres communautés insulaires du Pacifique. Tous ces groupes ont été incorporés malgré eux aux États-Unis à la suite de la conquête ou de la colonisation. Si un autre équilibre des forces avait prévalu, ces groupes auraient pu garder ou instaurer leur propre gouvernement souverain. D'ailleurs, des velléités d'indépendance se manifestent de temps en temps à Porto Rico ou parmi les grandes tribus indiennes. Cependant, historiquement parlant, ces groupes, au lieu de se séparer des États-Unis, ont cherché à y acquérir l'autonomie.

Au moment de leur incorporation, la plupart de ces groupes ont acquis un statut politique spécial. Par exemple, les tribus indiennes sont reconnues comme «nations indigènes dépendantes de l'État» tout en jouissant de leur propre gouvernement, de leurs tribunaux et du droit de conclure des traités; Porto Rico est un "commonwealth" et Guam un "protectorat". Chacun de ces peuples relève de l'administration politique américaine tout en détenant certains aspects du pouvoir de se gouverner. Ces groupes ont également des droits en matière de langue et de territoire. [...] En résumé, aux États-Unis, les minorités nationales disposent d'une gamme de droits conçus pour refléter ou protéger leur statut de communautés culturelles distinctes, et elles ont lutté pour garder et étendre ces droits.

La stratégie politique des minorités nationales

La stratégie politique de toute minorité nationale désireuse de préserver le caractère distinctif de sa culture dans un pays dominé par une majorité culturelle différente vise toujours deux buts essentiels : d'une part, sa *sécurité* culturelle, et d'autre part l'*égalité* ou l'équivalence de ses droits culturels et de son statut. À l'inverse, la majorité ne se soucie généralement pas de sa propre sécurité culturelle (bien qu'elle puisse être préoccupée par des menaces culturelles émanant d'autres pays), ni de sa propre égalité, étant donné que, dans une démocratie, c'est la majorité qui contrôle toutes les institutions démocratiques et qui dicte les lois. Par contre, la minorité ne bénéficie d'aucune de ces protections, à moins qu'elles ne soient spécifiquement négociées et garanties par la loi fondamentale du pays. Il convient ici d'insister sur l'importance de la notion de *consentement*, comme dans tout contrat. Dans un État-multination, la constitution est, entre autres choses, un contrat entre la ou les minorités et la majorité, qui définit les termes qui ont été négociés et sur lesquels les diverses parties se sont entendues dans le but d'établir et de bâtir solidairement l'entreprise ou l'aventure de leur pays. Toutes les parties doivent alors approuver officiellement ces termes. Nous devons toujours nous souvenir que l'assemblée nationale du Québec n'a jamais officiellement ratifié l'Acte de la Constitution de 1982.

Sécurité culturelle des minorités nationales

Pour se sentir en sécurité au sein d'une culture dominante plus vaste, une minorité nationale a besoin de cinq garanties : (1) la reconnaissance formelle de son existence en tant que minorité nationale légitime au sein de la société dans son ensemble, et la reconnaissance formelle de son droit légitime à sa perpétuation culturelle au sein de la communauté majoritaire ; (2) une définition claire et formelle, à laquelle ont souscrit la minorité et la majorité, des caractéristiques qui distinguent la minorité nationale de la majorité, que la minorité nationale désire préserver et protéger de l'assimilation ou de l'homogénéisation, et que la majorité consent à reconnaître et à respecter ; (3) le droit incontestable à s'auto-gouverner dans les domaines qui la caractérisent essentiellement ; (4) le droit incontestable d'être représentée dans les institutions de la communauté majoritaire ; et (5) le droit de veto sur toutes les propositions d'amendements constitutionnels qui pourraient être préjudiciables à toute protection constitutionnelle des droits qu'elle a acquis en tant que minorité nationale — ou, en d'autres termes, le *consentement* obligatoire de chacune des parties à des modifications contractuelles affectant ses droits ou son statut, clause normalement en vigueur dans toute forme de contrat.

Par définition, si une minorité nationale doit pouvoir jouir de droits incontestables à s'auto-gouverner au sein de la communauté nationale, il doit y avoir une forme d'entente relative au partage du pouvoir souverain entre le gouvernement suprême du pays et celui de la minorité. C'est principalement pour parvenir à cette sorte de partage du pouvoir souverain que la forme de gouvernement fédéral a été inventée, et le fédéralisme est, de loin, la forme de gouvernement qui tient le mieux compte des droits des minorités nationales.

Sécurité culturelle des Canadiens francophones sous l'Acte de l'Amérique du Nord britannique

Dans quelle mesure toutes les parties en présence au moment de la Confédération du Canada, en 1867, ont-elles compris et approuvé les cinq principes relatifs à la sécurité d'une minorité nationale ? Nous n'avons aucune certitude à ce sujet. Comme c'est habituellement le cas, il est fort probable que les représentants des minorités impliquées dans les négociations qui ont abouti à la Confédération ont eu une idée plus précise de leurs besoins que

n'en ont eu les représentants de la majorité. Il semble que les
majorités éprouvent toujours de la difficulté à comprendre les
besoins des minorités. Quoi qu'il en soit, l'Acte de l'Amérique du
Nord britannique de 1867 reflète de manière très inégale les cinq
principes en question.

Le premier, à savoir la reconnaissance formelle de l'existence
de la minorité francophone et son droit à la perpétuation culturelle,
ne fait pas partie de l'AANB.

Le second, à savoir la définition formelle des caractéristiques
essentielles de différenciation que la minorité française désirait
préserver, n'était évoqué que de façon biaisée et inadéquate, dans
un seul et unique article ayant trait à la question de la langue
française (la section 133). Et même la section 133 ne concernait
que l'usage de l'anglais et du français au Parlement et dans les
tribunaux du Canada, et dans les bureaux de la législature et les
tribunaux du Québec. Ainsi, dès le début de la Confédération, la
langue française ne s'était vu accorder aucun statut légal à l'extérieur de la nouvelle province de Québec (l'ancien Bas-Canada), sauf
au Parlement et dans les tribunaux fédéraux. Implicitement, le
statut légal du français, sauf au Parlement et dans les tribunaux
fédéraux, s'est trouvé territorialement restreint à une seule province,
malgré l'existence d'importantes minorités francophones dans les
trois autres provinces initiales, l'Ontario, le Nouveau-Brunswick et
la Nouvelle-Écosse. De telle sorte que, depuis 1867, est en vigueur
au Canada un régime de droits linguistiques territorialement déterminé et restreint qui, par surcroît, s'avère inégal à travers le pays.

Le droit à des écoles confessionnelles pour les catholiques
romains et les protestants était garanti dans la section 93 de
l'AANB, par déférence pour l'importance manifeste que les francophones (et d'autres) accordaient à la religion catholique à l'époque
de la Confédération. Bien qu'il soit évident que les francophones
catholiques se soient attendu à ce que ces garanties confessionnelles
protègent leur droit d'employer le français comme langue d'enseignement dans leurs écoles confessionnelles, cette attente devait se
révéler tragiquement illusoire par la suite. Finalement, la section 94
de l'AANB stipulait que le Parlement pouvait adopter des mesures à
l'effet de pourvoir à l'uniformité de toutes les lois relatives à la
propriété et aux droits civils en Ontario, en Nouvelle-Écosse et au
Nouveau-Brunswick, mais pas au Québec, étant donné qu'il était
entendu implicitement qu'au Québec le système légal régissant les

droits de la propriété et les droits civils différait de la Common Law en vigueur dans les trois autres provinces, et que cette différence devait être reconnue et respectée.

En ce qui concerne le troisième principe, à savoir le droit incontestable de la minorité nationale francophone du Canada à se gouverner elle-même dans les domaines qui la caractérisent essentiellement, ce principe, enchâssé clairement dans l'AANB, régissait tous les francophones résidant au Québec, mais pas ailleurs. Cette différenciation des droits francophones fondée sur le territoire a été effectuée grâce au simple expédient qui a consisté à ressortir une ancienne juridiction territoriale, la province du Bas-Canada, où l'électorat était francophone à 80%, créant ainsi une majorité francophone bien assise et durable à l'intérieur de ce territoire; en établissant pour cette province (dénommée Québec par la suite) une législature autonome élue démocratiquement, et en assignant à cette législature (et aux trois autres législatures provinciales en même temps) une juridiction souveraine exclusive dans tous les domaines considérés à l'époque comme essentiels à la perpétuation culturelle de la minorité francophone du Canada. Cet établissement d'un nouveau gouvernement permanent à majorité francophone à l'intérieur du Canada n'est explicitement mentionné nulle part dans l'AANB comme l'un des principaux objectifs à atteindre; pourtant, il ressort clairement que cela en était bien un pour les Pères de la Confédération.

D'après l'AANB, c'est dans la répartition des pouvoirs législatifs entre le gouvernement central et les gouvernements provinciaux que le droit de s'administrer, consenti aux membres de la minorité francophone du Canada résidant au Québec (et pas ailleurs, cependant) est le plus clairement reconnu. Grâce, dans une large mesure, aux interventions répétées des délégués francophones du Québec aux conférences constitutionnelles, qui étaient dirigés par Cartier, les provinces se sont vu accorder la juridiction exclusive sur les droits relatifs à la propriété et les droits civils, sur l'administration de la justice et la procédure dans tous les tribunaux provinciaux, sur la célébration des mariages et, chose capitale, en matière d'éducation, pourvu cependant que les droits confessionnels préexistants fussent respectés. Il n'est pas fait mention de juridiction sur la langue dans l'AANB. On peut contester que la législation fédérale en matière de langue puisse l'emporter sur une législation provinciale, mais, à ma connaissance, cette question n'a jamais été débattue en cour.

En ce qui concerne le quatrième principe, à savoir le droit de la minorité francophone à une représentation incontestable au sein des institutions de la communauté majoritaire, ce principe figure dans certaines parties de l'AANB mais pas dans toutes. Ce principe de la représentation n'a jamais été clairement énoncé, mais il était respecté *de facto* dans les institutions législatives du gouvernement central par l'attribution, en 1867, d'environ un tiers des sièges de la Chambre des Communes fédérale et du Sénat à des membres de la nouvelle province de Québec, d'après la supposition que les électeurs et les élus à ces sièges seraient en grande partie francophones. Cette supposition s'est avérée juste depuis lors, bien qu'en raison des changements démographiques la proportion des sièges québécois ne soit plus que le quart aux Communes et au Sénat. Pour ce qui est de l'exécutif, qui, dans notre système parlementaire, est dévolu aux ministères, il n'existe aucune garantie de représentation des minorités, bien que tous les ministères canadiens aient eu au moins quelques Québécois francophones à leur tête et que leur influence ait progressivement augmenté récemment. En ce qui concerne le pouvoir judiciaire fédéral, il n'est fait aucune mention des droits de représentation des minorités dans la constitution, quoique en pratique trois des neuf juges de la Cour suprême du Canada soient toujours choisis parmi les membres du Barreau du Québec ; dans le passé, un de ces trois juges était souvent non francophone.

Enfin, en ce qui concerne le cinquième principe, à savoir le consentement obligatoire de toute partie concernée par des changements constitutionnels — le soi-disant droit de veto —, il faut rappeler que l'AANB ne contient aucune procédure d'amendement puisqu'il s'agit d'une loi ordinaire du Parlement du Royaume-Uni, qui pouvait donc être amendée à volonté par ce Parlement. En pratique, Westminster adoptait habituellement tous les amendements formellement requis par le Parlement du Canada, sans exiger de réquisitions supplémentaires des législatures provinciales. Cette procédure violait évidemment le principe fondamental selon lequel toutes les parties concernées doivent consentir à tout changement qui les affecte ; mais, malgré de nombreuses tentatives, les onze gouvernements du Canada n'ont jamais pu s'entendre sur une autre procédure d'amendement avant 1981-1982. Le Québec a toujours cru qu'il avait *de facto* un droit de veto sur les amendements constitutionnels qui risquaient de restreindre ses droits ou son statut, ne serait-ce que par convention ou pratique constitutionnelles. Cependant, en septembre 1981, la Cour Suprême du Canada a statué que le Québec n'avait aucunement ce droit de veto.

En résumé, les cinq composantes de la sécurité culturelle des minorités francophones au Canada peuvent se formuler ainsi : (1) la reconnaissance de leur statut et de leur droit de perpétuer leur culture; (2) la définition de leurs caractéristiques distinctives essentielles; (3) le droit de s'administrer dans ces domaines essentiels; (4) le droit de représentation dans les institutions centrales; et (5) le droit de veto sur les amendements constitutionnels préjudiciables à leurs intérêts. En ce qui a trait à chacune de ces cinq composantes, l'AANB présente des imperfections, et des omissions majeures dans le cas des deux premières.

Égalité culturelle ou droits équivalents et statut des minorités nationales

J'aimerais tout d'abord faire remarquer que l'on peut également considérer les cinq composantes de la sécurité culturelle, dont je viens de traiter, sous l'angle de l'égalité. Reconnaître officiellement la culture de la minorité peut équivaloir en effet à reconnaître l'égalité de son statut avec celui de la majorité, ou encore à reconnaître la valeur égale et la légitimité des deux cultures. Définir les caractéristiques qui distinguent la culture de la minorité de celle de la majorité peut également signifier percevoir tout simplement les caractéristiques différentes mais tout aussi valables et légitimes d'une culture par rapport à celles de l'autre, qui ne sont pas plus valables ou légitimes. Garantir à la minorité l'autonomie en matière de droits culturels peut être aussi envisagé comme une façon de mettre ses membres sur un pied d'égalité avec ceux de la culture majoritaire, qui détiennent déjà tout pouvoir de s'administrer dans tous les domaines. Et garantir à la minorité culturelle le droit de représentation dans les institutions principales du gouvernement, ainsi que le droit de veto sur des changements préjudiciables à ses intérêts, peut être aussi perçu comme un moyen d'assurer à la minorité un statut égal (proportionnellement à sa population) à celui de la majorité dans l'administration générale du pays.

Néanmoins, bien que ces cinq composantes de la sécurité culturelle d'une minorité puissent être considérées sous l'angle de l'égalité en plus de l'être sous celui de la sécurité, il en existe une autre, d'importance, qui implique uniquement l'égalité et pas le moindrement la sécurité. Je veux parler du régime qui consiste à reconnaître ou à attribuer certains droits culturels sur une base territoriale et à restreindre ces droits aux citoyens qui habitent une certaine partie du pays, par opposition à un régime qui assure pleinement l'égalité des droits de la minorité et ceux de la majorité à travers tout le pays.

Il convient également de remarquer que plus une minorité a conscience d'être reconnue comme partenaire égal dans un pays, avec des droits équivalents à ceux de la majorité, moins elle ressentira le besoin d'acquérir des pouvoirs importants pour s'administrer. On peut comparer ces deux phénomènes à ce que les francophones appellent *des vases communicants* — en d'autres termes, il existe au moins un équilibre partiel entre les deux.

Les droits culturels inégaux de la minorité francophone
du Canada hors-Québec

Dans le cas de la minorité francophone du Canada, le droit culturel impératif, qui exige reconnaissance et respect, est celui de vivre le plus possible en français. Le droit à utiliser n'importe quelle langue dans la vie privée ne subit en principe aucune restriction au Canada. Mais le droit d'utiliser une langue spécifique dans les affaires publiques, particulièrement comme langue de travail dans toutes les institutions gouvernementales, et comme langue du gouvernement et des services publics, y compris l'éducation, est généralement régi dans tous les pays par l'institutionnalisation d'une langue ou de langues *officielles*. Les langues publiques officielles peuvent soit faire l'objet de législations soit, dans les pays pratiquement unilingues, tout simplement être tenues pour acquises. Au Canada, deux langues publiques, le français et l'anglais, sont couramment employées depuis 1760.

Sous le régime juridique contenu dans l'AANB, les francophones du Canada ne jouissaient pleinement de leurs droits linguistiques que dans la province de Québec, où ils contrôlaient le gouvernement qui détenait *de facto* l'autorité en ce qui concernait toutes les questions culturelles, et où la principale langue publique était le français. À l'extérieur du Québec cependant, le français avait le même statut que l'anglais uniquement au Parlement fédéral et dans les tribunaux. Même au Québec, les francophones n'avaient aucune garantie quant à leur droit d'utiliser leur propre langue dans leurs rapports avec le gouvernement fédéral; et, dans les autres provinces, ils n'avaient aucunement droit au français pour communiquer avec le gouvernement provincial ni pour en recevoir les services. Les anglophones, par contre, jouissaient pleinement *de facto* du droit de communiquer en anglais avec les gouvernements fédéral et provinciaux et d'en recevoir les services, puisqu'ils contrôlaient tous ces gouvernements sauf celui du Québec; et au Québec, étant donné la puissance de la minorité anglaise et son appartenance à la culture dominante du Canada, les anglophones avaient le contrôle de leurs institutions essentielles et ils pouvaient généralement traiter avec le gouvernement du Québec en anglais. Le régime linguistique consacré par l'AANB était donc fondamentalement inégal — on peut même dire asymétrique — puisqu'en réalité il restreignait le plein exercice des droits culturels de la minorité francophone à une seule province, tandis qu'il étendait en fait au Canada tout entier celui de la majorité anglophone.

Il semble clair que les Pères francophones de la Confédération espéraient que cette situation évoluerait avec la croissance territoriale et démographique du Canada. Il faut se rappeler qu'en 1867 le Québec constituait l'une des quatre provinces de l'Union et que les francophones représentaient environ le tiers de la population du nouveau pays, dont Montréal était la métropole incontestée. Il y avait d'autre part une majorité francophone catholique romaine sur le territoire qui allait bientôt constituer le Manitoba. En effet, lorsqu'en 1870 la Terre de Rupert et le Territoire du Nord-Ouest ont été admis dans l'Union, et que le Manitoba, formé d'une partie de ces nouveaux territoires, est devenu la cinquième province, la section 23 de la *Loi sur le Manitoba* a décrété que l'usage de la langue française ou de la langue anglaise serait facultatif dans les débats des Chambres et tous les tribunaux du Manitoba, et que les procès-verbaux et les lois de la législature manitobaine devaient être imprimés et publiés dans ces deux langues. La section 22 de la même loi confirmait pour le Manitoba le même droit aux écoles confessionnelles catholiques que dans les quatre autres provinces; au début, le français était librement employé comme langue d'enseignement dans les écoles catholiques du Manitoba. En 1867, l'importante minorité francophone en expansion en Ontario avait également la liberté de dispenser l'enseignement en français dans les écoles catholiques protégées par l'AANB, tout comme la minorité acadienne du Nouveau-Brunswick.

Malheureusement, le rêve initial d'un régime linguistique plus équitable au Canada allait bientôt s'effondrer devant l'immigration non francophone croissante et les préjugés anti-catholiques et anti-français, particulièrement au Manitoba et en Ontario. Le vent a commencé à tourner dès 1871, lorsque la législature du Nouveau-Brunswick a aboli les écoles catholiques romaines et les autres écoles confessionnelles subventionnées par l'État qui existaient avant la Confédération. Pendant les soixante-dix années qui ont suivi, la cause de l'égalité des droits linguistiques a essuyé une série de revers à travers le Canada, plaçant graduellement la plupart des Canadiens francophones devant l'évidence qu'ils ne jouiraient pleinement de leurs droits linguistiques nulle part, sauf dans la province de Québec; et, conséquence logique de cette constatation, beaucoup de Québécois francophones ont dorénavant consacré leur énergie à renforcer la société et l'autonomie de la seule province dont ils contrôlaient le gouvernement, au lieu de continuer à défendre la situation de plus en plus précaire du français et des francophones dans les autres provinces et la nation tout entière.

Après la Loi de 1871 sur l'éducation au Nouveau-Brunswick, les rébellions de Louis Riel ont éclaté dans l'Ouest, atteignant un paroxysme avec la pendaison injuste de Riel en 1885. C'est alors que le Manitoba a effectivement aboli les écoles catholiques et l'enseignement français qui y était donné, attendu que les colons anglophones et anti-catholiques venus de l'Ontario étaient devenus graduellement majoritaires dans la province et s'étaient servi du contrôle de la législature manitobaine récemment acquis pour ce faire. En 1890, le Manitoba a décrété que, dorénavant, l'anglais serait sa seule langue officielle — loi évidemment illégale, qui est pourtant restée en vigueur pendant 100 ans. Après 1899, de nombreux francophones s'opposèrent à la participation du Canada à la guerre des Boers en Afrique du Sud et, en 1910, aux dépenses canadiennes en armement naval pour aider la Grande-Bretagne. En 1905, le premier Premier ministre francophone du Canada, Wilfrid Laurier, échoua dans sa tentative d'obtenir un statut égal pour le français dans les nouvelles provinces de la Saskatchewan et de l'Alberta. En 1912, l'infâme Règlement 17 de l'Ontario a pratiquement aboli le droit essentiel des francophones d'utiliser le français comme langue d'enseignement dans les écoles ontariennes. En 1917 eut lieu une crise majeure, entraînant des pertes de vies considérables, au sujet de la conscription obligatoire des francophones dans les forces armées, au plus fort de la Première Guerre mondiale — crise qui s'est répétée pendant la Seconde Guerre mondiale, en 1942, mais qui a été plus habilement jugulée par le premier ministre Mackenzie King.

Néanmoins, tous les francophones n'abandonnèrent pas l'idée originelle d'un partenariat canadien entre francophones et anglophones, comportant des droits publics égaux pour les Anglais et les Français dans tout le pays. Il y a eu de modestes victoires. Les timbres canadiens sont devenus bilingues en 1931, les pièces de monnaie et les billets de banque aussi, finalement, en 1937, soixante-dix ans après la Confédération. La Société Radio-Canada a commencé à radiodiffuser en français à travers tout le pays en 1941 et à téléviser à partir du milieu des années 1950. Sur un plan non linguistique mais symboliquement tout aussi important, notre unifolié actuel a remplacé l'Étendard rouge de filiation britannique pour devenir le drapeau du Canada en 1965.

La contre-offensive pour l'égalité des droits linguistiques a atteint son apogée à l'époque du premier ministre Pierre Trudeau avec la *Loi sur les langues officielles* de 1969, qui fut retouchée et enchâssée dans la *Loi constitutionnelle* de 1982. Toutefois, bien que cette loi garantisse le droit d'employer soit l'anglais, soit le français au gouvernement fédéral et au gouvernement du Nouveau-Brunswick, elle ne garantit la disponibilité des services dans les deux langues que dans le «bureau principal ou central d'une institution du Parlement ou du Gouvernement du Canada», de même que dans tout bureau du Gouvernement du Nouveau-Brunswick. Cependant, les neuf autres provinces ne disposent toujours pas des mêmes garanties. En ce qui concerne les droits qu'a la minorité de choisir sa langue d'enseignement, le principe évident en vertu duquel, dans un pays où il y a deux langues officielles, parents et élèves devraient avoir une entière liberté de choix entre l'anglais et le français, ce principe, dis-je, est si délayé et si restreint qu'il est pour ainsi dire nié en pratique.

Malgré les démentis officiels, je crois que l'échec de la Loi 101 (Charte de la langue française) à faire de l'anglais une des langues officielles du Québec en 1977 est, dans une certaine mesure, une riposte aux refus répétés de chacune des autres provinces, sauf le Nouveau-Brunswick, d'octroyer le moindre statut officiel à la langue française. La Loi 101, renvoyant la balle en quelque sorte, décrète abruptement que le français est la (seule) langue officielle du

Québec, en dépit du statut officieux d'égalité dont jouit depuis longtemps l'anglais au Québec.

Les Canadiens ne devraient pas sous-estimer l'effet souterrain, sur l'opinion publique québécoise, de notre perpétuel refus d'accorder des droits linguistiques complets aux francophones hors-Québec. Bien que cette question soit rarement débattue maintenant au Québec, principalement parce que peu ou pas de Québécois francophones croient encore que cela soit réalisable, l'impact qu'aurait, par exemple, une déclaration de l'Ontario reconnaissant le français comme langue officielle serait immense.

Si nous avons l'intention de persuader les Québécois francophones modérés de voter pour le Canada plutôt que pour un Québec indépendant lors d'un prochain référendum, comment pouvons-nous leur dire qu'ils sont des citoyens à part entière du Canada, mais qu'ils ne peuvent jouir dans tout le pays des mêmes droits que les autres Canadiens? Le message contenu dans les droits linguistiques territorialement restreints du Canada est parfaitement clair pour les Canadiens francophones: s'ils s'attendent à vivre entièrement en français, qu'ils restent au Québec. Et alors, une fois que le Québec se sentira prêt, pourquoi ne devrait-il pas se retirer complètement du Canada?

Il se peut que la question d'un statut égal pour l'anglais et le français à travers tout le pays soit en grande partie symbolique; cependant, toute cette question du statut des francophones au Canada en est foncièrement une de psychologie, de symbolisme et de perception. Comme l'a dit Keith Spicer, «les Québécois ne resteront dans le Canada que s'ils s'y sentent reconnus, désirés et chez eux.» Si les francophones se sentent rejetés, incompris et indésirables au Canada, ils auront à coup sûr tendance à vouloir partir. S'ils se sentent accueillis, en confiance et perçus comme des partenaires égaux au sein de la Confédération, alors ils auront envie de rester. Finalement, c'est aussi simple que cela.

QUAND LE LENDEMAIN
EST UNE VEILLE :
APRÈS LE 30 OCTOBRE 1995

Claude Corbo

Maintenant que sont dissipés les émotions et les effets immédiats du référendum du 30 octobre 1995 et qu'en matière constitutionnelle, les grands mouvements stratégiques ont laissé la place à la guerre de tranchées où le recours aux tribunaux remplace l'appel à l'opinion publique[1], il faut plus que jamais bien voir que le lendemain est en réalité une veille. Le verdict du 30 octobre dernier ne peut s'interpréter que comme un match nul. Les fédéralistes ont eu la frousse de leur vie. Les souverainistes, malgré l'amertume d'une défaite par des poussières, ont franchi le cap des 60 % de OUI chez les francophones et ont presque atteint leur objectif. La démocratie québécoise a démontré sa très grande maturité par une campagne référendaire dénuée de violence ou de bavures, par un taux de participation exemplaire de près de 94 % et par un grand calme à l'écoute des résultats et dans les heures, jours, semaines et mois qui ont suivi.

---

1. Ce texte est écrit dans sa version finale en date du 15 mai 1996, au moment où débutait en Cour supérieure de Québec un procès sur la légalité du référendum.

Mais, enfin, rien n'est réglé. Personne n'a été écrasé, encore moins ceux et celles que l'on destinait à ce sort décisif. Tout est en place pour une nouvelle confrontation. Tôt ou tard, parce que rien n'est réglé, d'une façon ou d'une autre, le drame constitutionnel reprendra l'avant-scène et connaîtra un nouvel acte. Certains s'en exaspèrent; mais ni la colère, ni les bons sentiments ne préviendront la renaissance du conflit. Il faut bien reconnaître que l'Histoire finit toujours par régler les problèmes qu'elle suscite; rien ne permet de dire qu'elle fera une exception pour notre coin du monde. De la détermination de l'Histoire à régler ses problèmes, nous avons des preuves régulièrement. Qui aurait pensé, il y a dix ou quinze ans, que l'Afrique du Sud briserait le joug de l'apartheid? que les Israéliens et les Palestiniens, après s'être plongés réciproquement dans le sang, entreprendraient le laborieux cheminement vers la paix? que le scabreux Mur de Berlin s'effondrerait et s'émietterait en souvenirs? Pourtant, tout cela s'est accompli sous nos yeux le plus souvent incrédules et médusés. C'est pourquoi le 30 octobre 1995 constitue un chapitre particulier dans une longue suite de chapitres et c'est pourquoi son lendemain est un veille.

Ici, comme ailleurs dans le temps et dans l'espace, des peuples sont confrontés à des problèmes nés de l'Histoire, de leur histoire. Ici, comme ailleurs, l'embâcle ne sera pas éternel. Dans ses flancs, l'Histoire porte des solutions possibles; dans un corps-à-corps entre eux et avec elle, les peuples en feront naître une, tôt ou tard. Quelle sera précisément cette solution, nul n'est assez prophète pour le discerner avec une complète assurance. Mais ce serait folie d'imaginer que le nœud gordien ne sera pas tranché. Le dénouement comportera un prix à payer. Il n'en tient qu'aux peuples, à leurs membres et à leurs dirigeants de s'efforcer de payer le prix le plus modique. Est-ce le plus certain?

1. Une quête inlassable

Sans remonter au déluge, il est instructif de rappeler que, depuis un demi-siècle maintenant, les penseurs, les dirigeants et les partis politiques et les gouvernements successifs du Québec ont multiplié les efforts et les démarches pour persuader au Canada de revoir l'arrangement constitutionnel de 1867. Pour mémoire, rappelons simplement les idées et les concepts mis de l'avant depuis 1945 comme alternatives au statu quo :

- l'«Autonomie provinciale» de Maurice Duplessis;
- le «Maître chez nous» de Jean Lesage;
- le «Statut particulier» et les «États associés» des années 1960 et autres variantes sur le thème du fédéralisme asymétrique;
- l'«Égalité ou indépendance» de Daniel Johnson père;
- la «Souveraineté-association» de René Lévesque;
- la «Souveraineté culturelle» de Robert Bourassa, première époque;
- le «Livre beige de la nouvelle fédération canadienne» de Claude Ryan;
- le «NON c'est oui à la réforme constitutionnelle du Canada» de Pierre-Elliot Trudeau;
- le «Beau risque» de René Lévesque, avec la complicité de Brian Mulroney;
- l'«Affirmation nationale» de Pierre-Marc Johnson;
- les «Cinq conditions minimales d'adhésion du Québec à la constitution canadienne» de Robert Bourassa, deuxième époque;
- l'indépendance dite «pure et dure» de Jacques Parizeau, héritier d'une option qui a d'abord eu pour nom Alliance laurentienne, RIN, etc.;
- Le Rapport Allaire et ses lendemains abrégés;
- La réforme du fédéralisme par ententes administratives de Daniel Johnson fils;
- la «Souveraineté-partenariat» de Lucien Bouchard et Mario Dumont;

et sans doute cette liste comporte-t-elle des oublis. On pourrait l'enjoliver en y insérant, comme en contrepoint, le nom de toutes ces tentatives pour changer quelque chose à l'ordre constitutionnel: Fulton-Favreau, Victoria, Meech, Charlottetown...

De ce rappel historique, on peut tirer trois conclusions sans violenter ni la logique ni l'analyse sociopolitique: (1) que l'ordre constitutionnel né en 1867 ne satisfait vraiment pas le Québec — autrement il se conduirait dans la fédération canadienne de façon bien différente en «province comme les autres»; (2) que l'on ne peut faire grief au Québec d'avoir manqué d'imagination constitutionnelle; et

(3) que le Canada valorise plusieurs choses — depuis l'égalité formelle des provinces jusqu'à son attachement fort compréhensible à son État national — beaucoup plus que la satisfaction réelle de ce qui fut un jour un «peuple fondateur» et qui n'a même plus aujourd'hui aux yeux canadiens la symbolique identité de «société distincte».

Il serait bien naïf d'imaginer que le mouvement que traduisent les multiples idées et concepts constitutionnels précités va mourir discrètement et sans perturber les voisins. Les 60% de OUI francophones, le 30 octobre 1995, l'ont rappelé avec assez d'évidence. Voilà pourquoi le lendemain du dernier référendum constitue une veille, qu'on le veuille ou non.

Certaines et certains s'irriteront, s'exaspéreront même, des considérations historiques qui précèdent. Il faut, disent-ils, laisser aux musées ces vieilles querelles historiques; il faut penser de façon «positive» et «constructive»; il faut plutôt s'occuper d'économie, d'environnement, de dette publique, etc., donc forcer les politiciens à régler les «vrais problèmes», insistent encore ces gens. Fort bien. Mais parler d'économie, d'environnement, de santé, de communications, de culture, de tous ces problèmes réels, c'est évoquer l'action des gouvernements, c'est aussi parler de juridictions respectives du fédéral et des provinces, c'est parler de constitution, c'est encore parler d'Histoire. Nous voici donc replongés dans le bourbier dont on nous exhorte si vaillamment à nous arracher. À force de retomber dans le bourbier, on en vient à reconnaître l'impérieuse nécessité de l'éliminer. Tout serait tellement plus simple si l'Histoire ne venait constamment rappeler sa présence. Mais, comme le disaient les notaires, «le mort saisit le vif» et, comme le pensait Freud, «l'enfant est le père de l'adulte». Notre histoire veut que le lendemain du 30 octobre 1995 soit en réalité une veille.

2. À propos des origines et de l'histoire

Après les observations qui précèdent, il s'avère bien difficile, si l'on veut poursuivre la réflexion, d'éviter tout détour par l'histoire, notre histoire collective comme Québécois et Canadiens. Inspirons-nous donc des guides touristiques qui aiment à écrire : «vaut un détour». Ce détour met deux choses en lumière, deux choses qui nous aident à mieux comprendre notre conjoncture commune et, peut-être, à mieux orienter nos attitudes et notre action.

En premier lieu, le détour par l'histoire fait constater, sans imposer obligatoirement une conclusion constitutionnelle unique, ce que l'on peut désigner comme le «singulier destin historique» du Québec.

À la différence de toutes les colonies de peuplement créées aux XVIe, XVIIe et XVIIIe siècles par les grandes monarchies européennes sur le continent américain, en Afrique (v.g. Afrique du Sud) et aux antipodes (v.g. Australie et Nouvelle-Zélande), le Québec (avec ces autres débris de la colonisation française que sont l'Acadie et la Louisiane) est la seule qui n'ait pas franchi la trajectoire complète qui va de la première implantation de colons à l'indépendance politique complète. Les premières colonies britanniques en Amérique du Nord ont arraché leur indépendance à la métropole pour former les États-Unis Les colonies espagnoles et portugaise d'Amérique centrale et latine ont imité, au XIXe siècle, l'exemple des Yankees. D'autres colonies britanniques, à commencer par le Canada lui-même, se sont progressivement émancipées du Royaume Uni, d'abord comme «self-governing colonies» pour les affaires internes, puis comme «dominions», enfin comme États pleinement souverains. Les diverses colonies des pays européens, en Afrique, au Moyen-Orient, en Asie, ont aussi recouvré l'autonomie perdue du fait de l'expansion de l'impérialisme. Des ruines d'autres empires — ottoman, austro-hongrois, soviétique — sont aussi nés des pays indépendants. Le Québec, lui, fait exception. Certains tirent de cette analyse la conviction de la nécessité implacable de l'indépendance totale du Québec. Il n'est pas nécessaire d'aller tout de suite à la conclusion pour au moins souligner l'originalité et la singularité du destin historique du Québec. Un fait aussi singulier et original dans l'histoire mérite assurément de ne pas échapper à une réflexion sur notre conjoncture actuelle. Le soin jaloux qu'attachent tant de pays à la préservation de leur souveraineté — à commencer par le Canada lui-même — devrait faciliter chez les anti-souverainistes une meilleure compréhension du fait qu'un certain nombre (et même un nombre certain) de Québécois, par ailleurs assez raisonnables et modérés, en viennent à imaginer que la souveraineté puisse être un statut constitutionnel approprié pour une société qui se perçoit comme distincte. En nous rappelant le singulier destin historique du Québec, l'histoire nous suggère que la propension permanente du Québec à modifier son statut constitutionnel (dans ou hors le Canada) a des racines profondes et qu'elle ne peut être dissipée ou satisfaite par des vœux de concorde ou l'expression d'un profond amour. Sous l'éclairage de l'histoire qui est la sienne, le Québec a un comportement que bien d'autres peuples ont manifesté. Si le référendum du 30 octobre 1995 fut un épisode, cet épisode s'inscrit dans une continuité qui naît de l'histoire, une continuité qu'il ne clôt certes pas, bien au contraire. En fait, tout donne à penser que le problème constitutionnel que pose le Québec au Canada ne cessera que lorsque l'une ou l'autre de deux issues possibles aura été atteinte : soit que les francophones se trouvent irréversiblement minorisés sur leur territoire même, soit que le Québec accède enfin, avec ou sans l'accord du Canada, à un statut politique qui le satisfasse réellement. S'imaginer que les déclarations d'amour, le présumé réalisme économique, les hymnes à l'unité nationale, le dialogue de citoyen à citoyen ou autres panacées du même genre mettront un terme à la question constitutionnelle relève de la pensée magique et d'une dangereuse incompréhension de l'histoire. Voilà pourquoi le lendemain est une veille.

Deuxièmement, le détour par l'histoire met en lumière une chose embarrassante à avouer et qui pourra apparaître bien offensante à plusieurs personnes. Ce genre de chose déplaisante ne facilite pas les échanges entre gens polis et respectueux. Mais, faute de l'énoncer, on se laisse ensorceler par l'Histoire et l'on se met en mauvaise posture pour s'en libérer. Qu'est-ce à dire ? Essentiellement ceci : que le Canada, tel que nous le connaissons aujourd'hui, résulte d'une dynamique historique à deux pôles : un pôle faible, celui de l'accommodement ; mais, surtout, un pôle fort, celui de la conquête. Le Canada résulte d'abord d'une série de conquêtes victorieuses, au sens le plus désagréable et plus cru que la langue assigne au mot conquérir : «acquérir par les armes, soumettre par la force». Si ce pôle fort est, de temps à autre, tempéré par le pôle faible, la conquête réussie est assurément la ligne dominante de la construction du Canada. Une telle affirmation pourra affecter d'une façon pénible des personnes sensibles. Aussi convient-il d'étayer le propos.

La colonisation française en Acadie et dans la vallée du Saint-Laurent (comme la colonisation par d'autres pays européens partout en Amérique) fut un processus d'appropriation, par divers moyens dont la force, de territoires où il y avait déjà des occupants qui n'ont ni appelé ni consenti à leur dépossession. Cela s'appelle conquête, comme l'ont vécu tous les peuples autochtones d'Amérique, quand ils ont réussi à survivre. La noblesse des motivations de certaines aventures coloniales ne fait pas qu'elles ne soient pas des conquêtes. L'extermination pure et simple de plusieurs peuples autochtones et la sujétion des autres le confirme. Aux origines du Québec, la Nouvelle-France repose sur une conquête ; en cela, notre histoire est la même que celle des autres colonies établies en Amérique. Dans le cas particulier du Québec, à cette conquête initiale une deuxième s'est superposée. Ce sont les armes, au terme d'un conflit endémique opposant à divers endroits du monde deux puissances européennes, qui ont permis à la Grande-Bretagne de ravir à la France ses colonies d'Amérique du Nord. Il y eut, bien sûr, le Traité de Paris de 1763 ; mais comme tous les traités qui surviennent après des guerres entre un vainqueur et un vaincu, celui-là permit aux diplomates de sanctionner ce que les armes avaient déjà tranché. Le Canada tel que nous le connaissons, anglophone, d'un océan à l'autre, ayant pour chef d'État le monarque britannique, ce Canada repose donc sur une conquête.

Il se trouve bien des gens qui n'aiment pas que l'on évoque la conquête à propos de l'histoire du Québec et du Canada. C'est, disent certains, un événement bien ancien qui ne devrait plus nous obséder aujourd'hui. C'est, disent d'autres, une attitude pernicieuse qui nous dresse les uns contre les autres ; nous sommes tous Canadiens et nous devrions concentrer nos efforts sur notre avenir commun, plutôt que de ressasser de vieilles querelles. On dit aussi que le discours de la conquête conduit à des attitudes folkloriques, ethnocentristes, à la limite xénophobes, en opposant le «nous» à «eux», ce qui est socialement dangereux. On affirme encore que les millions d'immigrants arrivés depuis un siècle n'ont rien à voir avec cette histoire de conquête et qu'ils ne demandent qu'à vivre en paix. De telles réactions critiques que suscite l'évocation de la conquête sont bien compréhensibles ; cependant, tous les efforts pour enterrer le passé historique échouent à nous préserver de ce qui est le fruit empoisonné de ce passé historique, à savoir l'interminable querelle constitutionnelle qui, semblable à l'hydre de la légende, renouvelle infailliblement chacune des têtes qu'on s'ingénie à lui couper. Je voudrais bien, moi, petit-fils par mon père d'immigrants italiens, que la conquête fût exorcisée une fois pour toutes. Mais il y a des possessions qui ne s'exorcisent pas par des vœux pieux. Si la conquête n'avait pas encore son importance — parce que, par-delà l'événement de 1760, elle constitue un profond processus de l'histoire du Canada — pour qui les nations autochtones continueraient-elles à s'agiter plutôt qu'à se fondre dans la «grande mosaïque canadienne»? Et pourquoi le Québec continuerait-il à agiter sa profonde insatisfaction constitutionnelle et politique, si ce n'est pour s'assurer un jour un statut qui renverse en quelque sorte les conséquences de la conquête? Le processus de conquête qui est le pôle fort de l'histoire canadienne fait que, dans l'État fédéral canadien, il y a trois collectivités, dont une, la canadienne, jouit d'une position de domination et dont les autres, la québécoise et les autochtones, la subissent et cherchent inlassablement à la supprimer. La proclamation maintes fois réitérée que tous les citoyens sont égaux (et que toutes les provinces sont égales) ne purge pas les collectivités qui rassemblent une partie de ces citoyens de ressentir à répétition que les nations dominées que rassemble le Canada, elles, ne se sentent pas égales à la nation dominante. Quand des politiciens fédéralistes affirment que le Québec ne peut de sa propre volonté quitter la confédération ou que les peuples autochtones doivent subordonner leurs aspirations au régime constitutionnel canadien, ces politiciens ne font que démontrer comment le peuple québécois et les peuples autochtones doivent subir la loi et la domination du peuple majoritaire canadien. Le triomphe historique qu'a valu au Canada le processus de conquête qui est le pôle fort de son histoire se paie aujourd'hui par la revendication multiforme et incessante des peuples qui ont subi le processus de conquête. Nous souhaiterions tous, assurément, qu'il n'en soit pas ainsi. Mais l'Histoire est ce qu'elle est et ne se laisse pas oublier.

Sous cet éclairage qui ressort de la reconnaissance de l'importance du processus de conquête, les étapes qui jalonnent l'évolution du statut politique et constitutionnel du Canada, à travers lesquels certains aiment à lire une sereine et pacifique progression vers la pleine souveraineté de deux «peuples fondateurs» promis à l'égalité par le passage du temps, sont autant de décisions unilatérales du pouvoir conquérant alternant entre l'affirmation de son autorité et de sa volonté et des mesures d'accommodement rendues nécessaires par la réticence ou même la résistance des conquis : Proclamation royale (1763), Acte de Québec (1774), Acte constitutionnel (1791), Acte d'union (1840) et même Acte de l'Amérique du Nord britannique (1867), où les héritiers des conquérants prirent résolument en charge leur devenir collectif. Colonie conquise, la Nouvelle-France devenue progressivement province de Québec a donc subi, tout au long de son histoire depuis 1760, la loi du conquérant et de ses héritiers, comme du reste les peuples autochtones.

Certes, il y a eu des gestes d'accommodement; par exemple, la reconnaissance du droit civil français en 1774, l'octroi du parlementarisme en 1791, la création d'un gouvernement provincial en 1867, la loi fédérale sur les langues officielles en 1969.

Cependant, outre l'inexorable minorisation démographique qui ne fait que s'accentuer depuis le milieu du XIXe siècle, le Québec a régulièrement goûté la médecine de la conquête et sa subordination, comme collectivité, à une autre collectivité engagée dans la création de son propre État national. La répression de la Rébellion de 18371838, l'imposition de l'Union en 1840, la suppression par diverses provinces, après 1867, des droits linguistiques des minorités francophones, l'affaire Riel, l'imposition de la conscription pendant chacune des deux guerres mondiales, l'attribution au gouvernement fédéral de la compétence sur des matières culturelles sensibles comme la radio (1931) ou la télévision et la câblodistribution (1978), voilà autant de situations où le Québec put apprécier sa situation de collectivité conquise devenue minoritaire, autant de situations où le Québec put méditer la maxime chère à l'Empire romain : « *Vae victis* ». Depuis plus de deux siècles, l'évolution du Québec se trouve englobée dans l'évolution d'une autre nation, la nation canadienne, engagée dans la construction de son propre État national. La coexistence de ces deux réalités n'a pas manqué d'occasionner des chocs à répétition. Le 30 octobre 1995 fut l'un de ces chocs. Tout cela ressemble à l'affaire du pot de terre et du pot de fer.

Il est vrai que les événements qui précèdent sont des faits anciens dont certains se demanderont s'il est utile de les ressasser encore. Leur évocation vient illustrer combien la naissance et le développement du Canada résultent d'une longue série de conquêtes réussies. Cette évocation ne veut certainement pas rouvrir de vieilles blessures. Mais il n'est pas inutile d'avoir une bonne mémoire quand on traite de choses politiques. Par ailleurs, il ne faut pas non plus perdre de vue que le processus de conquête entrepris dès la création de la Nouvelle-France a également eu un impact sur les peuples autochtones pour qui l'histoire du Canada est aussi une histoire de dépossession et de subordination politique. Ces peuples ne se gênent pas pour nous le rappeler, avec une insistance de plus en plus tranchante; et il est de plus en plus difficile de demeurer sourd à leurs propos.

Sans doute, tous les gens de bonne volonté préféreraient-ils
laisser ces récits de conquêtes multiples aux seuls historiens, pour
envisager le présent et l'avenir avec plus de sérénité et sans aucun
ressentiment. Cela serait, en effet, fort souhaitable et beaucoup plus
agréable pour tout le monde. Hélas! l'Histoire n'aime pas se laisser
oublier si facilement. Par surcroît, certains événements récents sont
venus remettre fâcheusement en lumière cette dynamique de la
conquête qui a propulsé si fortement le développement progressif
du Canada comme État-nation englobant des peuples différents et
minoritaires.

Ces événements, ce sont le rapatriement unilatéral de la
constitution canadienne et sa modification en profondeur par l'inclusion d'une charte des droits de la personne en 1982. Remarquons que ces événements s'inscrivent tout à fait logiquement dans
l'histoire du Canada. Il était parfaitement normal qu'un pays à tous
égards souverain voulût être maître de sa propre constitution et
mettre un terme à l'anomalie étonnante d'avoir pour constitution
une loi relevant d'un parlement étranger. Il était aussi compréhensible qu'un pays civilisé voulût assujettir l'ensemble de ses pouvoirs
politiques à une charte définissant et protégeant les droits de ses
citoyens. Remarquons encore que les sages juges de la Cour
suprême ont reconnu le *droit légal* du parlement fédéral de requérir
de celui de Londres le rapatriement de la constitution. Mais il est
vrai que ces mêmes juges ont mis en cause *la légitimité* d'une action
unilatérale du gouvernement fédéral en matière constitutionnelle en
regard de la «convention constitutionnelle» établie. Remarquons
surtout la substance politique de la chose : le rapatriement unilatéral de la constitution et l'implantation d'une charte des droits de la
personne qui limite les pouvoirs des assemblées législatives modi-
fient en profondeur le système politique du Canada sans l'accord de
l'un de ses partenaires essentiels, le Québec. L'essence même d'un
régime fédéral, surtout lorsqu'il implique une majorité et une minorité nationales, proscrit la modification des règles du jeu les plus
fondamentales sans l'accord des parties contractantes. C'est pourtant ce qu'a fait le gouvernement du Canada en 1981 et 1982. Cela
n'est pas sans conséquences.

Si l'on peut à la rigueur établir que le Québec a «consenti» à
l'adoption en 1867 par le Parlement britannique de l'Acte de
l'Amérique du Nord britannique et que la constitution canadienne,
de cette date à 1982, reposait sur l'apparente «libre adhésion» du

Québec — mais, dans le système impérial britannique de l'époque, avait-il un autre choix? La répression de la rébellion de 1837-1838 indique que le conquérant britannique n'était pas porté à laisser ses colonies lui échapper, surtout pas après ses mésaventures avec ses premières colonies américaines —, il est clair que la constitution canadienne et sa charte des droits de la personne sont imposées au Québec contre son gré depuis 1982. Aucune législature québécoise depuis 1982, soit celles issues des élections de 1981, 1985, 1989 et 1994 avec des majorités de partis différents, n'a accepté la constitution ainsi fondamentalement modifiée et la charte; aucun gouvernement québécois issu de ces législatures n'a davantage accepté le fait. Le gouvernement foncièrement fédéraliste de Robert Bourassa a même identifié les «Cinq conditions minimales d'adhésion du Québec à la constitution canadienne», ce qui illustre clairement que le Québec vit désormais sous le joug d'une constitution imposée. De plus, le peuple québécois a démontré à plusieurs reprises son désaccord avec le régime constitutionnel imposé en 1982 : en votant majoritairement en 1984 et 1988 pour Brian Mulroney et sa promesse de réparer l'outrage constitutionnel; en votant contre l'accord de Charlottetown en 1992; en votant majoritairement pour le Bloc québécois en 1993; en donnant 60% de ses votes francophones au OUI en 1995.

Par l'imposition au Québec de changements majeurs de la constitution contre son consentement en 1982 et par le refus de toute modification à ce jour à son attitude, le Canada s'est clairement réinstallé dans un rapport de conquête vis-à-vis du Québec. Le Canada gouverne le Québec sur la base d'une constitution à laquelle le Québec n'a pas consenti et il se montre opposé à accepter les conditions auxquelles le Québec accepterait cette constitution. L'attitude du Canada à l'égard du Québec est ainsi dans la droite continuité de l'attitude des conquérants de 1760. En invalidant certaines dispositions de la loi 101 depuis 1982, la Cour supérieure a cautionné juridiquement l'attitude politique canadienne de conquête. (Évidemment, il est toujours possible d'invoquer la clause «nonobstant». Mais, comme on n'a pas manqué de l'expliquer au Québec, ce recours est politiquement odieux. Cela démontre surtout l'essentiel en cause : à savoir que les pouvoirs de l'Assemblée nationale du Québec ont été modifiés sans son assentiment. Dans un régime fédéral, cela traduit la brutale émergence d'un rapport de force, rapport de force qui rappelle les plus mauvais moments du processus de conquête).

Dans la philosophie politique libérale (notamment anglo-américaine) dont aime à s'inspirer le Canada, nulle autorité politique, nul exercice du pouvoir, nulle constitution ne sont légitimes sans le consentement explicite des gouvernés. Le Québec, par son Assemblée nationale, par ses gouvernements, par ses partis politiques, par la voix même de son électorat, a clairement signifié qu'il n'acceptait pas la constitution canadienne de 1982; il a même précisé des conditions minimales d'acceptation que le Canada n'a pas acceptées. Faute de le gouverner sur la base d'une constitution consentie en regard des changements fondamentaux qui lui ont été apportés en 1982, le Canada gouverne le Québec comme le ferait un conquérant. Les événements de 1982 montrent que la dynamique de la conquête perdure.

Voilà donc des choses importantes que met en lumière un détour par l'histoire. Il est clair que ce sont des choses assez désagréables et très étonnantes : après tout, les Canadiens et les Québécois sont des gens civilisés, raisonnables, pacifiques qui vivent dans un climat de liberté, de tolérance et de respect profond des droits de la personne et qui s'efforcent de résoudre leurs différends de façon pacifique. Ces gens vivent dans un pays que beaucoup d'individus de par le monde leur envient. Dans ce pays, ni la force brute, ni les armes, ni la violence ne tiennent lieu d'arguments dans les débats politiques. Alors, n'est-ce pas irresponsable de parler de conquête et d'attitudes apparentées? Cela ne justifie-t-il pas le mot du poète Paul Valéry qui tenait l'histoire pour le produit le plus dangereux émanant de la chimie de l'esprit humain?

Non. Il vaut mieux voir les choses en face. La question dite de l'«unité nationale» est à l'avant-scène de la vie politique canadienne depuis au moins cinquante ans. De Maurice Duplessis à Lucien Bouchard, douze premiers ministres québécois, dix premiers ministres canadiens, ont été accaparés, sinon dévorés, par des débats constitutionnels. D'innombrables idées ont été émises à ce sujet. En quinze ans, trois référendums, un canadien et deux québécois, n'ont pu résoudre la question. Si elle est aussi coriace et résistante, c'est qu'elle est enracinée très profondément dans l'histoire québécoise et canadienne : destin singulier d'une part, dynamique de la conquête d'autre part. Le nœud gordien est noué de façon très serrée et depuis longtemps. Les aléas de l'histoire ont enfermé deux peuples dans le même cadre politique et ils n'y ont pas encore trouvé un équilibre mutuellement satisfaisant. S'il revenait parmi nous, plus d'un siècle et demi après sa précédente visite, Lord Durham pourrait écrire à nouveau : «Je trouvai deux nations en guerre au sein d'un même État.» Hélas! C'est toujours le cas et rien ne permet de penser que cela se modifiera tout naturellement.

3. Le choix du Canada : la surconquête ou la reconnaissance

Après le 30 octobre 1995, comme le veut la sagesse populaire, la balle est maintenant dans le camp du Canada. La question posée par le Québec, la question posée par 60% des francophones du Québec, est formulée trop clairement et trop crûment pour s'évanouir tout gentiment. Encore une fois, la question posée par le Québec perdurera tant que l'une ou l'autre de deux possibilités ne se sera réalisée : ou les Québécois francophones deviendront une minorité sur leur propre territoire, ce qui brisera définitivement l'aspiration d'une proportion majoritaire d'entre eux à un statut politique qui, se situant bien au-delà de celui d'une province canadienne et pouvant atteindre celui d'un État indépendant, sera profondément différent ; ou le Québec réussira à accéder à un nouveau statut politique et constitutionnel (dans ou hors le Canada), qui, à ses propres yeux, mettra définitivement un terme à la dynamique de la conquête qu'il subit depuis 1760 et son avatar de 1982.

Comme la balle est dans le camp du Canada, celui-ci, il faut le dire clairement pour aller à l'essentiel, a le choix entre deux attitudes possibles : ce que l'on peut appeler la «surconquête» ou ce qui consiste en une reconnaissance appropriée du Québec.

Que signifie cette notion de «surconquête»? La surconquête serait le déploiement jusqu'à son ultime aboutissement de la dynamique de la conquête enclenchée en 1760. Une politique de la surconquête n'implique pas l'abrogation du bilinguisme institutionnel fédéral et encore moins la persécution méthodique des francophones. La surconquête ne vise pas les individus ; elle constitue plutôt un rapport politique entre collectivités, le peuple canadien anglophone et majoritaire et le peuple québécois francophone et minoritaire dans l'espace politique fédéral. La politique de la surconquête peut prendre des formes plus ou moins dures, par exemple :

- ignorer passivement les demandes politiques du Québec ;

- renoncer à tout effort de modifier les arrangements constitutionnels de 1982 pour obtenir l'acquiescement du Québec ;

- limiter méthodiquement les pouvoirs de l'Assemblée nationale et du gouvernement du Québec, par les politiques du gouvernement fédéral ou par l'utilisation juridique de la charte (comme cela a été fait à l'égard de la loi 101);

- briser une fois pour toutes non seulement la possibilité, mais même toute velléité du peuple québécois de contrôler, comme collectivité, son devenir.

La politique de la surconquête vise à faire en sorte de rendre à jamais impossible pour le peuple québécois d'aspirer au statut politique de son choix et de le réaliser.

La politique de la surconquête placerait le Québec, dans le cadre canadien, dans une position analogue à celle faite aux minorités francophones dans les diverses provinces canadiennes : un degré plus ou moins élevé de droits linguistiques individuels, mais une sujétion collective irréversible.

Certains jugeront que ces propos sur la surconquête relèvent du délire ou de la politique-fiction la plus paranoïaque. Grave incompréhension! En fait, la politique de la surconquête commence à prendre forme sous nos yeux dans les propos de politiciens fédéraux qui annoncent leur refus de reconnaître un OUI majoritaire[2]; dans les propos des «partitionnistes»; dans le discours de ceux qui pressent le gouvernement fédéral d'empêcher la tenue d'un nouveau référendum au Québec; dans les spéculations sur l'opportunité de mater les séparatistes par la force militaire si nécessaire. Ce sont là, sans doute, des attitudes de marginaux. Mais le refus obstiné de reconnaître la «société distincte», l'opposition qui boude toute forme de «statut particulier» pour le Québec ou tout fédéralisme asymétrique, et, plus banalement, l'indifférence de plus en plus solide au fait que le Canada gouverne le Québec avec une constitution que ce dernier n'a toujours pas acceptée, toutes ces attitudes sont, dans les faits, l'expression d'une politique de surconquête. Tant que le Canada ne donnera pas des signes tangibles et substantiels de rejet de la politique de surconquête, le lendemain ne pourra être qu'une veille.

---

2. Manchette du *Devoir*, le 16 mai 1996 : «Chrétien pose ses conditions. Il veut négocier avec le Québec le libellé de la question référendaire et fixer-à l'avance la majorité requise dans le cas d'un OUI», page 1.

À ce point-ci, il est important de signaler que la politique de la surconquête n'implique pas que le Québec. Le Canada, en fait, est confronté non seulement aux revendications québécoises, mais aussi aux importantes revendications autochtones (lesquelles visent également le Québec qui a aussi des racines historiques dans la pratique de la conquête). En effet, partout au Canada (y compris au Québec), les nations autochtones réclament une reconnaissance collective nouvelle et des pouvoirs de gouvernement nouveaux[3]. Ces revendications interpellent directement le gouvernement canadien, le gouvernement du Québec et ceux des autres provinces. Ces gouvernements peuvent, évidemment, temporiser ou se traîner les pieds. Mais la pression s'exerçant sur eux perdurera.

Les propos qui précèdent sur le thème de la conquête et de la surconquête apparaîtront probablement très offensants à certaines personnes et à certains groupes ou carrément incompatibles avec des acquis comme ceux garantis par la charte des droits. Tous les citoyens du Canada ne sont-ils pas égaux devant la loi? Toutes les provinces canadiennes ne sont-elles pas égales devant la constitution? Des dizaines de milliers de personnes de tous les coins du Canada ne sont-elles pas venues à Montréal, le 27 octobre 1995, dire leur amour du Québec et des Québécois? Assurément. Cependant, les bons sentiments des individus, l'égalité des citoyens devant la loi, ni même l'égalité formelle des provinces ne répondent au fait que le Québec soit régi par une constitution et une charte des droits réduisant ses pouvoirs auxquelles il n'a pas consenti. Ces bons sentiments et ces formes d'égalité méconnaissent la brutale réalité que nous a léguée notre histoire et qui est l'inégalité des peuples qui se partagent le territoire du Canada et le refus du peuple majoritaire de reconnaître le statut politique et constitutionnel que réclament les peuples minoritaires qui sont du côté perdant du processus de conquête. On pourra bien hausser les épaules et dire que ce sont là des réalités sans conséquences et qu'il y a des problèmes beaucoup plus urgents à régler. Fort bien; mais cela ne fait taire ni ne contente le Québec et les peuples autochtones. On pourra s'acharner à enfermer l'Histoire dans le débarras le plus secret et le plus hermétique, elle revient sans cesse nous hanter et peser sur nos destins collectifs. Les problèmes posés par l'Histoire insistent pour trouver

---

3. Voir, dans ce recueil, le texte de Bernard Cleary.

une solution et pressent inlassablement de tout leur poids sur le destin des peuples. Faut-il encore des exemples? L'Allemagne n'a jamais renoncé à son rêve de réunification. Des peuples englobés de force dans l'empire soviétique n'ont jamais renoncé à retrouver leur autonomie. La majorité noire d'Afrique du Sud n'a jamais renoncé à son espoir de briser l'apartheid. Les Palestiniens n'ont jamais renoncé à un État à eux. La Chine n'a jamais renoncé à Hong-Kong. Le Viêtnam n'a jamais renoncé à son unité et à son indépendance. Tous ces problèmes nés de l'Histoire ont trouvé une solution ou sont en voie d'en trouver une. Ailleurs, l'espoir et la volonté de régler les choses perdurent malgré les pires déboires : pensons aux Kurdes, par exemple.

On peut bâillonner l'Histoire ; elle continuera, d'abord à murmurer, puis à gruger son bâillon jusqu'à ce qu'elle puisse faire entendre à nouveau sa voix. Le Canada est hanté par son histoire ; il peut bien le nier ; son histoire demeure présente au plus intime de lui-même ; alors, il se laisse tout doucement dériver vers la surconquête. Exagération ? Au moment où s'écrivent ces lignes, six mois après le référendum, tout va dans cette direction.

Y a-t-il une autre voie que celle de la surconquête ?

D'autres pays, d'autres peuples, d'autres dirigeants politiques, ailleurs, sont parvenus à dénouer des nœuds gordiens fermement noués par leur histoire. Ils ont pensé l'impensable, dit l'indicible, fait l'infaisable. Ils ont tourné une page et engagé l'histoire dans une nouvelle dynamique. Le Canada peut aussi faire un tel choix. Bien sûr, cela impliquerait des révisions politiques déchirantes ; mais d'autres pays ont été capables de telles révisions. Bien sûr, cela impliquerait un leadership politique éclairé, novateur et courageux ; mais notre siècle en aura donné de nombreux exemples aux quatre coins du monde. Si le Canada tient à sa peau, il doit aller dans cette direction.

Encore doit-il voir lucidement ce qu'il doit consentir à faire : au cœur des révisions politiques déchirantes, le Canada doit sortir sans arrière-pensée de la dynamique de la conquête et de la surconquête. Cela consiste en un acte essentiel de reconnaissance de peuple à peuple et en son corollaire, un acte de reconstruction constitutionnelle majeure.

Deux types d'événements sont seuls capables de trancher le nœud gordien qui enserre l'histoire des divers peuples qui coexistent malaisément sur le territoire fédéral canadien. D'une part, une série de reconnaissances réciproques simultanées : le Canada reconnaît le Québec comme peuple avec plein droit à la souveraineté et le Québec reconnaît le Canada symétriquement; le Canada et le Québec reconnaissent identiquement les nations autochtones et celles-ci reconnaissent identiquement le peuple canadien et le peuple québécois. Sur cette base, d'autre part, une reconstruction institutionnelle selon des formes nouvelles devient possible pour accommoder les demandes des divers peuples en cause. Mais, sans le préalable de telles reconnaissances réciproques simultanées et décisives, sans la disponibilité de modifier en profondeur les arrangements constitutionnels, sans la volonté de traiter de nouveau de peuples à peuples, il n'y a, pour les uns, que la politique de la surconquête et, pour les autres, que celle de la résistance et de la rupture.

* * *

C'est très probablement rêver en couleurs que d'attendre un tel dénouement. Alors, il s'avérera que le lendemain sera une veille, une vigile, une veillée d'armes même; et nous serons de plus en plus nombreux à vivre ce lendemain ainsi et à poser le geste nécessaire.

LES RELATIONS CANADA-QUÉBEC-PREMIÈRES NATIONS : À LA RECHERCHE D'UNE RÉCIPROCITÉ

René Boudreault

Depuis la tenue du référendum québécois, le ton a monté de quelques crans dans les relations Québec-Canada et l'odeur de la poudre sur le champ de bataille est encore plus perceptible avec le déplacement du débat vers la scène judiciaire.

Les réalités «ethniques» et «autochtones» ont été souvent au cœur des «sparages» des uns et des autres et les territoires autochtones ont été régulièrement identifiés comme têtes de pont à une éventuelle partition du Québec par certains ténors fédéralistes virtuellement plus versés dans les bravades guerrières que dans les subtilités diplomatiques.

À moins de faire montre d'une grande naïveté politique, il faut voir si cet intérêt passionné pour la protection des droits des peuples autochtones n'est pas une roche sous laquelle se cachent virtuellement quelques anguilles et envisager certaines conditions à un discours plus responsable de part et d'autre des barricades politiques.

Le ministre des Affaires indiennes et du Nord, M. Ron Irwin, a eu l'intelligence politique de publier, en août 1995, sa politique concernant la mise en œuvre du droit inhérent des peuples autochtones à l'autonomie gouvernementale. Cette politique a le mérite de reconnaître que le droit des Autochtones à se gouverner est déjà consacré à titre de droit ancestral dans l'article 35 de la Constitution canadienne, écartant ainsi les interminables débats constitutionnels. Il s'agit cependant, et ce n'est pas là la moindre des tâches, de concrétiser ce vœu qui pourrait demeurer tout aussi pieux que ce qui était déjà consacré clairement dans l'article 35 ou que les articles à spécificité autochtone du programme du Parti québécois.

Un paradoxe majeur demeure, car l'«incarnation» de ce droit dit «inhérent» ou originant du «créateur» est totalement conditionnée par la volonté des gouvernements du Canada et des provinces dans un cadre de négociation. La balle est dorénavant dans le camp des provinces qui sont constitutionnellement responsables de la majorité des services aux citoyens en plus des terres et des ressources, mais aussi dans le camp fédéral qui s'accommoderait bien d'un délestage financier de sa tutelle au profit des provinces.

À titre de responsable constitutionnel des «Indiens et des terres réservées aux Indiens»[1], le gouvernement du Canada aurait bien pu agir comme seul gouvernement autorisé à transiger avec les Autochtones, mais sa capacité d'intervention aurait été limitée aux pouvoirs des gouvernements autochtones sur leurs petits territoires de «réserve» actuels et à la gestion de leurs affaires internes. Dans la mesure où la teneur des pourparlers pourrait avoir une implication territoriale en dehors des réserves et où les compétences concernées pourraient toucher aux pouvoirs des provinces responsables constitutionnellement des terres, des ressources et des services aux citoyens, le gouvernement fédéral se devait d'impliquer les provinces aux tables de négociation sur le droit inhérent. La problématique pancanadienne se présente cependant différemment au Québec, car les gouvernements qui s'y sont succédé depuis le changement constitutionnel de 1982 et dans le sillage de Meech et Charlottetown ont dénoncé l'exclusion du Québec du processus et, avec des nuances particulières selon les partis au pouvoir, ont critiqué la légitimité de la constitution qui en a résulté.

La question qui se pose est alors assez claire. Comment un parti souverainiste pourrait-il reconnaître aux peuples autochtones des droits constitutionnels, ancestraux, issus de traités ou inhérents dans le cadre d'une constitution qui ne reconnaît pas sa propre

---

1. Voir l'article 91(24) de la Constitution du Canada de 1867.

spécificité, son essence et ses demandes historiques? Comment le Québec pourrait-il accepter de reconnaître dans le régime juridique canadien et dans les faits, l'existence d'un troisième ordre de gouvernement alors que le sien est battu en brèche? Serait-ce là lui demander une bien trop grande magnanimité? Peut-être les autorités politiques actuelles du Québec auraient-elles été tentées de prévoir l'apaisement de la conscience internationale en permettant à certains groupes autochtones d'accéder à une forme de «souveraineté interne» dans le cadre de leur compétence, mais le discours ultrafédéraliste de la majorité des leaders autochtones actuels leur en a rapidement enlevé l'idée. Le besoin de soutien international par quelques «success stories» en matière autochtone n'est-il pas plus important pour les nationalistes québécois que le goût de «planter» certains leaders autochtones au discours vitriolique ou de les ignorer carrément pour ne pas attiser la braise qui boucane?

Le gouvernement fédéral est sensible au chant des sirènes de la ligne dure et il veut en découdre avec les «séparatistes» en faisant appel à toutes les armes politiques, juridiques et économiques à sa portée, mais aussi grâce à l'insistance de la très grande majorité des leaders autochtones du Québec qui réclament régulièrement son intervention. Plusieurs de ces leaders insistent depuis des lunes pour extorquer du gouvernement fédéral des promesses concrètes de protection de leurs droits, pour l'exercice de sa responsabilité de fiduciaire de leurs intérêts et pour le rattachement de leurs territoires à l'intégrité territoriale canadienne, en cas de sécession québécoise. Le terrain est fertile et, après avoir délibérément ignoré les Autochtones dans le projet de loi sur le droit de veto des provinces et la société distincte, le ministre fédéral déclare que les Autochtones du Québec ont le droit à l'autodétermination et que leurs territoires n'appartiennent pas au Québec. Il se garde bien cependant de propager ces idées insidieuses dans le reste du Canada autochtone...

De l'autre côté de l'Outaouais, le gouvernement indépendantiste québécois ne s'est vraiment pas donné de chance en balayant sous le tapis la question des relations avec les peuples autochtones dans le cadre du référendum de l'automne 1995 et en rangeant, à la dernière minute, le portefeuille des affaires autochtones dans la garde-robe des intérêts complexes des ressources naturelles et du géant du développement, Hydro-Québec. Il faudra voir l'agencement de ces missions gouvernementales, qui ne sont pas d'une compatibilité évidente dans le cadre de l'exercice concret du pouvoir, afin d'en juger les fruits.

On sait que le dernier gouvernement libéral, par la voix de son ministre des Affaires autochtones, Christos Sirros, avait tenté de façon louable, il y a quelques années, de mettre en place une véritable politique en matière autochtone ainsi que le forum politique prévu dans la résolution de 1985 de l'Assemblée nationale. Celui-ci a frappé un mur au Cabinet des ministres libéraux et le généreux projet a dû dévaler rapidement les marches des oubliettes.

Pour le gouvernement indépendantiste québécois, les enjeux principaux de cette problématique se traduisent par trois volets : l'ampleur des compétences qui seront reconnues aux peuples autochtones, la source du droit qui donnera la légitimité à ces pouvoirs et l'intégrité du territoire québécois. La question consiste à savoir si les pouvoirs des éventuels gouvernements autochtones pourront entrer en compétition avec ceux du Québec, s'ils auront préséance sur les siens et si les Autochtones pourront créer ou non, sur leurs territoires, des zones franches pouvant permettre la vente de produits hors-taxes ou des activités plus ou moins orthodoxes du genre des «combats extrêmes» ou autres «marginalités» autochtones. En gros, le gouvernement actuel du Québec veut s'assurer que les territoires autochtones sont bien québécois, que les lois qui s'y appliquent sont globalement les mêmes pour tout le monde et que l'«intégrité législative» de l'Assemblée nationale est garantie, quitte à conclure des ententes ad hoc dérogatoires avec les Autochtones pour permettre certaines particularités.

Mais qu'en-est-il au juste de la propriété des territoires autochtones dont ces derniers proclament aussi l'intégrité ?

Les belligérants confondent, volontairement ou non, deux aspects relativement au territoire, soit la propriété foncière elle-même du terrain et le régime juridique qui s'y applique.

Au sens strictement juridique de la propriété, il est vrai que dans plusieurs cas, le titre foncier sur les «réserves» des peuples autochtones appartient à «Sa majesté du chef du Canada»; en ce sens, ces territoires «n'appartiennent» pas au Québec mais à la Couronne canadienne. Certaines «réserves» créées ou agrandies plus récemment avec l'accord du Québec, sont des réserves au sens de la Loi sur les Indiens, mais le titre foncier appartient toujours à «Sa Majesté du Chef du Québec» qui se garde un droit de retour de ces terres dans la mesure où elles ne seraient plus occupées ou utilisées par des Autochtones. Enfin, certains titres fonciers, particulièrement ceux qui ont été acquis à l'époque du régime français, appartiennent en propre aux Autochtones concernés.

En général, sur ces réserves ou établissements, un régime juridique particulier s'applique en vertu du fait que «les Indiens et les terres réservées aux Indiens» relèvent du gouvernement fédéral [art. 91(24) de la Constitution de 1867] et ce régime est concrétisé par la Loi sur les Indiens. Dans ce contexte, la compétence législative du Québec est limitée par l'article 88 de cette loi qui indique que les lois d'application générales des provinces s'appliquent aux Indiens mais qu'elles n'ont pas priorité et qu'elles doivent être compatibles avec les règlements des bandes, les traités et les lois fédérales.

Il faut tenir compte aussi d'une autre réalité territoriale importante, soit le titre ancestral des peuples autochtones existant toujours sur le territoire du Québec. Les Cris et les Inuit ont consacré de toute évidence la cession de leur titre ancestral foncier et tréfoncier dans l'article 2.1 de la Convention de la Baie James et du Nord canadien, titre qui subsiste cependant encore tout au moins pour les Algonquins, les Montagnais et les Atikamekw, par exemple. La Proclamation royale de 1763 édictée par le roi d'Angleterre George III a consacré l'existence de ce titre ancestral des peuples autochtones et cette proclamation trouve encore sa portée légale moderne dans la Constitution canadienne de 1982. On sait cependant que le gouvernement du Canada ne reconnaît pas dans sa politique la persistance de ce droit foncier ancestral dans le territoire de la colonie de Québec de 1763 et c'est ce qui explique, entre autres, qu'il ne négocie pas sur cette base avec les Autochtones de la vallée du Saint-Laurent, tels les Abénaquis, les HuronsWendat et les Mohawks.

La question qui se pose concernant le détenteur du titre foncier sur les terres est importante, mais plus important encore est de savoir quel régime juridique s'applique sur ces terres ou quel régime pourrait éventuellement s'y appliquer dans l'hypothèse de la souveraineté du Québec.

À moins de vouloir s'amuser à faire du «juridisme», il est relativement clair que, dans ce contexte, ni la Loi sur les Indiens, ni la Constitution actuelle du Canada, ni le partage des compétences qui y est prévu ne prévoient de disposition sur l'indépendance de ses constituantes et il faut alors faire appel au droit international et à ses coutumes pour trancher cette question. On peut laisser aux experts et aux «petits politiciens» le soin de pérorer à cet effet et prendre le temps de laisser déposer la poussière soulevée par des mentalités qui peuvent nous mener de façon irresponsable à une situation de purification ethnique.

Il faut alors se demander sérieusement si la passe d'armes à laquelle nous assistons depuis plusieurs mois ne constitue pas un faux débat et si elle ne cache pas l'absence totale d'imagination ou la mauvaise foi des politiciens du Québec et du Canada qui se refusent à envisager le droit «national» des peuples autochtones dans une constitution canadienne renouvelée ou dans la constitution d'un Québec indépendant et si elle ne cache pas aussi une fainéantise politique chronique dans la recherche de la structuration intelligente de notre vouloir-vivre en bons voisins.

Le voisinage dont il est question peut prendre une coloration différente selon l'option constitutionnelle qui sera retenue par les intervenants : le statu quo, une nouvelle fédération ou l'indépendance du Québec.

Dans les trois cas, la niche constitutionnelle qu'occuperont les peuples autochtones devra être envisagée et leur degré de satisfaction de la place qui leur sera faite se répercutera sur l'humeur politique du pays et probablement sur l'humeur diplomatique d'autres pays. Les Autochtones veulent d'ailleurs être partie prenante du processus de transformation constitutionnelle.

Quoi qu'il advienne, les partenaires canadiens et québécois actuels font une bien mauvaise lecture stratégique de la participation des Autochtones en les laissant en marge des débats fondamentaux. Plusieurs leaders autochtones font aussi une bien mauvaise lecture de la conjoncture en se branchant dans le camp des ultra-fédéralistes et de ceux qui ont le don de «crier des noms» aux Québécois nationalistes en les menaçant du syndrome du fromage de gruyère. Ils ne devraient pas oublier le nombre de ceux et de celles qui ont voté pour le oui au dernier référendum et le fait que, quel que soit l'avenir du Québec, ils vivront encore au Québec et leurs voisins immédiats seront encore québécois. Les leaders québécois devraient réalistement prendre en compte les conditionnements existants à la concrétisation des velléités autonomistes des peuples autochtones, soit leur petit nombre, leurs besoins de formation et de développement sous tous les rapports, leur éloignement géographique, leur enclavement par la population québécoise, etc. et relativiser leur crainte des écarts possibles de conduite car, pour se développer en dehors de leurs territoires actuels de plus en plus étouffants, ils doivent obligatoirement traiter avec le Québec. À long terme, une culture de la marginalité ne peut se développer dans un milieu sans risque de critique interne et d'étouffement par les contraintes externes. Certains leaders autochtones, au profit de leurs communautés et des droits de leur peuple, auraient intérêt à se démarquer du jupon fédéraliste qui dépasse chez plusieurs de leurs homologues en affirmant franchement et ouvertement leur goût de bâtir une solide amitié et des liens politiques et constitutionnels permanents avec un Québec provincialisé, refédéré ou carrément indépendant. Le partie ne serait plus la même.

Dans une approche stratégique simple, est-ce que la meilleure attitude pour les Autochtones ne serait pas de chercher à protéger leurs droits spécifiques dans les trois options possibles, de proposer des arrangements constitutionnels valables en vertu de ces trois options, de chercher à identifier avec le Québec les bases d'une culture publique commune et d'œuvrer avec les autres partenaires gouvernementaux à des tables de négociation à la recherche du développement social et économique et à la structuration d'un projet de société tellement nécessaire?

Par-delà le discours politique qui fait souvent plus de mal que de bien à ceux qui le profèrent, Canadiens, Québécois et Autochtones doivent composer dans leur quête mutuelle du fantasme de la souveraineté avec les perspectives d'intégration au «village global» car, de toute façon, comme l'écrivait Ignacio Ramonet dans le *Monde diplomatique*[2], «[...] tout projet d'intégration suppose l'adoption de règles communes qui diminuent la souveraineté des États.[...] la mondialisation encourage la déréglementation, contraint également les États à abandonner des pans entiers de leur souveraineté, dépouille les gouvernements d'importantes prérogatives, et impose partout, sans tenir compte des singularités locales, d'identiques comportements économiques.»

Cela ne veut pas dire que les «petits peuples», les peuples autochtones, les régions du Québec, le Québec et le Canada doivent

---

2.   «Québec et mondialisation», Ignacio Ramonet, le *Monde diplomatique*, avril 1996.

sacrifier leurs singularités respectives, leurs cultures particulières et leurs droits spécifiques à l'autel du néolibéralisme et du nouveau catéchisme des développeurs de la planète et des faiseurs d'argent. Il faut cependant se rendre compte que la souveraineté pure n'existe pas, qu'elle s'arrêtera là où commencera celle de l'Autre et que les ennemis et les problèmes d'intégration que chacun aura créés ou laissés sur la route de l'autonomie seront encore là au lendemain du «big bang» constitutionnel.

Est-ce que le droit des peuples autochtones peut être considéré comme un droit d'État-Nation au sens du droit international, comme le clament certaines factions plus radicales chez les Premières Nations? Par-delà la reconnaissance de leurs droits spécifiques à l'intérieur des États, on peut douter que les Nations-Unies imposent à leurs membres cette version du droit à l'autodétermination «externe».

Est-ce possible, pour les peuples autochtones, d'envisager un régime juridique qui leur reconnaîtrait à la fois les droits individuels des citoyens canadiens ou des citoyens québécois et des droits collectifs particuliers de minorités particulières ou de peuples? Est-ce pensable de se doter d'une constitution canadienne ou québécoise qui fasse une place importante aux gouvernements autochtones et à leurs institutions singulières? Cette voie semble plus réaliste.

Y a-t-il place dans nos démocraties pour que les majorités n'imposent pas unilatéralement aux minorités leurs conceptions de structures constitutionnelles sans en avoir auparavant négocié les accommodements nécessaires à la satisfaction des «nationalismes internes» qui cherchent une autre place au soleil que celle qui consiste à permettre de voter individuellement aux quatre ou cinq ans? Cela est nécessaire.

L'existence théorique des nations autochtones a été reconnue au Québec, en 1985, et il faut maintenant en incarner la réalité dans nos pratiques politiques et juridiques. Les Premières Nations du Québec sont de petits groupes épars mais solidaires dont la langue, la culture et le mode de vie constituent une richesse pour notre société et dont la pensée s'enracine dans leur territoire ancestral. Par-delà le discours stratégique de certains leaders, la plupart ne songent pas sérieusement à être reconnues dans le concert des États-Nations mais veulent plutôt que leurs droits historiques et leur spécificité soient protégés. Elles ne veulent pas être placées devant le fait accompli. Ce serait trop simple pour le gouvernement canadien ou le gouvernement québécois de sortir un bon jour de leurs boîtes de Pandore respectives un petit clown annonçant que la Constitution du Canada a été transformée à leur insu ou que les pouvoirs fédéraux de la Constitution actuelle, y compris celui sur «les Indiens et les terres réservées aux Indiens» viennent d'être transférés d'un gouvernement à l'autre. La proclamation unilatérale, par un gouvernement québécois indépendant, qu'il est dorénavant investi du pouvoir absolu de l'État émanant d'une quelconque autorité divine serait aussi jugée par les Autochtones comme un geste de rapatriement unilatéral par le Québec de la Constitution canadienne et des responsabilités qui y sont consacrées.

La recherche de l'équité passe par le respect de la différence et par la mise en place, même à court terme, de mécanismes paritaires de discussion entre les nations autochtones et les institutions de diverses natures des gouvernements du Canada et du Québec.

L'exemple de la Commission indienne tripartite de l'Ontario ou de la Commission des traités de Colombie britannique doit être analysé. La mise en place d'un tribunal paritaire tenant compte des droits historiques des peuples autochtones tout autant que du système actuel de droit d'inspiration britannique, à l'exemple du tribunal Waitangi en Nouvelle-Zélande, constitue une autre piste possible. La mise en place de structures de négociation visant l'établissement de nouvelles relations entre les gouvernements du Canada, du Québec et des peuples autochtones doit être prise au sérieux et dépasser les intérêts politiques à court terme pour chercher à développer un projet de société inclusif des uns et des autres. L'expérience des voies parallèles entre nos peuples dans le même sens que celle des deux solitudes consacrées dans le *Wampum à deux rangs* (ceinture de perles du XVIIᵉ siècle consacrant la relation entre les Hollandais et les Iroquois de la Nouvelle-Angleterre) ne peut plus traduire, au XXᵉ siècle, le respect mutuel. Le respect des affaires de chacun est toujours de mise, mais une troisième voie doit être identifiée rapidement; c'est celle de la conduite de nos affaires communes.

Dans le contexte constitutionnel de guerre larvée que nous vivons depuis quelques années et avant qu'un écervelé n'allume la mèche du baril de poudre que certains s'évertuent à rouler au centre de la place, il est encore plus urgent d'envisager concrètement l'existence d'un véritable forum politique paritaire entre les représentants

des peuples autochtones et les représentants du peuple québécois.
Pour y parvenir, il faudra dépasser la susceptibilité et l'orgueil de
chacun et viser l'objectif de l'«intérêt supérieur de la Nation».

À mon avis, les Autochtones se sentiront membres à part
entière du peuple québécois dans la mesure seulement où la sécurité
de leurs droits «nationaux» aura été assurée dans les institutions qui
gouvernent ce peuple.

LES ALLOPHONES ET LA SOUVERAINETÉ

Marco Micone

Nous sommes cent peuples venus de loin
Pour vous dire que vous n'êtes pas seuls.

P armi les raisons qui expliquaient l'adhésion fortement majoritaire des allophones de vieil établissement (1950-1980) à l'option fédéraliste lors du premier référendum, il y avait la politique du multiculturalisme (non-reconnaissance des deux peuples fondateurs), le contrôle prépondérant exercé par Ottawa en matière d'immigration jusqu'en 1978, la fréquentation des écoles anglaises, la manipulation par les leaders allophones et la crainte légitime devant les bouleversements politiques.

Alors que certaines de ces raisons sont devenues moins déterminantes avec le temps, au moins une autre est apparue lorsque le Québec a diversifié ses sources d'immigrants et a fait une plus grande place aux demandeurs d'asile politique. Provenant de contrées très pauvres où, par surcroît, les droits de l'homme sont souvent brimés, la majorité de ces immigrants a de la difficulté à comprendre les subtilités économiques, politiques et culturelles qui sont à la base des revendications souverainistes. Ils croient Jean Chrétien sur parole lorsqu'il leur dit que ce pachyderme poussif s'étirant du Pacifique à l'Atlantique «est le meilleur pays du monde».

Quant aux quelque 10% qui, au dernier référendum, ont voté pour la souveraineté, ils l'ont peut-être fait par solidarité, ou parce qu'ils ont compris que le fédéralisme canadien est un échec, ou encore parce qu'ils trouvent que la langue et la culture françaises d'ici, que leurs enfants et leurs petits-enfants apprennent sur les bancs d'école, seront mieux protégées dans un Québec souverain. Mais, contrairement à bon nombre de francophones, ils ont voté OUI sans émotivité et sans ressentiment, n'ayant pas la même mémoire historique.

Outre ces raisons, je voterai toujours en faveur de la souveraineté pour que soit éliminé ce facteur de discorde et de malentendus entre francophones et allophones qui conditionne non seulement les allégeances politiques, mais aussi les choix linguistiques et culturels. Je suis souverainiste pour que le Québec cesse d'être minoritaire au sein du Canada et pour que la souveraineté serve de rempart, aussi fragile soit-il, contre le déferlement de la droite canadienne. Je le suis aussi maintenant dans l'espoir de ne pas être obligé de le demeurer toute ma vie.

Au Québec, le mouvement souverainiste est aussi irréversible que les revendications collectives qui menèrent à la promulgation de la loi 101. La contestation des lois linguistiques des années 19601970 devrait servir de leçon aux allophones qui appuient massivement l'option fédéraliste.

On se souviendra de l'émeute de Saint-Léonard, lorsqu'une minorité radicale d'italophones, plus souvent manipulée qu'éclairée, se confronta au Mouvement pour l'intégration scolaire qui s'opposait aux écoles bilingues. Il a fallu plus d'une décennie pour que les italophones en particulier et les allophones en général se rendent compte du caractère inéluctable et légitime de l'affirmation du français et souscrivent aux principes fondamentaux de la loi 101. Nombreux sont les allophones qui reconnaissent maintenant qu'au Québec, *mettre les deux langues (l'anglais et le français) sur le même pied équivaut à mettre les deux pieds sur la même langue.* La preuve en est donnée par les 80% de jeunes allophones qui fréquentent les écoles françaises, alors qu'ils n'étaient que 20% en 1977.

Si l'on peut se réjouir du progrès réalisé par le français dans tous les milieux (tout en demeurant vulnérable dans le contexte nord-américain), l'opposition acharnée des allophones à l'affirmation du français, en plus de retarder leur intégration, a eu comme effet d'éveiller chez les francophones la méfiance et le ressentiment.

Les allophones ont tout intérêt à éviter les erreurs du passé, car c'est ici, au Québec, qu'ils devront vivre entourés de 60% de francophones souverainistes auxquels on peut difficilement demander de se réjouir de leur vote massif contre la souveraineté.

S'il est vrai que le poids politique des allophones est déjà indéniable dans plusieurs comtés de la région de Montréal et que, dans la ville de Saint-Léonard, 30% d'électeurs italophones ont réussi à imposer une administration municipale presque monoethnique (preuve irréfutable d'ouverture des électeurs francophones), jamais le vote des allophones (9% de la population québécoise) n'aura été aussi déterminant que lors du référendum du 30 octobre.

Pour mieux évaluer le poids politique des allophones, il faut calculer le facteur de distorsion du résultat électoral global qu'ils représentent. Il y a donc facteur de distorsion lorsque le comportement électoral d'un groupe de citoyens, défini selon l'âge, le sexe, l'origine ethnique ou la région, s'éloigne de façon significative du comportement de l'ensemble de l'électorat. Ainsi, le facteur de distorsion attribuable au vote des allophones (nous ne retiendrons que celui-ci) oscille autour de 3%. L'écart entre les camps du OUI et du NON ayant à peine dépassé 1%, pouvait-on éviter le triomphalisme chauvin des uns et la vision ethniciste des autres?

Comme toujours, les souverainistes sont les seuls à ne pas avoir droit à l'erreur. À leur moindre faux pas, on leur prête les pires intentions, on ressuscite Lionel Groulx et on conclut à la société totalitaire *soft*. Pendant toute la campagne référendaire, les porte-parole des Congrès juif, italien et grec avaient comme vade-mecum une liste de citations tirées de déclarations maladroites de politiciens souverainistes. Je doute qu'ils aient recueilli les inanités et les injures proférées à l'endroit de ces derniers par John Nunziata, Sheila Copps et Jean Chrétien au lendemain du référendum. (On se rappellera que le premier ministre du Canada a déclaré qu'il n'aurait pas reconnu une victoire du camp du OUI). D'autres stigmatisent la *culture du ressentiment* des francophones, mais ne disent pas un mot sur la culture du dénigrement pratiquée impunément par certains médias et leaders allophones et anglophones. Pour que ce débat ne reste pas enfermé dans une vision manichéenne, il faut se demander si la déclaration du 30 octobre de

Jacques Parizeau n'aurait pas la même cause profonde que le comportement électoral des allophones. Le triumvirat helléno-italo-juif a ajouté les contradictions au manichéisme. Ainsi, messieurs Bernard, Manglaviti et Hadjis ont maintes fois répété que le «nous» de Parizeau les exclut du «peuple» québécois. Pour qu'ils puissent en être exclus, ne faut-il pas d'abord qu'ils le reconnaissent? Or, ni le multiculturalisme canadien qu'ils défendent avec passion, ni la société distincte à laquelle ils souscrivent du bout des lèvres, ne sont compatibles avec la reconnaissance des Québécois en tant que peuple. Si exclusion il y a, c'est celle du Québec de la constitution canadienne! Puis, dans un texte post-référendaire qu'ils ont remis à la presse, (qui a oublié de demander à ces croisés du fédéralisme d'où ils tiennent le mandat de parler au nom de plus de 200 000 électeurs), ils ont contribué à la culture du dénigrement en qualifiant les propos de l'ex-premier ministre Parizeau de «xénophobes», c'est-à-dire hostiles aux étrangers. Pourtant la notion d'étranger est inapplicable au Québec. Même en parlant fort malhabilement du «vote ethnique», Jacques Parizeau a néanmoins reconnu en ces électeurs des citoyens québécois et non pas des étrangers. Ce qui étonne, c'est qu'il ne se soit pas rendu compte qu'il est aussi absurde d'imputer la défaite du OUI au «vote ethnique» que de penser qu'on lui aurait attribué la victoire, si le camp souverainiste l'avait emporté par une très faible marge.

À la croisade de ces triumvirs ont fait écho les journaux communautaires dont le moins subtil est une feuille de chou de la communauté italienne: *Insieme*. Ainsi, pendant qu'un des prêtres-journalistes traitait les francophones de racistes, le folliculaire en chef vilipendait Jacques Parizeau pour avoir imputé au «vote ethnique» la défaite du camp du OUI, mais attribuait à ce même groupe d'électeurs «le sauvetage du Canada». Malgré la similitude de leurs propos, le premier ministre a quand même été blâmé de ne pas avoir accordé une égale valeur aux votes. Dans *Il Cittadino Canadese*, (où on a déjà écrit que le grand nombre de locataires parmi les francophones s'expliquait par la paresse de ceux-ci), le plus chauvin des éditorialistes souhaitait que soient enfin reconnues «la force ethnique et la dette du Canada à son égard». Il est donc légitime, pour ces messieurs, d'accorder une valeur inégale aux votes si l'on est fédéraliste, mais pas si l'on est souverainiste. La mauvaise foi ne suffit pas à expliquer ces contradictions, il faut aussi une bonne dose d'ineptie! Qui de ces thuriféraires du chrétiénisme sera un jour promu au *sénilat* canadien? On reproche aussi à M. Parizeau d'avoir utilisé un «nous» exclusionniste le soir du 30 octobre. À la source de cette maladresse, il y a une vision ethnique de la société. Celle-ci n'est l'apanage ni du premier ministre, ni des francophones. Dans une analyse comparative, le sociologue belge Andrea Rea fait remarquer qu'au Canada, dans le domaine des rapports intercommunautaires, prime une logique ethnique alors qu'en France et en Wallonie la logique en œuvre est étatique, c'est-à-dire que l'État se fixe comme objectif d'intégrer des individus et non des communautés. Nous nous retrouvons donc, au Québec, avec (en plus des anglophones et des autochtones) une majorité francophone de vieil établissement qui «traditionnellement s'est repliée sur sa langue, ses coutumes et sa religion pour assurer sa survivance dans un environnement qu'elle jugeait menaçant» (Fernand Harvey) et une constellation de groupes ethnoculturels qui font de l'appartenance ethnique un déterminant de leur identité.

C'est en effet la communauté ethnique qui permet à l'individu d'utiliser «un réseau de relations fondées sur l'affectivité et la sensibilité communes, où s'établissent des solidarités pouvant faciliter la promotion sociale et défendre plus efficacement certains intérêts communs» (Gilles Verbundt). À l'instar des communautés anglophone et allophones, les groupes minoritaires ont tendance à renforcer leur cohésion lorsqu'ils se sentent menacés. Le «nous» de Parizeau est celui des francophones minoritaires au sein du Canada. Le soir du référendum, malgré la déception des uns et les hauts cris des autres, le premier ministre n'a fait qu'exprimer une conscience ethnique qui conditionne toute la société.

D'autres facteurs renforcent la conscience ethnique. Dans le cas des allophones, il y a bien sûr l'idéologie multiculturaliste qui valorise l'ethnicité et les différences, mais aussi les écoles mono-ethniques et les ghettos d'emploi pour les immigrants; bref, la fragmentation de la société sur base ethnique. On se rappellera aussi que, pendant les années 1970, le gouvernement fédéral s'est servi des programmes du multiculturalisme pour renforcer le sentiment ethnique au détriment de la conscience de classe. Pour les autorités fédérales, il ne devait y avoir ni ouvriers, ni patrons, ni pauvres, ni riches; que des Italiens, des Grecs, des Portugais... Tous les moyens étaient bons pour attiser la flamme ethnique: journaux, radio, télé communautaires et activités folkloriques étaient mis à contribution, sans oublier la fondation du Congrès italien. On eut même l'idée saugrenue, mais combien efficace au plan de l'imaginaire, d'organiser un défilé annuel en l'honneur de Cristoforo Colombo, pour rappeler aux italophones que Jacques Cartier accosta longtemps après le navigateur génois en terre d'Amérique et que, par conséquent, ce territoire... Faut-il s'étonner, dans ce contexte, que de nombreux jeunes nés ici et parlant à peine la langue de leurs parents se disent Italiens, Grecs, Portugais...?

En ce qui concerne la conscience ethnique des francophones, elle s'explique par les raisons historiques citées plus haut, par son statut de minorité au sein de la fédération canadienne, mais aussi par la méfiance et parfois le ressentiment à l'égard des allophones et des anglophones. Le «nous» de M. Parizeau n'est qu'une forme exacerbée d'un ethnicisme que continuent à exprimer ceux qui déclarent que, dans quelques années, il n'y aura plus suffisamment de Québécois francophones pour parler le français à Montréal. Les francophones des prochaines générations auront pour noms Gutierrez, Nguyen et Adamopoulos en plus de tous les Tremblay et les Dubois. Est-ce ce même «nous» qui pousse les francophones à quitter Montréal pour se retrouver entre eux dans la banlieue? En attendant la réponse, la vénérable Société Saint-Jean-Baptiste pourrait nous faire oublier cet exode au moins un jour par année en célébrant avec faste le Montréal cosmopolite avec la participation des allophones, des anglophones et des autochtones. Le défilé pourrait alors devenir la métaphore vivante du Québec moderne.

Il est pour le moins paradoxal, dans les circonstances, d'entendre les allophones reprocher à M. Parizeau (et au courant qu'il représentait au sein du mouvement souverainiste) la même conscience ethnique qui conditionne leur propre vision de la société. La rectitude politique confère-t-elle au «nous» allophone une légitimité et une noblesse qu'elle ne reconnaît pas au «nous» francophone?

Parmi les solutions qu'on peut apporter aux situations énumérées plus haut, celle qui concerne l'émergence d'une conscience cosmopolite et civique au détriment de la conscience ethnique est fondamentale. Le milieu scolaire est indubitablement le meilleur endroit où un tel projet puisse se réaliser. En plus de l'éducation civique, il faudrait mettre sur pied un programme national d'éducation interculturelle dans lequel on adopterait le métissage comme

clé de lecture de l'histoire québécoise et de certaines œuvres littéraires. Ainsi, en prenant conscience de sa culture métissée, l'élève
s'ouvrirait d'autant plus facilement à l'Autre qu'il saurait que celui-
ci fait déjà partie de lui. Il apprendrait, dès le primaire, que la
cohabitation avec les immigrants depuis un siècle et demi, avec les
anglophones depuis deux cents ans et avec les autochtones depuis le
début de la colonie, n'aurait pu se faire pendant si longtemps sans
qu'il y eût influence réciproque et métissage aussi bien culturel que
biologique.

Dans ce même programme, l'élève allophone apprendrait que
la culture d'origine de ses parents (ou la sienne) a été transformée
par le processus migratoire et que la culture immigrée qui en résulte
est une culture de transition qui, à défaut de pouvoir survivre
comme telle, va métisser la culture québécoise et ainsi s'y perpétuer.
On pourra ainsi, grâce à l'éducation interculturelle, atténuer sinon
éliminer les effets de l'ethnicisme exacerbé sur les jeunes.

Le multiculturalisme survalorise l'appartenance ethnique.
Pour que l'identité soit réussie, cependant, elle doit se nourrir de
plusieurs appartenances. Maintenant que nous connaissons l'importance que les allophones accordent à l'aspect ethnique de leur
identité, on s'étonnera moins de leur appui massif au fédéralisme
canadien qui a fait du multiculturalisme sa pierre angulaire. Bien
que d'autres raisons expliquent cette allégeance indéfectible, celle
du multiculturalisme l'emporte sur toutes les autres, car elle est au
cœur de l'identité des allophones en plus de nier l'existence du
peuple québécois.

Reconnaissons, cependant, qu'à défaut d'être massivement
souverainistes, les allophones sont massivement de bons citoyens
canadiens qui feront d'aussi bons citoyens du Québec lorsque celui-
ci sera devenu souverain. Il serait absurde de demander aux allophones de se muer en souverainistes en quelques années, alors que
l'appui des francophones à la souveraineté est encore INSUFFI-
SANT malgré la rebuffade du Lac Meech, un quart de siècle après
la fondation du Parti québécois et après 200 ans de discours et
d'agitation nationalistes.

LA SOUVERAINETÉ DES PEUPLES AUTOCHTONES

James O'Reilly*

L'Amérique, séparée de l'Europe par un vaste océan, était habitée par un peuple différent, divisé en nations distinctes, indépendantes l'une de l'autre et vis-à-vis du reste du monde; elles avaient leurs propres institutions et se gouvernaient elles-mêmes en vertu de leurs propres lois.

La Cour suprême des États-Unis
Worcester c. State of Georgia (1832)

Ce n'est pas avec beaucoup de fierté que nous pouvons rappeler le traitement réservé aux autochtones de notre pays.

La Cour suprême du Canada
R. c. Sparrow (1990)

---

* Je remercie de sa collaboration ma collègue Me Christine O'Doherty. Bien que je n'aie pas signé la déclaration conjointe du groupe, j'endosse la très grande majorité des principes énoncés dans cette déclaration. J'estime toutefois que celle-ci n'accorde pas suffisamment de reconnaissance au statut et aux droits particuliers des Nations autochtones.

Introduction

Les revendications des Autochtones constituent d'ores et déjà un problème aigu pour le Canada. En effet, plusieurs Nations autochtones revendiquent le statut de nation ou d'État en droit international en affirmant qu'elles ont :

1. une population permanente ;
2. un territoire défini ;
3. un gouvernement ;
4. et la capacité d'établir des relations avec d'autres nations ou États.

Dans la plupart des cas, les Nations autochtones ont aussi leur langue, leur culture et leurs traditions.

Aux yeux des Nations autochtones, les impératifs du droit canadien ne sont donc pas jugés importants, puisqu'elles affirment ne pas faire partie de la fédération canadienne.

Dans cette perspective, la question n'est pas de savoir si la souveraineté de ces Nations sera reconnue par le Canada ou les États-Unis, mais plutôt de savoir en vertu de quoi elles ont **perdu** leur souveraineté inhérente.

En l'absence de dispositions constitutionnelles visant à clarifier le statut des Nations autochtones et considérant la détermination des gouvernements canadien et provinciaux à conserver à tout prix leurs pouvoirs et leurs ressources, il est permis de croire que les conflits sont loin d'être terminés. La fédération canadienne est menacée non seulement par le Québec mais aussi par les Autochtones. Par conséquent, la question de la place des Autochtones dans le cadre constitutionnel *canadien* actuel est toujours en suspens.

Au Canada, les Autochtones sont divisés en plusieurs nations, différentes les unes des autres. Au Québec, par exemple, il existe au moins dix nations distinctes, les territoires traditionnels de certaines débordant les frontières actuelles du Québec. S'il y a une certaine ressemblance entre les revendications du Peuple québécois et celles des Nations autochtones, celles-ci ne disposent toutefois pas des mêmes ressources et effectifs que le Peuple québécois. Ces Nations disputent au Québec et au Canada tout entier la souveraineté des territoires qu'elles occupent.

Impliqué activement dans le dossier politique et juridique relatif aux droits des Nations autochtones depuis plus de trente ans, j'estime que la majorité des Nations autochtones du Canada et du Québec souhaitent la reconnaissance et le respect de leur souveraineté en tant que nations indépendantes. Toutefois, de façon pratique, elles recherchent fondamentalement une forme de souverainetéassociation avec la société dite dominante.

Cette formule reconnaîtrait la nécessité de la coexistence et de la cohabitation avec la majorité, que celle-ci soit canadienne ou québécoise. C'est cette même idée de partage des terres, des ressources et des pouvoirs qui est au cœur des traités.

Je partage l'idée du concept de la souveraineté-association pour les Nations autochtones, axée sur une souveraineté dite «interne» avec le Canada ou le Québec. Cette formule se fonde sur une certaine autonomie autochtone et prévoit la conciliation des intérêts, des droits et des prérogatives de la société majoritaire avec ceux de la société autochtone concernée. Cette formule pourrait être mise en œuvre par le biais de traités.

Il est d'ailleurs intéressant de noter que le projet de loi sur l'avenir du Québec de 1995 prévoit un certain nombre de mécanismes dont un traité de partenariat qui pourrait, à mon avis, servir de modèle pour des discussions futures portant sur une éventuelle souveraineté-association des Nations autochtones.

Ainsi, à l'instar du Québec, les Nations autochtones peuvent légitimement aspirer à l'indépendance ou à tout le moins à une forme de souveraineté-association.

La souveraineté autochtone est inhérente et les Nations autochtones du Québec doivent conserver cette faculté d'agir comme des nations indépendantes, et ce en l'absence d'ententes avec le gouvernement de la majorité et même si cela implique qu'il faille composer avec des considérations pratiques énormes.

Par ailleurs, ni le Canada, ni les tribunaux canadiens, n'ont formellement reconnu le statut de nation indépendante des Nations autochtones. En 1991, j'écrivais qu'«il est évident que la plupart des Nations autochtones n'acceptent pas le traitement juridique réservé à leur souveraineté. Certaines nations ont même établi leurs propres tribunaux». Cette tendance s'est accentuée depuis.

Quoi qu'il en soit, il est bien possible, voire probable, que les revendications à la souveraineté des Nations autochtones n'empêchent pas la communauté internationale de reconnaître le Québec comme pays indépendant, si le Québec accepte de respecter les droits déjà reconnus aux Autochtones. Comme nous le verrons plus loin, ces droits revêtent un caractère particulier, y compris le fait de leur enchâssement dans la Constitution et pourront, faute d'entente avec les Nations autochtones, entraver sérieusement la démarche du Québec vers l'indépendance.

À mon avis, la logique autochtone d'une souveraineté inhérente s'applique autant au contexte politique du fédéralisme renouvelé qu'à celui d'un éventuel Québec indépendant. Il me semble que la conséquence logique de cet énoncé pourrait amener les Autochtones à accorder moins d'importance à l'identité des partenaires de la société dominante avec laquelle ils devront composer, qu'à la reconnaissance et au respect de leurs droits et pouvoirs inhérents.

Dans cette perspective, la reconnaissance des droits et des pouvoirs des Nations autochtones du Québec constitue une condition importante à l'accession du Québec à l'indépendance.

Par ailleurs, il ne faut pas sous-estimer les visées politiques de certaines Nations autochtones du Québec qui semblent favoriser le maintien de l'alliance avec le Canada. Ce dernier est considéré par plusieurs Nations comme le successeur de la Couronne britannique avec laquelle des pactes solennels ont été conclus.

Pour les Autochtones, la signature de ces pactes solennels reflétait en quelque sorte l'importance du rôle du Créateur dans leur vie ainsi que les relations privilégiées qu'ils entretenaient avec ce dernier.

Dans ce contexte, on comprend mieux la réticence des Autochtones à conclure de tels pactes avec un nouvel interlocuteur, quel qu'il soit.

Le contexte politique canadien

Les revendications des Nations autochtones supposent, entre autres dimensions, la modification en profondeur du cadre constitutionnel canadien. Ces Nations réclament non seulement le statut de nation mais également une forme de souveraineté-association avec le Canada et le Québec.

Ces revendications provoquent également la remise en question du système de valeurs libérales et individualistes qui existe au

Canada et sur lequel s'appuient nos institutions politiques et juridiques.

Par conséquent, que ce soit dans le contexte politique d'un fédéralisme renouvelé ou dans celui d'un éventuel Québec souverain, l'incurie du gouvernement fédéral et des législatures provinciales à négocier un statut constitutionnel satisfaisant pour les Autochtones conserve intact le «problème» du statut particulier des Nations autochtones au Canada et au Québec.

En effet, si les droits des Autochtones sont reconnus et confirmés à l'article 35 de la Loi constitutionnelle de 1982, le statut juridique distinct des Nations autochtones n'a pas encore reçu au Canada une reconnaissance judiciaire satisfaisante ainsi qu'une application gouvernementale pratique et appropriée.

Il faut souligner, de plus, que les droits des Nations autochtones constituent des droits collectifs différents de ceux des minorités ethniques. Les Nations autochtones, ayant un statut et des droits particuliers, sont distinctes, à cet égard, des Peuples québécois et canadien.

L'espace ne me permet pas de traiter ici de la question de savoir «Qui fait partie des peuples autochtones?» À mon avis, deux critères importants sont celui de l'ascendance autochtone et celui de l'affiliation à une communauté autochtone.

La nécessité des changements constitutionnels

Le débat référendaire qui a secoué l'année 1995 et menacé les fondements du cadre constitutionnel canadien a également mis en lumière l'urgence d'apporter des changements constitutionnels fondamentaux à la Fédération canadienne. Si une majorité de Québécois sont insatisfaits de la place qu'ils occupent au sein du Canada et semblent revendiquer une forme de souveraineté-association basée sur l'existence d'un Peuple québécois ou d'une société distincte, les Nations autochtones du Québec, quant à elles, n'acceptent pas que cela se fasse à leur détriment et en dépit de droits et de juridictions revendiqués ou déjà reconnus. Précisons que le droit international et le droit interne canadien n'ont pas fourni jusqu'à présent de définition satisfaisante au regard de la nature et de l'étendue des droits autochtones.

Dans son livre, intitulé *Le Mal canadien - Essai de diagnostic et esquisse d'une thérapie* (Fides, 1995), André Burelle décrit avec justesse le marasme social et politique dans lequel se trouve le Canada.

[...] le mal canadien est beaucoup plus profond qu'on ne veut bien l'admettre, et qu'au lendemain d'un NON (ou d'un oui quant à moi) à la sécession du Québec, rien ne serait réglé des problèmes politiques, économiques et sociaux qui minent aujourd'hui le pays. [...] Pour qui refuse de s'aveugler sur le double échec de Meech et de Charlottetown et sur l'endettement chronique où s'enfonce la fédération, il paraît en effet évident que le statu quo canadien n'a plus de véritable avenir. Car sous peine de courir à l'éclatement ou s'enliser dans la crise, le pays ne peut plus continuer de battre en brèche le droit à la différence du Québec et *des peuples autochtones*, et d'ignorer le besoin d'autonomie gouvernementale des régions canadiennes. [...] Il faut éviter toute dérive vers un nationalisme qui exclut les autres tout en prétendant les inclure.» *[nous soulignons]*

Je partage en partie la vision de Burelle et je crois qu'au lendemain d'un oui à un Québec indépendant rien ne serait réglé des problèmes économiques et politiques qui minent les communautés autochtones du Québec. La difficile question du statut juridique particulier de ces Nations se posera avec d'autant plus d'acuité dans un Québec indépendant que celui-ci ne pourra ignorer le besoin d'autonomie gouvernementale des Nations autochtones.

Les échecs constitutionnels au Canada et l'équivoque du fédéral

L'impasse dans laquelle les conférences constitutionnelles antérieures ont plongé les relations entre les gouvernements fédéral et provinciaux et les Nations autochtones a démontré, au-delà des options politiques de chacun, la difficulté et la réticence qu'ont ces gouvernements à repenser le partage des pouvoirs au sein de la Constitution canadienne, ainsi qu'à régler, avec justice et équité, les revendications des Nations autochtones.

À cet égard, la rhétorique politique d'un Canada uni justifie difficilement l'argument paternaliste du gouvernement fédéral d'empêcher la «séparation» du Québec afin d'assurer aux Nations autochtones la protection de leurs droits qui seraient menacés dans un Québec souverain, lui qui refuse de reconnaître à ces Nations le statut de nations distinctes au sein du Canada. En décembre 1995, devant la Cour suprême du Canada dans l'affaire Adams, le gouvernement fédéral a argué que les Mohawks n'avaient pas de droits ancestraux. Nul ne peut invoquer sa propre turpitude!

Les échecs constitutionnels de Meech (1987) et de Charlottetown (1992) ont rendu les Autochtones méfiants vis-à-vis du système constitutionnel et législatif canadien. Le refus des gouvernements fédéral et provinciaux de reconnaître les gouvernements autochtones comme l'un des trois ordres de gouvernements au Canada (et ce, malgré la reconnaissance politique du gouvernement fédéral actuel du droit à l'autodétermination des Nations autochtones) a contribué à accroître le scepticisme des Autochtones à leur endroit.

La disposition visant à reconnaître ce troisième ordre de gouvernement, bien qu'insuffisante aux yeux de plusieurs Nations autochtones, était inscrite à l'agenda des discussions de Charlottetown et aurait été incorporée à un nouvel article 35.1 de la Loi constitutionnelle de 1982. Cette disposition incomplète avait néanmoins le mérite de faire en sorte que les gouvernements autochtones ne soient pas complètement assimilés à des municipalités ou à toute autre institution exerçant des pouvoirs délégués par le Parlement ou les législatures provinciales.

Des nations domestiques dépendantes

Ce troisième ordre de gouvernement ne constitue pas, à mon avis, un ordre juridique nécessairement équivalent à ceux déjà existants. Il est d'ailleurs étonnant de constater que le droit canadien se soit si peu inspiré du droit américain à cet égard. Il faut signaler qu'aux États-Unis, les Nations autochtones se sont vues reconnaître, très tôt dans l'histoire, un statut juridique de «nations domestiques dépendantes». Ces nations ont conservé une souveraineté interne, bien que, comme l'a affirmé en 1823 le juge en chef Marshall dans l'arrêt de principe Johnson c. M'Intosh, les droits de ces nations se soient trouvés, dans une large mesure, restreints.

> On reconnaissait que les aborigènes étaient les occupants de plein droit des terres, et pouvaient juridiquement et légitimement demeurer en possession de celles-ci, et les utiliser à leur gré ; mais leurs droits à la souveraineté complète, en leur qualité de nations indépendantes, ont été nécessairement diminués. [...] Les différentes nations européennes respectaient le droit d'occupation des aborigènes, qu'ils pouvaient exercer à leur gré, mais elles revendiquaient la propriété suprême ; elles revendiquaient et exerçaient par suite de ce droit suprême, un pouvoir d'octroyer les terres, alors que celles-ci étaient encore en possession des aborigènes.

Il n'est donc pas surprenant que les Autochtones exigent que leur consentement soit requis avant de procéder à un quelconque changement constitutionnel ayant pour effet d'affecter leurs droits, à plus forte raison un changement constitutionnel de la nature de celui que réclame le Peuple québécois.

Cela est d'autant plus vrai pour les Nations cries et inuit que leurs droits inscrits et reconnus dans la Convention de la Baie James et du Nord québécois ont été constitutionnalisés par l'article 35 de la *Loi constitutionnelle de 1982*. Notons qu'il existe un différend important, présentement devant les tribunaux, au regard de la nature et de la portée des droits reconnus dans la Convention et de ceux auxquels les Cris et les Inuit ont renoncé ainsi que sur l'incidence de la Convention sur la souveraineté interne des Nations cries et inuit.

Il s'ensuit que les rapports entre les Nations autochtones et un éventuel Québec souverain devront se fonder au moins sur le respect des droits déjà reconnus aux Autochtones par la Constitution canadienne. Un Québec souverain devra par ailleurs assumer les responsabilités historiques des Couronnes britannique et fédérale à titre de nouveau fiduciaire des Autochtones, «afin d'assurer», comme le précise la Commission royale sur les Nations autochtones, «la continuité des rapports originaux entre les Autochtones et leurs terres et l'expression contemporaine de ces rapports durables dans les ententes sur les revendications territoriales».

Des ententes négociées constituent, selon moi, une voie prometteuse de règlement malgré les nombreux problèmes d'application qu'elles risquent de rencontrer. Les traités signés entre les sociétés non autochtones et autochtones viseraient, entre autres, à reconnaître l'apport des Nations autochtones au développement politique et social des sociétés québécoise et canadienne. Ces traités constitutionnalisés viseraient également à assurer aux Nations autochtones une juste reconnaissance de leurs droits et de leurs pouvoirs, tout en permettant à celles-ci d'exercer leur juridiction sur leur territoire traditionnel.

Dans une société diversifiée et pluraliste comme la nôtre, les changements constitutionnels qui reconnaîtront un éventuel Québec souverain devront considérer les droits collectifs des Nations autochtones du Québec et respecter leur besoin d'autonomie gouvernementale.

Je me propose maintenant de brosser à grands traits le portrait des développements politiques et juridiques qui ont marqué l'évolution de la question autochtone au Canada et au Québec.

L'évolution de la problématique autochtone

Les revendications sociopolitiques des Autochtones ne datent pas d'hier. Depuis une dizaine d'années toutefois, la question autochtone reçoit une attention plus soutenue de la part des commentateurs du monde politique et juridique. Le phénomène des revendications politiques autochtones s'explique en partie par la visibilité accrue des Premières Nations sur la scène publique. Ainsi les récents événements qui ont marqué l'actualité politique québécoise et canadienne depuis 1990, la crise d'Oka, Ipperwash en Ontario, Gustaphsen Lake en Colombie-Britannique et Kahnawake fournissent matière à réflexion et à débat.

Le domaine du droit autochtone a connu un essor important depuis 1969. Ce domaine est vaste puisqu'il englobe, en plus des droits traditionnels de chasse, de pêche et de trappage, des questions traitant de la souveraineté des Nations autochtones, de l'autonomie gouvernementale, des droits ancestraux et issus de traités et, finalement, de la nature et de la portée de la compétence fédérale de légiférer à l'égard des Indiens et des terres réservées aux Indiens au sens de l'article 91(24) de la Loi constitutionnelle de 1867.

Ces questions sont fondamentales, comme en font foi les récents débats qui ont suivi la tenue du Référendum québécois d'octobre 1995, puisqu'elles touchent à la nature des droits collectifs et individuels des Nations autochtones sur les terres et les ressources, ainsi qu'à la légitimité des revendications concernant la souveraineté des Nations autochtones.

La pleine compréhension de la question autochtone requiert en outre l'analyse de certains documents constitutionnels ayant trait à l'histoire de l'Amérique du Nord et du Canada et des diverses ententes fédérales-provinciales constitutionnalisées relatives à l'exploitation des ressources naturelles, et ce, particulièrement dans les provinces des Prairies.

La reconnaissance des droits ancestraux
des nations autochtones

Au plan juridique, l'inclusion des articles 25 et 35 à la Loi constitutionnelle de 1982, qui constituent des mesures beaucoup plus explicites au plan des droits autochtones que celles contenues dans la Loi constitutionnelle de 1867, aura favorisé la reconnaissance et la confirmation des droits ancestraux et issus de traités des Nations autochtones du Canada.

Par ailleurs, bien que l'inclusion de l'article 35 à la Loi constitutionnelle de 1982 ait théoriquement accru la protection accordée aux droits ancestraux, l'analyse du droit autochtone suppose également l'étude des contextes historique et légal dans lesquels il s'est développé. Il convient donc, dans ce cadre, d'analyser les droits constitutionnels des Autochtones et leur impact sur les autres dispositions constitutionnelles à la lumière des régimes juridiques spéciaux réservés aux Autochtones et touchant certains domaines tels que l'éducation, la santé et la justice.

La scène internationale

Soulignons également que la question des droits des Autochtones est largement discutée sur la scène internationale. Ainsi 1993 a été consacrée «Année internationale des populations autochtones» et un projet de Déclaration universelle de leurs droits a été adopté par le Groupe de travail des populations autochtones, présidé par madame Erica-Irene A. Daes.

Ce texte représente, à ce jour, la conception la plus large des droits des Peuples autochtones, bien que le contentieux entourant l'adoption du terme «peuple» autochtone plutôt que «population» ne soit pas encore réglé. La Déclaration reconnaît entre autres le droit des Nations autochtones à disposer d'elles-mêmes, leur droit collectif et individuel de propriété, de possession et d'usage des terres ou des ressources qu'elles occupent et utilisent traditionnellement et leur droit à ce que ces terres ne puissent leur être prises sans qu'elles aient donné leur consentement libre et éclairé dans un accord ou un traité.

Dans ce contexte, il est significatif de constater que plusieurs Nations autochtones du Québec, notamment les Mohawks et les Cris, se réclament du droit international pour revendiquer un statut de nation ou d'État. Elles invoquent le fait qu'elles ont une population permanente, un territoire défini, un gouvernement et la capacité d'établir des relations avec d'autres nations ou États, en plus de leur langue, de leur culture et de leurs traditions.

À ce chapitre, il est déplorable de constater que devant divers comités des Nations-Unies, le Canada adopte la position ferme que la reconnaissance des Peuples autochtones dans la Constitution canadienne ne fait pas d'eux des peuples au sens du Pacte international relatif aux droits civils et politiques.

Mentionnons que depuis le 10 décembre 1994 s'est amorcée la Décennie internationale des populations autochtones, qui, selon le vœu de l'Assemblée générale des Nations-Unies, a pour objectif principal de favoriser le partenariat entre les Nations autochtones et les États.

Les fossés constitutionnel et social

En 1969, le gouvernement fédéral affirmait, dans sa politique indienne (le livre Blanc), que «les droits aborigènes sont tellement généraux qu'il n'est pas réaliste de les considérer *comme des droits précis susceptibles d'être réglés, excepté par un ensemble de politiques et de mesures* qui mettront fin aux injustices dont les Indiens ont souffert comme membres de la société canadienne». *[nous soulignons]*

Plusieurs auteurs ont critiqué l'esprit de ces politiques gouvernementales qui consistent à mettre en place des programmes et des mesures temporaires permettant une soi-disant émancipation des Nations autochtones vers l'autonomie gouvernementale. Andrew Sharp (*Justice and the Maori: Maori Claims in New Zealand Political Argument in the 1980s,* Oxford University Press, 1990) a démontré comment le gouvernement néo-zélandais des années 1970-1980, qui considérait le problème maori comme étant de nature strictement socio-économique, a favorisé, par la mise en place de programmes sociaux, l'établissement d'une politique d'assimilation et d'intégration du Peuple Maori.

Si les choses ont changé, en apparence du moins, il n'est pas exagéré de dire qu'il existe encore un énorme fossé entre les positions des gouvernements canadien et provinciaux et celle des Autochtones quant à la nature et l'étendue des droits des Autochtones, surtout en ce qui a trait à leur autonomie politique et à leur place au sein du Canada ou du Québec.

Les nombreuses discussions constitutionnelles (Meech, 1987, Charlottetown, 1992, Référendum québécois de 1995) qui ont eu lieu au pays depuis l'adoption de la Loi constitutionnelle de 1982 n'ont pas donné satisfaction aux Nations autochtones qui considèrent que bien peu de choses ont changé : ces Nations demeurent économiquement et politiquement marginales, privées de leurs terres et de leurs ressources.

À cet égard, le Rapport Penner publié en 1983 par le Comité spécial de la Chambre des communes sur l'autonomie politique des Indiens au Canada a révélé des statistiques alarmantes sur les conditions sociales et économiques lamentables qui sévissent dans les communautés autochtones au Canada. Ces conditions demeurent inacceptables aujourd'hui.

La résolution québécoise de 1985

L'Assemblée nationale du Québec a adopté, en 1985, une Résolution portant sur la reconnaissance des droits des Autochtones. Celle-ci reconnaît, en substance, l'existence au Québec des Nations abénaquise, algonquine, atikamekw, crie, huronne, micmac, mohawk, montagnaise, naskapie et inuit. Notons, toutefois, que le Québec n'accorde pas aux Nations autochtones le statut de peuple. Par cette résolution, l'Assemblée nationale souscrit «à la démarche que le gouvernement a engagée avec les autochtones afin de mieux reconnaître et préciser leurs droits, cette démarche s'appuyant à la fois sur la légitimité historique et sur l'importance pour la société québécoise d'établir avec les autochtones des rapports harmonieux fondés sur le respect des droits et la confiance mutuelle».

La Résolution presse également le gouvernement de poursuivre les négociations avec les Nations autochtones afin de conclure des ententes assurant à celles-ci l'exercice du droit à l'autonomie au sein du Québec, du droit à leur culture, à leur langue, à leurs traditions ainsi que tout autre droit. Ces ententes permettraient aux Nations autochtones du Québec de se développer en tant que nations distinctes ayant une identité propre.

Quoique imparfait, il s'agit néanmoins d'un début intéressant.

L'accord du Lac Meech de 1987

Au lendemain de la signature de l'Accord du Lac Meech, les représentants des principales organisations autochtones au pays, qui ont cru que la place constitutionnelle des Nations autochtones était tout aussi importante que celle du Québec, se sont plaints du fait que les nouvelles dispositions proposées concernant les conférences constitutionnelles futures n'obligeaient pas les participants à discuter des questions relatives aux Autochtones. On aura tout simplement rayé de l'ordre du jour la question des droits des Nations autochtones.

Ces représentants ont également relevé l'aberration historique implicite à la reconnaissance de la dualité canadienne Québec français-Canada anglais que consacrait l'Accord du Lac Meech. Précisons toutefois que la plupart des Autochtones du Québec ne s'objectent pas à la reconnaissance constitutionnelle du Québec comme peuple ou société distincte. En fait, il existe au plan politique et moral un certain parallélisme entre les revendications des Nations autochtones et celles du Québec. Il serait en effet difficile, comme le soutient le constitutionnaliste J. Woehrling, «de convaincre l'opinion publique canadienne et internationale que le droit à l'autodétermination permet aux Québécois de remettre en cause l'intégrité territoriale du Canada mais que, à l'inverse, l'intégrité territoriale du Québec s'oppose à l'autodétermination des peuples autochtones».

Les Nations autochtones s'objectent toutefois à ce que la reconnaissance du Québec comme peuple se fasse au détriment de leurs droits acquis et reconnus, ainsi qu'au mépris des engagements antérieurs contractés à leur endroit par le gouvernement fédéral et les législatures provinciales.

L'accord de Charlottetown de 1992

L'Accord de Charlottetown de 1992 contenait plusieurs dispositions visant à transformer les relations entre Canadiens et Autochtones. Ces propositions comportaient des mesures touchant le droit inhérent des Autochtones à l'autonomie gouvernementale, leur statut constitutionnel, une garantie de représentation au Parlement et une part importante de juridiction à l'intérieur de la structure fédérale reconnue sur le plan constitutionnel.

L'Accord a été rejeté par les Nations autochtones ainsi que les Canadiens lors du Référendum pancanadien de 1992. Les Autochtones ne s'étaient alors pas attardés à la création de nouveaux droits mais avaient plutôt exigé la reconnaissance de droits déjà existants.

La politique gouvernementale en matière de droit autochtone

La «reconnaissance» du droit inhérent à l'autonomie gouvernementale en vertu de l'article 35 de la Loi constitutionnelle de 1982 est censée faire partie de la politique du gouvernement Chrétien depuis son élection en 1993. Le livre rouge du Parti libéral a nettement fait ressortir l'engagement du gouvernement à mettre en œuvre ce droit fondamental des Nations autochtones.

Malgré cela, le gouvernement fédéral envisage de négocier un statut de type municipal, (à défaut d'un troisième palier de gouvernement inscrit dans la Constitution canadienne) de même que le transfert d'une partie des pouvoirs des différents paliers de gouvernements actuels qui continuent de détenir la totalité du pouvoir constitutionnel. Ces modèles d'autodétermination proposés par le gouvernement fédéral ont pour effet de déposséder les bandes indiennes de leur rôle politique en faisant d'elles de simples administrateurs des politiques du ministère. Un modèle vieux de plus de cent ans qui a déjà démontré son inefficacité en plus d'être vivement contesté par les Autochtones.

Dans un document intitulé Politique du gouvernement fédéral en vue du règlement des revendications autochtones (Canada 1993), le ministre des Affaires indiennes et du Nord, Ron Irwin, y présente les arguments du gouvernement Chrétien en faveur d'une extinction complète ou partielle des droits des Nations autochtones liés au titre ancestral. Cette nouvelle exigence de «clarté», qui vise à fournir une certitude et une précision quant aux droits de propriété et d'utilisation des terres et des ressources dans les régions du Canada où les titres ancestraux n'ont pas été réglés par traité, ni annulés légalement, a été récusée par la Commission royale sur les Peuples autochtones.

Bien que la clarté et la certitude constituent des objectifs valables en soi, la Commission royale considère que «l'extinction totale ou l'extinction partielle provoque une importante discontinuité entre, d'une part, les rapports originaux entre les Autochtones et leurs terres et, d'autre part, l'expression contemporaine de ces rapports durables dans les ententes sur des revendications territoriales». En second lieu, la Commission estime que la politique d'extinction totale «est contraire à l'esprit, sinon à la lettre de la Proclamation royale de 1763» et qu'elle se concilie mal avec la reconnaissance des droits ancestraux dans la Loi constitutionnelle de 1982. Elle affirme, en outre, que l'extinction constitue un concept juridique boiteux qui ne satisfait que difficilement aux objectifs de la politique fédérale en matière de règlement des revendications territoriales.

Le droit autochtone

Il est intéressant de noter qu'avant la Confédération un certain nombre de lois, en plus de la Proclamation royale de 1763, régissent les réserves mises de côté pour les Indiens et comprennent des dispositions spéciales relatives à ces derniers. Ainsi, en 1867, le titre indien est déjà largement reconnu parmi les élus. Un grand nombre de traités ont été signés avec les diverses nations ou tribus indiennes et la Couronne britannique met en place un ensemble de politiques lui permettant de respecter ses obligations envers les Indiens tout en établissant de meilleures relations avec eux.

Par ailleurs, depuis les débuts de la Confédération jusqu'à l'adoption de la Loi constitutionnelle de 1982, la principale disposition constitutionnelle qui s'applique aux droits des Nations autochtones est l'article 91(24) de la Loi constitutionnelle de 1867. Cette disposition n'octroie pas de droits en faveur des Autochtones mais prévoit plutôt un pouvoir du Parlement du Canada de légiférer sur les Indiens et les terres réservées aux Indiens.

La Loi sur les Indiens a été adoptée en vertu de «l'autorité législative» exclusive au Parlement fédéral découlant de l'article 91(24) de la Loi constitutionnelle de 1867. Il a été clairement établi que 91(24) ne crée pas d'enclaves dans une province à l'intérieur des limites desquelles, par exemple, la législation provinciale ne pourrait pas s'appliquer.

Après des efforts politiques considérables, les Autochtones ont obtenu que la Loi constitutionnelle de 1982 incorpore des mesures constitutionnelles additionnelles reconnaissant et protégeant certains droits des Nations autochtones. Les articles 25 et 35 traitent des droits autochtones. L'article 35(1) prévoit que les droits existants — ancestraux ou issus de traités — des Peuples autochtones sont reconnus et confirmés. L'article 25 stipule que la Charte canadienne des droits et libertés ne peut porter atteinte aux droits ou libertés ancestraux, issus de traités ou autres des Nations autochtones du Canada.

La jurisprudence relative aux droits des Autochtones

On trouvera à l'annexe III une brève analyse de la jurisprudence sur le droit autochtone canadien.

Le développement de ce corpus jurisprudentiel de plus en plus spécialisé et élaboré en droit autochtone a permis aux Nations autochtones de nourrir de nouveaux espoirs quant à la reconnaissance éventuelle par les tribunaux de leurs droits ancestraux reconnus et confirmés par l'article 35(1) de la Loi constitutionnelle de 1982.

Ces années-ci sont cruciales pour les Nations autochtones, puisque la Cour suprême du Canada a déjà rendu et rendra plusieurs décisions abordant précisément la question des droits ancestraux et des droits issus de traités. Il semble par ailleurs se dégager une nouvelle tendance à la Cour suprême à l'effet que, dorénavant, l'interprétation à suivre consiste moins dans l'affirmation ou la négation absolue des droits des Autochtones, mais plutôt dans une tentative de conciliation de ceux-ci avec les droits de la Couronne et l'exercice respectif des pouvoirs législatifs légitimes.

Il faut toutefois demeurer réaliste quant à l'efficacité réelle des solutions juridiques élaborées par les tribunaux visant à régler les conflits qui naissent de la cohabitation entre les Nations autochtones, le Peuple québécois et le Peuple canadien. Le droit est souvent à la remorque de la réalité politique. Les Nations autochtones, quant à elles, ont développé une grande méfiance à l'égard du système judiciaire canadien.

Conclusion

On s'entend presque à l'unanimité au Canada pour dire que le statu quo est inacceptable, comme en font foi les débats passionnés qui ont marqué la période pré et post-référendaire de l'automne 1995. Il reste donc à élaborer des solutions sur la nature des relations entre les Québécois, les Canadiens et les Nations autochtones. La voie des ententes négociées, comme je l'ai déjà mentionné, m'apparaît la solution la plus réaliste et la plus viable.

Il faut cependant noter qu'il n'existe pas de modèle uniforme d'entente ou de traité qui puisse être étendu à l'ensemble des situations rencontrées dans les différentes communautés autochtones du Québec ou du Canada. Ainsi, chaque projet d'autonomie gouvernementale autochtone est d'abord et avant tout le produit de circonstances qui lui sont propres et qui demeurent particulières. L'objectif de ces ententes est d'abord de traiter de la question du respect des droits ancestraux ou du titre aborigène inhérent et ensuite d'établir de nouvelles relations juridiques entre les partenaires.

L'actualité fournit des exemples convaincants de traités signés entre les gouvernements et les Nations autochtones souveraines afin de développer des ententes de collaboration et de cohabitation satisfaisantes qui tiennent compte des particularités culturelles, politiques et économiques de tous les partenaires. Ces ententes s'appuient en outre sur la reconnaissance par les gouvernements d'une certaine assise territoriale attribuée aux Nations autochtones.

Tout comme l'avait fait la Convention de la Baie James et du Nord québécois en 1975, l'entente de principe intervenue récemment entre les Nisga'a de la Colombie-Britannique et le gouvernement fédéral, bien qu'elle soit à parfaire, pose des balises intéressantes. Cette entente prévoit que la communauté des Nisga'a pourra exercer son autorité et sa juridiction sur les terres traditionnelles ainsi que sur une partie des terres situées à l'extérieur de la réserve.

Ce type de partenariat ne suppose nullement l'égalité des parties. Non plus qu'il n'implique l'assujettissement de l'une d'entre elles. Il est possible de s'entendre en vue d'actions communes sans toutefois disposer de ressources financières, humaines ou matérielles équivalentes. L'histoire des États souverains est marquée par la conclusion de Traités de paix, d'amitié et de protection. Dans ce domaine, le droit américain du 19e siècle constitue une source inestimable d'enseignements en ce qui a trait à l'interprétation des traités conclus jadis entre les États-Unis et les Nations Indiennes.

De telles ententes devraient fonder au Québec et au Canada la reconnaissance constitutionnelle des Nations autochtones et de leurs droits, y compris le droit de se gouverner elles-mêmes. Ces ententes régiraient, en plus des rapports entre les Peuples, les questions de juridiction et de pouvoir, exclusifs et partagés, sur les personnes, les terres et les ressources.

Dans Worcester c. Georgia, en 1832, le juge en chef Marshall a qualifié la relation entre la Nation Cherokee et les États-Unis comme étant une relation de dépendance dans laquelle l'une des nations demande et reçoit la protection de celle plus puissante et non de la nature des relations entre individus où celui qui demande protection risque de perdre toute individualité en se soumettant à un maître.

Le mouvement politique est bien enraciné chez les Autochtones. Les leaders sont plus nombreux et plus scolarisés que dans les années 1960. Ils sont dynamiques et optimistes. Conscients du défi qui les attend, les Nations autochtones constituent des sociétés remarquables qui, malgré des années de dépendance, se sont prises en main afin de reconstruire une société juste et respectueuse de leurs traditions qui puisse redonner aux jeunes autochtones l'espoir et la fierté de leurs ancêtres.

Toutefois, la menace grandissante de confrontations violentes entre les Autochtones et les gouvernements ne doit pas être prise à la légère. Ipperwash, Gustaphsen Lake, Kanesatake sont autant d'exemples d'affirmation de l'autonomie gouvernementale des Nations autochtones que les gouvernements s'emploient à présenter comme des incidents isolés. Il est à prévoir que les prochaines années seront le théâtre de révoltes, d'actes de désobéissance civile et de rébellions de la part des Autochtones dont l'impatience exacerbée attend le contexte idéal pour se manifester.

La tenue de commissions royales ou l'adoption de politiques gouvernementales, aussi louables soient-elles, ne seront jamais que de pâles substituts à l'action et à la volonté gouvernementales dont l'absence défie les principes les plus fondamentaux de justice et d'équité.

La bataille du Québec pour l'indépendance n'affecte pas véritablement la position historique des Nations autochtones. Le concept du «veto» autochtone, galvaudé par les médias et les politiciens de toute allégeance, ne signifie pas nécessairement que les Autochtones contestent la légitimité de l'option politique du peuple québécois, au contraire. Ce veto, inhérent à la position juridique des Autochtones, suppose le consentement de ceux-ci à tout changement constitutionnel les affectant, de même qu'il vise à assurer aux Autochtones la protection de leurs droits à l'égard des modifications constitutionnelles qui affecteraient de façon substantielle les droits ancestraux et issus de traités protégés par la Constitution canadienne.

Un éventuel Québec souverain ne pourra reléguer au second plan ces revendications et n'aura d'autres choix que d'assumer intégralement tous les engagements et toutes les responsabilités de la société dominante à l'égard des Nations autochtones du Québec.

LE CANADA : PAYS DE DEUX POIDS, DEUX MESURES

Robin Philpot

(le canadien-français)
De tous les peuples de la terre,
Ah! C'est le mieux civilisé.

Le sang sauvage en moi rayonne
Louis-David Riel (1874)

Ça se passe dans les pages d'opinion du Toronto Star, mais ça pourrait être un débat au *National* de la télévision de CBC ou une table ronde à n'importe quelle université anglophone du Canada. Lorsqu'on mentionne l'avenir du Québec, on se fait répondre, «Et les Indiens?». On parle du droit du Québec à l'autodétermination à l'intérieur de ses frontières actuelles, la réplique vient immédiatement et sans nuance : «Mais qu'en est-il du droit des Cris et des Mohawks de se séparer du Québec?» De l'accord du Lac Meech au référendum de 1995, l'opinion publique canadienne anglaise a été remarquablement conditionnée; même Pavlov en serait ébloui.

Rien de plus normal, donc, pour le Canada anglais, qu'une nation autochtone du Québec, voire une communauté, décide d'être indépendante ou d'être attachée à un nouveau Canada sans le

Québec. Plus besoin de répondre aux demandes historiques du Québec, plus besoin de se poser de questions sur son aliénation et sur la discrimination dont les Canadiens français ont été victimes au Canada depuis plus de 200 ans, plus besoin de tenter de comprendre les aspirations profondes des Québécois et leur réalité politique et sociale et, surtout, de connaître l'histoire et les faits de ses relations avec les autochtones. On l'a, l'argument massue.

Les Matthew Coon Come, Zebedee Nungak et Billy Two Rivers n'ont qu'à sortir la plus récente carte du Québec coupée en morceaux pour que des médias aussi respectables que le *Globe And Mail* ou CBC la mettent en manchette ou que les Stéphane Dion, Ron Irwin, Jean Chrétien et autres Preston Manning la reprennent à leur compte. L'idée du morcellement du territoire du Québec qui, il n'y a que 10 ans, était l'apanage de quelques hurluberlus est devenue, grâce à ces nouveaux appuis, tout à fait respectable dans tous les milieux canadiens.

Pourquoi cette idée a-t-elle connu une montée fulgurante? Certes, elle fait ressortir le désarroi des fédéralistes canadiens, mais on est en droit de s'interroger sur la facilité avec laquelle la population du Canada anglais semble prête à accepter une stratégie qui, si jamais elle était mise en œuvre, pourrait amener des conséquences aussi graves pour les uns et les autres que celles qu'a entraînées le découpage de l'Irlande, de la Palestine, de l'Inde et du Pakistan, sans parler de l'ex-Yougoslavie. Aussi, comment les fédéralistes ont-ils pu, avec une telle insouciance, franchir le Rubicon en décidant de donner voix au chapitre à l'idée de la partition du Québec en s'appuyant, entre autres, sur certaines nations autochtones du Québec?

Les vieilles perceptions ou les vieux préjugés des Canadiens anglais voulant que le nationalisme québécois soit rétrograde ou fascisant expliquent partiellement l'évolution de l'opinion publique canadienne, particulièrement en ce qui concerne les relations avec les autochtones. Une caricature du Globe and Mail de 1991 résume bien la perception, qui, après moult répétitions, est devenue idée reçue. Le premier cliché présente un premier ministre Bob Rae marchant bras dessus bras dessous avec un Amérindien, le mot *Ontario* inscrit sur les deux et le mot «*Society*» en dessous. Le deuxième nous donne un premier ministre Robert Bourassa engagé dans une sorte de combat extrême avec un Amérindien, hache de guerre à la main. Sur les deux combattants, on lit le mot *Québec*, en dessous, les mots «*Distinct Society*».

Bref, en ce qui concerne les autochtones et leurs revendications, la classe politique du Canada anglais s'est convaincue de l'iniquité et de la fermeture d'esprit des Québécois, toutes couleurs politiques confondues. Parallèlement, elle se félicite, sans gêne aucune, de sa propre générosité, de son ouverture et de son esprit de justice.

Dans mon livre *Oka : dernier alibi du Canada anglais*, publié quelques mois après la crise d'Oka, j'ai tenté de prouver, entre autres par l'étude comparative des conditions de vie des autochtones du Québec et du Canada, que la réalité tranche nettement avec cette perception simpliste, et que le Québec n'avait pas de leçons à recevoir, surtout de ses voisins canadiens. En résumé, si on se fie aux statistiques relatives aux populations carcérales, à la persistance des langues autochtones, à leur revenu familial moyen, au pourcentage de la population vivant sous le seuil de pauvreté, au taux de suicide, etc., bien que le Québec n'ait pas de quoi bomber le torse, tous les indicateurs donnent un portrait du Québec distinctement supérieur à celui du reste du Canada.

Depuis quelques années, cependant, des événements tendent à démontrer que, pour les autochtones, tout n'est pas aussi rose qu'on le laisse croire au pays de Jean Chrétien. Mentionnons seulement l'affrontement à Gustafsen Lake en Colombie-Britannique, la mort à Ipperwash en Ontario de Dudley George, ce Chippewa tué par un policier de l'OPP pendant l'occupation non armée d'un parc provincial fermé — occupation qui n'est toujours pas terminée —, les émeutes dans les prisons de Kingston et de Headingley au Manitoba qui touchaient surtout des autochtones, l'incendie criminel près d'Owen Sound, en Ontario, d'un bateau de pêche commerciale et le vol de filets de pêche et d'autres équipements appartenant à des Amérindiens. La liste n'en finit pas.

Dans un cri de cœur à la suite de ce vandalisme à caractère raciste à Owen Sound, le responsable des communications de la bande chippewa de Cape Croker, David McLaren, a déclaré : «Il y a eu tellement d'incidents et ce qui est vraiment décevant, c'est que le public ne semble pas s'en émouvoir.»

Personne ne s'en émeut, dit-il. Où sont toutes ces personnalités du monde autochtone et d'ailleurs, qui, à l'occasion d'événements ou de débats politiques importants, se sont illustrées dans la défense des autochtones... du Québec? Où sont ces personnes qui se sont fondues si gentiment dans la sauce du nationalisme canadien, contribuant ainsi au conditonnement de l'opinion publique canadienne? Pourquoi n'arrivent-elles pas à mobiliser l'opinion politique comme contre Meech, à Oka ou contre Grande Baleine?

En regardant le cheminement politique de certains acteurs de ces événements, il ressort que le portrait qu'on en faisait alors était très partiel, très partial, parfois carrément malhonnête. On s'aperçoit aussi que ceux et celles qui ont tenté de garder le cap, en pratiquant à l'extérieur du Québec ce qu'ils préconisaient pour le Québec, ont appris très vite, et à leurs dépens, une règle fondamentale du pays en matière autochtone. Le Canada est le pays de deux poids, deux mesures! Ce qu'il est permis de dire et de faire quand il s'agit du Québec est tout simplement inacceptable, voire interdit ailleurs au Canada.

On remarque, en effet, deux tendances chez les gens s'étant illustrés dans les dossiers autochtones, soit la récupération ou la mise au rancart. Elijah Harper, rendu célèbre lors de la défaite de l'accord du Lac Meech, est de la première tendance. Béatifié par les médias canadiens et actif dans la mobilisation en faveur des Warriors à Oka, M. Harper a quitté le NPD et la scène politique provinciale pour rejoindre le Gouvernement libéral à Ottawa, où il est devenu un croisé religieux et un croisé de l'unité canadienne, ce qui, selon lui, va nécessairement de pair. Son rôle consiste maintenant, essentiellement, à accompagner le ministre Ron Irwin à tous les points chauds au Canada, comme il l'a fait à Ipperwash en septembre 1995, pour tenter de mettre fin aux actions militantes entreprises par des autochtones et d'amener les autochtones sur la voie de la religion.

Ovide Mercredi, chef de l'Assemblée des premières nations, est de la deuxième tendance. Jusqu'à la défaite de l'entente de Charlottetown, Ovide Mercredi était incontournable en politique canadienne. Depuis 1993, il n'y a rien de plus contournable. Pourtant, M. Mercredi a beaucoup dilué son discours depuis la crise d'Oka, prenant un ton à la fois conciliant à l'endroit des gouvernements et critique envers les militants autochtones. À titre d'exemple, il a traité les Amérindiens derrière les barricades de Gustafsen Lake de «criminels» et il a encensé les policiers. Mais rien n'y fait. Pendant une tournée de communautés autochtones du nord de l'Ontario au début de 1996, M. Mercredi a avoué «qu'il n'a plus d'influence à Ottawa» et que les politiciens «prennent plaisir à le contourner».

Les nombreux conflits politiques entre autochtones et autorités politiques et policières au Canada, le ressac anti-autochtone palpable en Ontario, en Colombie-Britannique et dans les Prairies, de même que la façon cavalière dont le gouvernement Chrétien traite les représentants autochtones, constituent, on l'espère, autant de messages politiques aux autochtones du Québec et du Canada. Bref, quel est le prix qu'ils vont payer s'ils continuent à mettre tous leurs œufs dans le panier fédéral et à accepter intégralement la stratégie des fédéralistes face au Québec ?

Les Amérindiens et les Inuits du Québec forment des nations qui veulent être reconnues comme telles. Mais comme nations, elles ont intérêt parfois à rester neutres, tout comme le font des nations reconnues internationalement. Le Québec n'en demande pas plus. Rappelons que, historiquement, les autochtones ont eu le plus d'influence politique en Amérique du Nord lorsqu'ils détenaient la balance du pouvoir entre la France et l'Angleterre.

Certaines interventions de leaders autochtones premettent de croire que l'idée fait son chemin. Lorsque le ministre Ron Irwin a tenté de provoquer le Québec, une fois de plus, en appuyant le morcellement du Québec par les nations autochtones qui resteraient au Canada, plusieurs leaders autochtones ont pris leur distance.

Dans un éditorial portant le titre *Sometimes it's better to stay silent*, du journal *The Eastern Door* de Kahnawake, Kenneth Deer suggère que le Conseil des Mohawks de Kahnawake ne devrait s'allier ni avec le Québec ni avec le Canada, notamment parce que le Canada n'a jamais été aussi bon avec les autochtones qu'il le prétend. Ovide Mercredi a aussi critiqué le ministre Irwin en l'accusant de tenter d'utiliser les autochtones contre le Québec. Roméo Saganash, vice-chef de la communauté crie de Waswanipi, qui avait déjà critiqué la stratégie référendaire du Grand Conseil des Cris, n'a pas hésité à dénoncer les propos provocateurs d'Irwin relativement au territoire québécois.

Les souverainistes sont intraitables en ce qui concerne l'intégrité territoriale du Québec. D'aucuns tentent de coincer ou de ridiculiser les souverainistes à ce sujet en interprétant cette insistance comme, au mieux, un illogisme — ce qui est bon pour le

Québec est aussi bon pour les autochtones du Québec — et, au pire, une preuve d'un deux poids, deux mesures raciste (*racist double standard*) des souverainistes.

L'intégrité territoriale d'un État qui accède à la souveraineté constitue, en fait, la meilleure garantie contre les déchirements raciaux ou ethniques. Dans notre cas, c'est une garantie tant pour les nations autochtones et pour l'ensemble de la population québécoise. Lorsqu'on s'aventure dans le découpage territorial, tout le monde sait par où cela commence, mais personne ne sait où ça va finir. L'histoire regorge d'exemples, tous aussi éloquents qu'incontestables. C'est sûrement cette réalité qui explique l'évolution du principe en droit international *uti possidetis de 1810* depuis son origine dans la foulée de l'indépendance des pays de l'Amérique latine.

La montée en flèche de l'idée du découpage territorial du Québec montre plus que jamais qu'il s'agit d'une question davantage politique que juridique. Le Québec a beau solliciter et diffuser largement l'opinion de grands juristes, qui confirme que le droit international protège ses frontières actuelles en cas de souveraineté, l'idée de partition a gagné ses galons dans la classe politique canadienne. Notons que les sondages y sont pour quelque chose.

Puisqu'il s'agit d'une question politique, il revient tout simplement aux politiciens fédéralistes d'y mettre un terme pour éviter les conséquences innommables de l'application d'une telle stratégie. Voici donc quelques pistes de réflexion.

Imaginez que le président Clinton, en raison d'un conflit avec le Canada portant sur le bois d'œuvre ou la pêche, décide de mettre un peu de pression en annonçant qu'il reconnaîtra le droit des Nisga'a de la Colombie-Britannique ou des Haïda des Isles Queen Charlotte de disposer d'eux mêmes, jusqu'à la séparation du Canada et à l'annexion aux États-Unis. L'idée n'est pas si farfelue, vu la proximité de ces deux nations de l'Alaska et le ressac anti-autochtone dans l'Ouest. Un vote favorable à l'annexion dans un référendum ne serait pas difficile à obtenir. La puissance de la propagande américaine, omniprésente au Canada y compris dans les communautés autochtones, est bien connue.

Mais le Canada ne se laisserait jamais faire, sachant qu'il risquerait en peu de temps de prendre la forme d'un fromage suisse. On peut présumer aussi que le mouvement d'annexion aux États-

Unis ne se limiterait pas seulement aux peuples autochtones. Mais les États-Unis ne s'immisceraient pas dans les affaires d'un pays ami, sachant que cela violerait le droit international.

Il existe un précédent. En 1921, le Conseil des Six Nations du sud de l'Ontario, allié de la couronne depuis la fin de la révolution américaine, s'est vivement opposé à l'application de nouveaux articles de la Loi sur les Indiens qui avaient pour effet de réduire leur autonomie. Le chef des Six Nations s'est rendu à Londres pour présenter sa cause devant le roi d'Angleterre, jadis allié des Six Nations et signataire de traités.

Leur pétition demandait au gouvernement britannique d'intervenir en leur faveur. Le secrétaire d'État pour les colonies, un certain Winston Churchill, a renvoyé le document au gouverneur général à Ottawa avec une note précisant que la question relevait de la compétence exclusive du gouvernement canadien. C'est le gouvernement du Canada, par le biais des Affaires indiennes, qui a transmis la réponse au Conseil des Six Nations. L'Angleterre a refusé de s'immiscer dans les affaires canadiennes malgré l'existence de traités historiques liant la Couronne et les Six Nations. Voilà un comportement pragmatique dont le Canada pourrait s'inspirer maintenant vis-à-vis du Québec.

Si les politiciens fédéralistes étaient à la hauteur de la crise politique du Canada et s'ils avaient à cœur le bien-être des Canadiens, des Québécois et des autochtones, ils sauraient que le seul comportement acceptable est celui de la reconnaissance de la volonté démocratique des Québécois. Ils repousseraient d'emblée toute idée de découpage territorial, ils cesseraient de jouer au «Notre père, le roi» avec les nations autochtones du Québec et ils prépareraient l'ensemble de la population canadienne à accepter l'idée que le Québec, dans ses frontières actuelles, puisse devenir souverain dans un proche avenir. L'idée de la partition du Québec redeviendrait vite le lot de marginaux extrémistes avant de mourir de sa belle mort.

Le premier interpellé est le premier ministre du Canada, Jean Chrétien, mais on doute fort que M. Chrétien ait l'envergure de la tâche. D'autres l'ont eue cependant, notamment le général de Gaulle en Algérie. Y a-t-il des Canadiens pour répondre à l'appel?

D'ABORD UN PROJET DE SOCIÉTÉ COLLECTIF

L'INDÉPENDANCE SI NÉCESSAIRE, MAIS PAS NÉCESSAIREMENT L'INDÉPENDANCE

Bernard Cleary

Comme observateur de la scène politique du Québec, du début des années 1960 à aujourd'hui, à titre de journaliste actif, de chroniqueur politique à l'Assemblée nationale et de directeur de l'information, d'analyste, d'écrivain et de conférencier, ou de défenseur de la cause autochtone, j'ai observé et suivi le passage, pas toujours facile et surtout torturé, des Québécois de la «grande noirceur» à la lumière éblouissante d'une vision de société qui donne place aujourd'hui, pour certains, à la fierté retrouvée, au respect de sa spécificité et à l'étalement de toutes ses compétences; donc à aucune limite véritable pour son devenir, sauf celles que la peur, alimentée par les sempiternels «bons-hommes-sept-heures», ne permettra pas de franchir.

J'ai fait partie de la bien timide Laurentie — pourtant révolutionnaire dans le temps — au moment où j'étais universitaire.

J'ai «couvert», comme journaliste, l'assemblée qui a donné naissance au Rassemblement pour l'indépendance nationale (RIN) et la journée funèbre où ce parti politique d'occasion s'est fait hara-kiri à la suite de la constatation, sincère et honnête, de son leader politique Pierre Bourgault que cette formation, marquée au fer rouge comme extrémiste de gauche, devait laisser la place à un parti de pouvoir, plus au centre, qui faisait beaucoup moins peur, le Parti québécois. J'ai vu passer la reine d'Angleterre à Québec et subi la charge difficilement explicable des «bœufs» de la police de Wagner.

J'ai assisté, de la tribune de la presse, au Château Frontenac de Québec, surpris et même éberlué, au départ, à l'allure d'expulsion, d'un certain René Lévesque du Parti libéral du Québec, accompagné par, entre autres mousquetaires, Jean-Roch Boivin et Marc Brière. Quelques mois plus tard, j'ai été témoin de la dernière scène de la triste fin de régime de Jean Lesage emportant avec lui l'espoir suscité par la révolution tranquille inachevée. J'étais présent le jour de la fondation du Parti québécois et j'ai constaté, pour une première fois, des lueurs d'espoir dans les yeux de vieux nationalistes usés par l'attente et de jeunes indépendantistes impatients et disponibles.

J'ai escorté le général de Gaulle sur la route des pionniers et découvert, avec lui, une partie de la petite histoire méconnue de certains Québécois de «jeune souche» et entendu son «Vive le Québec libre» du bas du balcon, en vibrant aux tripes comme tous les membres de la foule en attente d'un tel encouragement. J'ai observé son bon ami «Johnson» qui n'arrivait pas à se «brancher» entre les deux choix de l'alternative : «Égalité ou indépendance».

J'ai suivi les «tripotages» de Paul Desrochers pour faire couronner son poulain Robert Bourassa après l'avoir sorti des griffes de René Lévesque. J'ai assisté au spectacle de mise en marché politique, au colisée de Québec, qui annonçait le fameux projet du siècle à la Baie James et aussi le début d'une ère de patronage éhonté, précurseur de la crise actuelle des finances publiques, en me disant, comme Montagnais, que l'occupation pacifique moderne franchissait un autre pas de géant et que les relations entre les Autochtones et les Québécois ne seraient plus jamais les mêmes.

Ensuite, avec des membres en larmes du P.Q, j'ai participé, à titre de journaliste, à la soirée d'élection où le Parti québécois a subi sa première «victoire morale». À cette première campagne, malgré un pourcentage élevé de suffrages, cette formation souverainiste a tout juste «sauvé les meubles» en faisant élire six députés.

Par la suite, j'ai surveillé et analysé les gestes du premier mandat de Bourassa comme chroniqueur politique. J'étais journaliste au

Parlement du Québec, lors de la crise du Front de libération du Québec (FLQ), au moment où Jean Marchand est venu chercher, au bunker, l'approbation de Robert Bourassa pour appliquer la Loi des mesures de guerre.

J'ai «couvert» la campagne électorale qui a conduit le Parti québécois au pouvoir et à la formation d'un gouvernement qui, selon moi, n'a jamais été égalé depuis. Au cours de son dernier mandat, cette fois-ci à titre de directeur de l'information à Télé-Capitale, j'ai assisté à sa descente aux enfers. Avec beaucoup de tristesse et de déception, j'ai vu ternir l'image du politicien adulé qu'a été René Lévesque et constaté la mesquinerie politique de certains de ses proches.

Enfin, au cours des dix dernières années, j'ai vécu les hauts et surtout les bas du dossier autochtone, en lutte continuelle contre l'absence totale de volonté politique des gouvernements, contre les fonctionnaires du Québec et du Canada, surtout les juristes de l'État, qui ne croient pas, mais pas du tout, aux droits des Autochtones, contre le «lobbyisme» des utilisateurs actuels des territoires ancestraux, Hydro-Québec, compagnies minières, industrie forestière, etc., qui ne permettra jamais, par intérêt évident, une place réelle aux Premières Nations, et contre certains Autochtones eux-mêmes qui s'autodétruisent par leurs gestes inconsidérés qui soulèvent les passions, leurs luttes fratricides et leurs divisions internes profondes, l'irréalité de leur imaginaire et le manque évident d'analyse politique, voire sociologique, de la situation actuelle.

Je suis le promoteur du Forum paritaire québécois-autochtone, profondément chagriné par le racisme anti-autochtone de certains Québécois, alimenté par un manque total de professionnalisme de la presse québécoise, qui ne voit que les «gros» faits divers chez les Mohawks, ou la vente des cigarettes, en oubliant tout ce qui peut se faire de positif ailleurs.

Je suis foncièrement renversé par l'attitude mesquine des politiciens de tout acabit du Québec, parti au pouvoir ou opposition, qui se font du «petit» capital politique avec le dossier autochtone en manquant totalement de sens des responsabilités. Je conseillerais d'ailleurs aux membres du gouvernement et à son chef actuel Lucien Bouchard de méditer sur l'attitude du fondateur de leur parti politique, René Lévesque, lors de la crise du FLQ. Ils y trouveraient sûrement des leçons de sagesse qui les aideraient à passer à travers la crise autochtone actuelle.

Voilà donc, en quelques paragraphes, un court résumé de 30 ans d'une vie professionnelle et publique des plus actives au Québec et qui me donne droit, je l'espère, aux observations que je vous livre dans ce texte.

Au cours de cette réflexion liminaire sur la période post-référendaire actuelle, qui a pris racine dans les événements relatés, je me concentrerai sur les thèmes précis d'un projet de société québécois global et d'une culture publique commune qui doivent englober tous les Québécois d'aujourd'hui et faire une place prépondérante aux premiers occupants de ce coin de terre qui ont, eux aussi, leur propre projet de société exprimant leur spécificité, pour enfin conclure sur le véhicule politique à utiliser dans le futur.

Le moment n'est plus aux prestidigitateurs

La poussière volcanique du référendum de 1995 retombe lentement, recouvrant heureusement et pour toujours, faut-il l'espérer, les commentaires déplacés de l'ex-premier ministre du Québec, Jacques Parizeau, envers les tout nouveaux arrivants qui n'ont pas appuyé aveuglément les Québécois de «vieille souche», comme ils se décrivent souvent eux-mêmes, et les vagues promesses, sans aucune originalité, des ténors fédéralistes du statu quo à la voix éraillée.

Les défenseurs de l'utopie «d'un océan à l'autre», ou du bilinguisme intégral, les trompe-l'œil privilégiés des magiciens à la Trudeau et à la Chrétien — pour faire oublier les différences profondes et aussi les raisons communes d'une culture publique canadienne dont les bases linguistiques et culturelles, le français ou l'anglais, et surtout les mentalités qui s'en dégagent, sont aux antipodes — ont eu une peur bleue, avec raison, lors du dernier référendum.

Malheureusement et comme toujours, ils ont tôt fait de maquiller cette frousse de la couleur rose bonbon, telle la reconnaissance politique, ou constitutionnelle, de la distinction du Québec, un retour aux «papillotes» du lac Meech. Maintenant, si les gens bien pensants, Québécois et Canadiens, ne leur collent pas aux fesses pour leur rappeler leurs promesses enjôleuses, ils utiliseront toutes sortes de diversions : l'emploi, le développement économique et l'élimination des déficits des gouvernements, en espérant que le débat de fond constitutionnel s'estompera et en souhaitant même qu'il s'oubliera.

Pourtant, il ne s'agit pas d'être un analyste politique «patenté» pour savoir que certains indépendantistes québécois, si près du but, vont attendre l'occasion idéale pour reprendre cette question pour eux vitale au cours d'un autre référendum autour de 1998-1999 à la suite de la ronde constitutionnelle, déjà annoncée pour 1997, qui s'en va allégrement vers un avortement.

D'ailleurs, un simple brin de réflexe politique — ce que n'avait pas eu l'ex-premier ministre frustré du Québec le soir de la défaite serrée du dernier référendum — aura suffi pour relancer la balle dans le camp des fédéralistes en leur disant simplement que les Québécois attendaient maintenant les résultats des promesses du premier ministre du Canada, Jean Chrétien, et des autres premiers ministres des provinces, suite logique de leurs «déclarations d'amour» des tous derniers jours de la campagne.

Ces derniers, qui ont été loquaces et très ouverts à quelques heures du référendum, demeureront-ils maintenant fermés et muets comme des saumons sur les questions fondamentales avant la future ronde constitutionnelle de 1997?

En guise d'analyses, nous avons eu droit au contenu des vieilles chicanes des sempiternels antagonistes. Nos politiciens fédéralistes devront trouver un nouveau truc de magie s'ils veulent faire oublier que les Québécois, par leur vote révélateur de 1995, ont démontré qu'ils tenaient à être considérés, dans les faits, comme «un des deux peuples fondateurs» de ce Canada moderne.

Et, plus encore, de ces pages troublées de l'histoire contemporaine, ressortent clairement les avertissements sérieux d'une société en mal d'évolution que l'on ne pourra plus éteindre avec les éteignoirs des églises du XVIIe siècle. Au contraire, les leaders politiques actuels, qui véhiculent la vision de la souveraineté du Québec, doivent tirer les leçons d'une société québécoise moderne où les tout nouveaux arrivants s'attendent à occuper la place d'adoption que le Québec d'aujourd'hui, en les recevant supposément les bras ouverts, s'est engagé moralement à leur faire.

Oui, les autres Québécois doivent être du débat.

Les politiciens nostalgiques de la première heure de l'idée de l'indépendance pure et dure n'ont pas le choix de comprendre que, s'ils veulent un État du Québec différent, totalement indépendant, ou à l'intérieur d'une Confédération canadienne entièrement renouvelée, ils doivent compter sur leurs nouveaux frères et sœurs d'outre-mer, ou d'ailleurs, avec une vision sociale et politique bien différente qui peut certainement enrichir le développement futur de ce nouveau coin de terre maintenant partagé.

Au lieu d'une vision d'avenir politique trop arrêtée, à ce moment-ci, par les stratèges du nationalisme québécois qui s'abreuvent à satiété à la fontaine des défaites malheureusement répétées des Canadiens français dans l'histoire du Canada, ne serait-il pas préférable de bâtir un nouveau projet de société collectif qui regarde en avant, en ayant évidemment comme prémisses de protéger la langue de toujours des Québécois, de récupérer certains pouvoirs majeurs perdus et d'arrêter une culture publique commune qui fait vraiment de la place, non pas d'une manière seulement folklorique, aux Autochtones et aux Néo-Québécois.

L'erreur commise présentement n'est-elle pas de se battre pour un véhicule, l'indépendance, alors que le choix de société préconisé par certains — membres d'un seul parti politique —, le véritable moteur, n'a pas réellement été arrêté par tous les Québécois?

En mettant ainsi la charrue devant les bœufs, il s'ensuit que les Autochtones et les Néo-Québécois ne se sentent pas du tout impliqués par ce changement politique majeur pour le moins pointu qui n'a pas la même consonance pour les uns et pour les autres parce qu'il se fonde sur des principes fondamentaux différents. C'est exclusivement dans les tripes, qui prennent racine dans la déception historique de la relation décevante des Canadiens français avec les Canadiens anglais, que les indépendantistes de la première heure se sont alimentés pour défendre le noble véhicule. Ils y voient, fort probablement à juste titre, la seule solution à tous les maux.

Cette vision politique est pour eux la panacée, alors que, pour les autres arrivants, plus attachés au Canada parce qu'ils ont choisi librement ce pays pour immigrer, elle est une source d'ennuis. On leur demande, en mettant les pieds sur cette terre d'adoption, d'endosser la cause, qu'ils ne connaissent pas, des habitants frustrés par l'histoire du Canada. Ils ne la rejettent pas nécessairement d'emblée, mais ils sont plus difficiles à convaincre et cela est tout à fait normal.

Les Néo-Québécois et même les Autochtones voient un Québec différent; la toile de fond de ce pays à rebâtir, qu'ils ont choisi, pour les premiers, et qu'ils possèdent depuis des temps immémoriaux, pour les seconds, est l'avenir, parce qu'ils peuvent s'y impliquer, et non pas exclusivement le passé, parce qu'il n'y étaient pas pour les premiers, ou n'y ont pas été considérés pour les seconds. Par contre, cela ne signifie aucunement qu'ils veulent oublier ce passé, ou le mettre définitivement de côté. Ce passé est la racine dominante qui fortifiera l'arbre du devenir québécois.

Les opposants fédéralistes à la vision indépendantiste de certains Québécois de «vieille souche» ont donc eu toute la place nécessaire pour soulever ces gens non impliqués contre une perception qui ne fait pas consensus et qui ne passionne pas autant les nouveaux arrivants et les membres des Premières Nations.

Les indépendantistes québécois, qui en avaient plein les bras de convaincre aussi de nombreux dissidents de «vieille souche», ont malheureusement oublié les autres. À mon avis, ils n'ont pas fait tous les efforts nécessaires pour comprendre l'opposition des nouveaux arrivants parce qu'ils prenaient d'abord pour acquis que ces derniers ne devaient pas prendre partie contre eux dans ce débat qui n'était pas leur combat.

C'était une erreur monumentale de jugement politique, puisque les nouveaux arrivants veulent aussi façonner la terre d'avenir de leurs enfants et de leurs petits-enfants. Comme ils n'étaient pas heureux dans leur pays d'origine, pour plusieurs, puisqu'ils en sont partis, ils ne veulent pas connaître les mêmes déceptions dans leur pays d'adoption; ce qui est des plus logiques.

D'abord un projet de société de tous les Québécois

Si un choix collectif de société, établi à la suite d'un processus objectif, émergeait maintenant de véritables états généraux impliquant l'ensemble du peuple québécois, qui feraient une place réelle aux Autochtones et aux Néo-Québécois, il serait sans aucun doute alors plus facile pour les leaders des partis politiques du Québec de faire front commun. Ce choix dorénavant largement partagé forcerait le gouvernement du Canada à accepter le nouveau projet de société de tous les Québécois et donnerait aux instances politiques du gouvernement du Québec tous les pouvoirs nécessaires pour réaliser cette nouvelle vision de l'avenir.

En quelques mois, voire tout au plus une année, au moyen de véritables états généraux conduits par une commission nationale totalement indépendante des partis politiques et du gouvernement du Québec, le peuple québécois pourrait bâtir, de toutes pièces, ce projet de société acceptable par tous et exiger que son gouvernement le présente à l'ensemble du Canada et le défende énergiquement. Cette commission nationale regrouperait les forces vives du Québec provenant équitablement de Québécois de langue française, d'Anglophones, d'Autochtones et de Néo-Québécois.

En cas de refus de la part du gouvernement fédéral et des autres provinces canadiennes de répondre positivement aux exigences de tous les Québécois, donc en faisant la preuve, hors de tout doute, que le Canada refuse un renouvellement sérieux du pacte constitutionnel, il sera toujours temps de faire revivre le véhicule de l'indépendance. Il s'agira alors de faire accepter cette option, au moyen d'un référendum, par une majorité, cette fois-ci écrasante, en faveur de la souveraineté du Québec, majorité composée de Québécois de «vieille souche», d'Anglophones, d'Autochtones et de Néo-Québécois.

Une place prépondérante aux Autochtones

Au cours de la semaine du 16 août 1993, dans cette Mecque reconnue pour ses débats intellectuels qu'est la maison Bellarmin, à Montréal, j'ai participé activement, comme panéliste et analyste, à quatre intéressantes soirées, remplies de discussions constructives et surtout positives autour d'un sujet passablement émotif actuellement pour plusieurs : Vers une culture publique commune au Québec.

Par l'arrivée massive des immigrants de cultures différentes, les Québécois connaissent aujourd'hui ce que mes ancêtres montagnais ont vécu difficilement lors du premier arrivage des Européens : une forme d'occupation pacifique dérangeante.

Je dois vous avouer bien candidement et sans arrière-pensée aucune, en évitant de choquer les Québécois de «vieille souche», que notre sens beaucoup plus profond du partage — même si cette qualité dominante nous a souvent coûté bien cher — nous a permis de mieux réagir à cette invasion de gens d'autres continents.

Nous comprenons donc mieux la réaction défensive des Québécois qui, à ce moment-ci, veulent protéger, peut-être un peu trop jalousement, les acquis. Nous osons donc espérer que cette nouvelle expérience les portera, eux aussi, à mieux accepter que nous puissions réagir comme ils le font présentement et tenter bien timidement de retrouver une partie de ce que nos ancêtres possédaient. Ils doivent maintenant faire leur, à leur tour, le principe de partage des Premières Nations qui ne se traduira pas, cette fois-ci, il faut l'espérer, par la générosité proverbiale de l'échange d'un œuf contre un bœuf.

Donc, afin de mieux cerner les bases d'une culture publique commune au Québec pour les groupes qui habitent sur ce territoire et les moyens démocratiques de l'établir, quoi de plus indiqué pour moi que de vous livrer, bien humblement, ma propre réflexion sur la place des Premières Nations dans le Québec de demain.

En considérant ces prémisses, je dois vous affirmer que je suis moralement convaincu que la culture publique commune au Québec doit avoir un sens politique développé et que, sous cet aspect surtout, elle ne peut pas faire abstraction du fait autochtone et des droits collectifs qui y sont reliés.

Se mettre la tête dans le sable, en se convainquant que les Autochtones n'ont pas de droits propres et doivent être simplement considérés comme les autres Québécois, et les écraser tout bonnement, comme ça se fait présentement, parce qu'ils font partie d'une minorité dérangeante, n'est vraiment pas digne d'un peuple qui se dit lui-même écrasé sous le joug du dominant fédéral; cela conduit inévitablement à des affrontements majeurs d'où l'image du Québec sortira ternie sur le plan international face à son propre projet de société; cela crée aussi un climat social invivable pour les générations futures.

Au contraire, je crois que la période actuelle, marquée par la définition claire des grands enjeux politiques qui seront inscrits dans la Constitution d'un Québec souverain, ou dans celle d'un Canada uni qui aura renouvelé son pacte politique, à la suite d'un choix démocratique de la population québécoise, est le moment privilégié pour définir les grandes lignes de ce que sera un nouveau contrat social entre les Premières Nations et les autres peuples fondateurs de ce pays à rebâtir. Elle est aussi l'occasion unique pour mettre en place entre les Québécois et les Autochtones les bases solides d'un nouveau partenariat respectueux qui permettra à ces derniers de retrouver la fierté malheureusement perdue au cours des années. Elle sera la rampe de lancement pour un avenir meilleur qui atténuera les impacts négatifs des marasmes sociaux qui écrasent les habitants des Premières Nations et fera d'eux des actifs sociaux et économiques. Ils ne seront plus un poids pour la société, mais bel et bien un élément moteur du développement.

La vision de société des Autochtones

Quelle que soit la façon de l'exprimer, une vision de société existe bel et bien chez les Autochtones depuis d'ailleurs très longtemps. Elle se fonde essentiellement sur deux grandes notions : le rapport à un territoire ancestral et la persistance de cultures particulières.

Le rapport à un territoire ancestral est toujours bien vivant. Il concerne autant les chasseurs de métier, qui y vivent régulièrement, que les autres, qui le fréquentent simplement. Il fait partie de l'histoire, des légendes et de l'identité.

La persistance de ces cultures particulières est, elle aussi, toujours bien réelle. Elle se distingue par une façon différente d'envisager la vie, l'éducation, le temps, l'école, le travail, les enfants et les personnes âgées. Elle est cependant de plus en plus menacée parce que nous vivons avec des voisins qui nous demandent continuellement de nous intégrer sans prendre la peine d'apprendre à connaître ces cultures propres qu'ils veulent bêtement que l'on renie.

Cette vision de société a pour objectifs précis d'assurer le maintien du rapport au territoire ancestral et l'existence des cultures autochtones et de permettre aux Amérindiens de s'épanouir dans un contexte contemporain.

Depuis des générations, les Autochtones du Québec et du Canada dénoncent les conditions socio-économiques dans lesquelles ils vivent. Ils s'élèvent contre le génocide pacifique de l'assimilation et de l'extinction des droits dont ils sont victimes et le harcèlement injuste, mais légal, qu'ils subissent dans la pratique de leurs activités traditionnelles de chasse et de pêche et dans la fréquentation de leurs territoires ancestraux.

Ils s'en prennent surtout à la négation de leurs droits fonciers ancestraux par les développements effectués sur leurs terres sans qu'ils soient consultés et, la plupart du temps, sans qu'ils puissent profiter des retombées positives de certains d'entre eux sauf, bien entendu, pour ce qui est des miettes des compensations monétaires volontairement publicisées par les «développeurs» qui croient souvent pouvoir tout acheter.

Tout ce processus, dans son ensemble, ne fait qu'accentuer la dépossession des Autochtones et leur refoulement dans les ghettos que sont les réserves indiennes. Plusieurs me diront que rien ne nous empêche d'en sortir et de devenir des citoyens québécois comme tous les autres. Je vous répondrai que oui, c'est possible, mais peu probable puisque nous y perdrions le peu de protection que nous avons actuellement et certainement la reconnaissance de nos droits collectifs.

Nous sommes sincèrement intéressés à vivre en harmonie et en solidarité avec nos voisins québécois, mais jamais en délaissant notre identité autochtone. Nous sommes contre l'assimilation et la perte de notre identité et de nos droits collectifs. Dites-moi donc en quoi nous sommes différents des Québécois qui ne veulent pas perdre leur spécificité et leur caractère distinct dans l'univers nord-américain. Ils devraient donc être les derniers à nous reprocher nos luttes pour conserver les mêmes droits pour nos nations et même, par solidarité, les encourager.

Même l'argument du nombre de personnes touchées, au grand dam des illustres nationalistes québécois comme René Lévesque, Jacques Parizeau, ou Lucien Bouchard, sonne faux. Les Québécois francophones devraient-ils être écrasés à cause de leur petit nombre en comparaison avec les quelque 290 millions d'Anglophones en Amérique du Nord? Ne devraient-ils pas s'assimiler et devenir des Anglophones comme les autres? Si c'est vrai pour les nations autochtones du Québec, pourquoi ne le serait-ce pas pour les Québécois?

La maturité du Québec de demain se mesurera sans doute à sa capacité d'ouverture à une voie qui n'est pas celle du fascisme ou de l'écrasement des minorités par une majorité dominatrice, mais bien celle de la reconnaisance du droit collectif et historique des Premières Nations qui ont accueilli leurs ancêtres et qui y ont marié leurs fils et leurs filles.

Un nationalisme responsable est un nationalisme qui traite avec justice toutes les composantes de sa société. Il cherche à protéger la richesse culturelle de sa majorité, bien sûr, mais sans oublier celle de ses minorités, encore moins celle des Premières Nations. Il recherche l'équilibre politique nécessaire à la représentation équitable des peuples qui en composent le tissu social. Il souhaite éliminer la pauvreté, réduire les écarts de richesse et permettre l'accès à l'emploi sous toutes ses formes et à des conditions équitables aux hommes, aux femmes et aux jeunes.

Il sera jugé par sa façon de traiter les membres les plus faibles de sa société et, après la reconnaissance claire de leurs droits collectifs, par sa générosité envers eux en leur donnant surtout la possibilité de se développer en faisant leurs propres choix de société.

De la «catéchèse» autochtone, qu'ossa donne?

Tout cela est de l'irréalisme de rêveurs poétiques et nostalgiques voulant faire renaître le mythe du «bon sauvage» pour plaire aux Européens, surtout les Français, disent certains pourfendeurs québécois — heureusement, pour plusieurs, sans méchanceté — qui cherchent des excuses à l'inaction érigée en système des décideurs politiques... Pouvez-vous (les Autochtones), au moins, exprimer des demandes concrètes afin que nous puissions en juger la portée? Prétendent-ils avec la candeur du «p'tit futé» des clubs sociaux populaires qui croit avoir mis en boîte le conférencier par sa question-piège.

Personnellement, je puis vous affirmer que j'ai travaillé, depuis de nombreuses années et à plusieurs niveaux importants, à essayer de convaincre les décideurs québécois de corriger l'erreur historique de l'occupation pacifique et surtout de redonner aux peuples autochtones cette fierté malheureusement perdue et la place politique et économique qui leur est due dans ce Québec de demain.

Les tribunes publiques sur lesquelles je suis monté pour expliquer les demandes autochtones — à des étudiants d'universités, à des missionnaires, à des membres d'associations anodines de toutes sortes, à des journalistes en congrès ou dans leur conseil de presse régional, à des juristes, à des participants de mouvements écologiques, à des utilisateurs des territoires ancestraux comme les chasseurs et les pêcheurs sportifs, à des religieuses, à des intellectuels, à des défenseurs de droits de toutes sortes, à des hommes d'affaires, à des associations syndicales, à des commissions publiques, à des associations pacifiques, à des professeurs, à des clubs de lecture, à des colloques de toutres sortes, à des groupes féminins, à des congrès de tout acabit, à des clubs sociaux et j'en laisse tomber quelques pages — sont tellement nombreuses que je n'ose même plus les citer dans mon portrait de carrière de peur d'ennuyer les gens.

À titre d'exemple plus significatif, j'ai accepté, avec d'autres leaders des Premières Nations, l'invitation de David Cliche à participer à un comité de travail pour améliorer la section autochtone du programme du Parti québécois. Avec l'acharnement du négociateur convaincu, j'ai suivi toutes les rencontres de travail et j'ai activement défendu les visions d'une très grande partie des Autochtones et les positions véhiculées aux tables de négociations.

À la demande de David Cliche, alors responsable du dossier autochtone, et du député du comté de Duplessis, Denis Perron, et avec une permission spéciale votée par les participants de l'assemblée, parce que je n'étais pas membre en règle du Parti québécois, je suis allé défendre, sur le parquet, avec succès puisque la proposition fait maintenant partie du programme du P.Q. depuis 1994, un contenu qui ne faisait vraiment pas du tout consensus chez les militants. Plus encore, cette question avait soulevé pendant le congrès tout un débat raciste allant jusqu'à l'hypothèse farfelue et insipide de la pureté du sang, ou du «sauvage pur sang», comme on l'a prétendu.

Je suis donc particulièrement fier de certains engagements du programme politique du Parti québécois que, malheureusement, l'on a mis sur la voie d'évitement à cause d'une vue électoraliste à très très court terme. On sait que la cause autochtone n'est pas, à ce moment-ci, très rentable dans les sondages.

J'ose maintenant espérer que les leaders actuels de cette formation politique, avec une certaine sagesse, comprendront l'importance de réaliser, le plus tôt possible, les engagements du programme actuel pour améliorer les relations entre les Autochtones et les Québécois.

Je vous cite textuellement les éléments que je crois les plus dynamiques de ces engagements formels qui répondent aux visions des leaders des Premières Nations et à une grande partie de leurs récriminations :

«Dans un Québec souverain, (qu') il soit convenu d'un nouveau contrat social entre la nation québécoise et toutes les nations autochtones et ainsi qu'il soit mis fin à ces relations coloniales associées à la Loi sur les Indiens qui date du XIXe siècle. Les nations autochtones pourront y contrôler leurs institutions et progresser selon leurs propres choix de société tout en travaillant avec la nation québécoise à développer le pays du Québec.»

«La Constitution du Québec définira le droit des nations autochtones de se donner des gouvernements responsables qui exerceront, dans certains cas, par étapes, leurs pouvoirs sur les terres qu'elles possèdent ou occupent actuellement comme les réserves indiennes, les établissements autochtones, les terres de catégorie 1 et les territoires qui leur auront été rétrocédés à la suite d'une négociation avec le gouvernement du Québec.»

«Le gouvernement du Québec signera, avec les nations autochtones qui veulent se donner des gouvernements, des ententes évolutives qui détermineront les pouvoirs reconnus à ces gouvernements tels la définition de leur code de citoyenneté, les régimes fiscaux, l'éducation, la langue et la culture autochtone, la santé, la gestion de l'environnement et des ressources, le développement économique, les travaux publics, etc. Ces ententes détermineront également les pouvoirs partagés ainsi que toutes les mesures nécessaires au bon voisinage. Les lois du Québec seront modifiées pour permettre la mise en œuvre des ententes.»

«Afin de protéger le processus de négociation de ces ententes et leur mise en œuvre, un gouvernement du Parti québécois mettra en place un mécanisme qui jouera le rôle d'ombudsman des revendications et des questions autochtones.»

«Un gouvernement du Parti québécois appliquera une politique de développement durable, ce qui implique que les questions environnementales auront la même importance que les questions économiques lors des prises de décision. Cette politique favorisera une gestion intégrée de l'exploitation des territoires dans le respect des ententes avec les Autochtones.»

«Un gouvernement du Parti québécois reconnaîtra que les Autochtones du Québec ont un lien privilégié avec la terre et qu'ils exercent leurs activités traditionnelles de chasse, de pêche et de piégeage sur de vastes territoires qui sont aussi exploités par d'autres utilisateurs...

... Selon des modalités à déterminer, il convient donc d'associer les nations autochtones à l'aménagement et à la gestion des territoires où elles exercent leurs activités traditionnelles.»

«...Dans le cadre de ces ententes, les gouvernements autochtones pourront recevoir une part des revenus ou des royautés que le gouvernement du Québec retirera de l'exploitation des ressources de ces territoires. Les Autochtones deviennent ainsi des partenaires au développement.»

«Dans l'optique où les nations autochtones deviennent des partenaires au développement du Québec et dans le cadre de la réforme du mode de scrutin électoral envisagé au chapitre 1.B de notre programme, le gouvernement du Parti québécois définira avec les nations autochtones leur représentation adéquate à l'Assemblée nationale du Québec selon un échéancier et des modalités à préciser.»

«...Ces ententes seront conclues sans extinction des droits autochtones et seront réévaluées à la lumière des décisions des cours de justice québécoises et des amendements à la Constitution québécoise.»

«Le gouvernement du Parti québécois respectera les traités existants et les acquis des nations autochtones jusqu'à ce qu'ils soient remplacés par de nouvelles ententes entre le gouvernement du Québec et les nations autochtones.»

Manifeste du Forum paritaire québécois-autochtone

À la suite de quelque deux ans de travail constant, au cours de plus d'une quinzaine de réunions allant très souvent à deux jours, le Forum paritaire québécois-autochtone, dont j'ai été le promoteur et le développeur avec Gérald Larose, président de la Confédération des syndicats nationaux, qui a donné un appui sans borne à cette initiative, a été le laboratoire d'une importante réflexion sociale et politique de la part de forces vives du Québec et des nations autochtones.

Ces discussions ont conduit à la rédaction d'un manifeste déposé à la Commission royale sur les peuples autochtones. Ce document a été qualifié par le co-président de cette commission royale, le juge René Dussault, «de réflexion unique et majeure de la part d'Autochtones et de non-Autochtones à travers le Canada».

Ce manifeste a fait consensus et a été signé par des leaders sociaux qui y ont représenté leurs organisations respectives comptant, pour plusieurs, des milliers de membres telles la Confédération des syndicats nationaux, Gérald Larose, co-président, et

Pierre Bonnet, le Grand Conseil des Cris du Québec, Diom Roméo Saganash, co-président, l'Assemblée des évêques du Québec, monseigneur Gérard Drainville, l'Association des femmes autochtones du Québec, Jackie Kistabish, la Centrale de l'enseignement du Québec, Lorraine Pagé, Daniel Lachance et Henri Laberge, le Centre justice et foi, le père Julien Harvey, la Confédération des caisses Desjardins, Michel Doray et Claude Têtu, le Conseil des Atikamekw et des Montagnais, René Simon et Arthur Robertson, le Grand conseil de la nation Waban-aki, Denis Landry, la Ligue des droits et libertés, Gérald McKenzie et Sylvie Paquerot, le Regroupement des centres d'amitié autochtone du Québec, Édith Cloutier, René Boudreault et moi-même.

L'objectif premier du Forum était de chercher à identifier et à combattre les préjugés ainsi qu'à améliorer mutuellement le niveau de connaissance des réalités de chacun des groupes représentés. La démarche voulait tenter de construire des ponts entre les nations autochtones et la nation québécoise.

«Le Forum doit être perçu comme un lieu pour mesurer et mettre en valeur nos convergences; dans un souci de réalisme, il veut identifier aussi nos divergences et clarifier des moyens pour les surmonter.»

«Le Forum reconnaît le droit à l'autodétermination des peuples vivant au Québec, soit les onze peuples autochtones et le peuple québécois. Il reconnaît aussi que l'exercice démocratique de ce droit pourrait se traduire par leur accession à la souveraineté politique. Il affirme que, dans ce cas, des impératifs géographiques et la sagesse politique impliquent une nécessaire association. Il s'engage à défendre ce droit à l'autodétermination ainsi que l'exercice de ce droit et à promouvoir, le cas échéant, cette association.»

Il tient à rappeler que le nombre de personne impliquées n'influence en aucune façon le droit. Il reconnaît cependant que ce nombre peut en moduler les applications concrètes.

Le Forum considère, en outre, «qu'il serait insuffisant de s'en tenir à la simple protection juridique des peuples autochtones sur le territoire du Québec, même s'ils sont minoritaires, que ce soit au nom de la personne ou des droits collectifs. Il reconnaît que les droits ancestraux de chaque peuple autochtone incluent des droits territoriaux à définir et un droit inhérent à l'autonomie politique».

Et il ajoute : «par le fait que, pendant plus de trois siècles, les Québécois ont occupé et développé une partie du territoire, le Forum reconnaît les droits du peuple québécois».

Pour devenir compatibles, ces droits territoriaux et politiques des peuples autochtones et du peuple québécois doivent être négociés dans un climat de droit et non de rapport de force. «La négociation de ces questions doit tenir compte des revendications historiques de chaque peuple autochtone, des droits du peuple québécois, du droit international et de la jurisprudence ainsi que de l'espace vital nécessaire à chacun des peuples autochtones et québécois.»

Le Forum considère que plusieurs types de possession et de gestion du territoire par les peuples autochtones et québécois peuvent être envisagés et négociés, en particulier :

a) l'établissement de territoires autonomes dont la population serait très majoritairement autochtone et pourrait en avoir la pleine possession, territoires constituant l'assise territoriale de leur autonomie;

b) la gestion partagée de territoires dont l'exploitation des ressources assurera un développement économique et social suffisant pour les besoins des peuples autochtones. Le Forum signale que cette gestion partagée concerne tout particulièrement les territoires du Moyen Nord et du Grand Nord, favorisant le développement d'une économie nordique et circumpolaire.

L'étendue des compétences de chaque gouvernement, selon le Forum, pourra varier de l'un à l'autre et leur exercice sera déterminé par la voie de la négociation.

«Le processus de l'accès à l'autonomie politique supposera la mise en place de gouvernements fondés, non pas sur le caractère racial ou ethnique des personnes qui y sont sujets, mais sur l'assise territoriale. Cependant, ces gouvernements pourront prendre des mesures particulières, inspirées du droit international et des déclarations de l'Organisation des nations unies, pour protéger les caractéristiques ethniques de leurs composantes. De plus, ces gouvernements devront détenir les moyens de protéger leur langue et leur culture nationale spécifique, ainsi qu'une base économique autonome.»

Le Forum reconnaît que dans l'éventualité d'une modification du statut politique du Québec, les droits existants à ce moment-là des peuples autochtones et des personnes qui en font partie seront maintenus intégralement et toutes les obligations précédemment assumées par le Canada à leur égard le seront alors par le Québec, jusqu'à ce que ces droits et obligations soient, le cas échéant, modifiés par des ententes.

«Si le Québec choisit la voie de la souveraineté, cela implique que chacun des onze peuples autochtones serait représenté dans la Constituante de cet ensemble géopolitique. Cette Constituante aura à définir les grandes lignes du cadre politique à établir entre les peuples autochtones et le peuple québécois ainsi que les mécanismes appropriés comme, par exemple, une charte des droits individuels, collectifs et nationaux et un lieu politique commun.»

Selon les représentants des forces vives du Québec et des nations autochtones, la recherche d'une plus grande autonomie pour le peuple québécois et pour les peuples autochtones ne constitue pas un recul dans l'histoire mais un pas vers l'avenir. «Cette autonomie se fonde d'abord et avant tout sur un effort d'autodéveloppement, sur le sens de l'initiative et sur le dynamisme interne de chacun des peuples. Ce développement devra viser l'autosuffisance économique par le biais, entre autres, de la fiscalité, du commerce, de la taxation et des revenus provenant de l'utilisation des ressources naturelles.»

Les membres du Forum paritaire québécois-autochtone ont conclu que, tout autant que le peuple québécois, chaque peuple autochtone a une spécificité culturelle qui doit être comprise dans son sens large, incluant la langue, le mode de vie, l'éducation, l'économie, etc. «Il va de soi que chaque nation autochtone doit être considérée comme responsable de son propre développement culturel et doit donc disposer des pouvoirs et des moyens nécessaires à cet effet.»

Le Forum ne croit pas que le Québec doive imposer une langue seconde aux peuples autochtones. Cependant, le Forum recommande de favoriser le français comme langue d'échange et de prendre tous les moyens nécessaires pour que se développe l'usage des langues autochtones et pour que les cultures des nations autochtones s'épanouissent et soient diffusées dans la société québécoise.

«À l'heure actuelle, les instruments légaux dont on dispose ne sont pas adaptés à la réalité des droits collectifs et nationaux du peuple québécois et des peuples autochtones. Le Forum considère la

nécessité d'une charte commune, fondée sur la Déclaration universelle des droits des humains, qui permettra de protéger les droits
individuels fondamentaux des personnes, l'égalité des sexes, les
droits collectifs et les droits nationaux.»

À la suite de l'élaboration d'un traité de coexistence qui pourrait être conclu entre Autochtones et non-Autochtones, au Canada
ou au Québec, souligne le manifeste du Forum paritaire québécois-
autochtone, il faudrait mettre en place un tribunal d'arbitrage paritaire, pluriculturel, basé sur le pluralisme juridique et axé sur un
système de valeurs multiples. «Ce tribunal verrait à l'application du
traité de coexistence. Ce traité aurait une valeur supérieure aux lois
d'application générale du pays et il présiderait aux relations entre les
peuples qui y vivent. Les jugements de ce tribunal, dans son champ
de compétences, seraient exécutoires et sans appel. Aux fonction
d'arbitrage de ce tribunal se grefferaient aussi des pouvoirs de
médiation, de recommandation et de conciliation.»

Le Forum paritaire conclut son manifeste en soulignant qu'il
y aura toujours des différences qui subsisteront sur les plans de la
culture, de la langue, du mode de vie et de certaines priorités de
développement et nous devons apprendre à vivre avec elles et à les
respecter.

«Nous avons cependant, dès maintenant, la responsabilité
commune de tout tenter pour renforcer nos convergences. Nous
sommes conviés par l'histoire et la géographie à relever le défi de
vivre ensemble et à identifier rapidement les assises de nos relations
mutuelles.

La rencontre historique qui a eu lieu en 1534 a été compro-
mise parce qu'établie sur un rapport de force; elle doit se concrétiser maintenant dans un contexte de justice, d'équité et de respect
mutuel. Nos solitudes sont devenues intolérables et les Québécois et
les Autochtones doivent jeter les bases d'un équilibre social sur
lequel bâtir une véritable alliance.»

Comme vous avez pu le constater au cours des pages précédentes, les efforts, de la part de certains Autochtones, pour exprimer
une vision d'avenir claire auprès des décideurs politiques et sociaux,
ont été faits même si les résultats ne sont pas toujours probants.

Malheureusement, après des démarches nombreuses, les
médias de masse ont peu véhiculé ces efforts constructifs. Ils ont
préféré continuer à parler de la vente des cigarettes des Mohawks et

d'autres événements anodins de même acabit. Pour eux, les faits divers font vendre plus de copies, ou attirent plus de téléspectateurs, que les débats sérieux de société, ou les efforts faits pour rapprocher les peuples.

Des influences obscures, mais efficaces

Comme je le soulignais préalablement, il y a bien loin de la coupe aux lèvres.

Presque rien d'important dans le programme du Parti québécois, présentement en posture de le réaliser puisqu'il est au pouvoir, n'a été fait.

Plus encore, même s'il a été sollicité à le faire à maintes reprises, le gouvernement actuel n'a pas daigné se prononcer sur les propositions du Forum paritaire québécois-autochtone, qui ressemblent, en plusieurs points, à celles de son programme politique. Il a préféré garder la tête dans le sable, comme l'autruche qui a peur et qui se cache, pour échapper au péril politique d'une vision avant-gardiste dans le dossier autochtone, solution à bien des maux sociaux.

Pourtant, ce sont habituellement ces mêmes personnes, des représentants influents des forces vives du Québec, qu'il utilise lorsqu'il veut faire avancer ses positions de société. Doit-on en déduire maintenant qu'il le fait uniquement quand ça fait son affaire?

Pour sa part, le gouvernement libéral précédent, par la voix de son ministre attaché au Secrétariat des affaires autochtones, Christos Sirros, après une vaste et sérieuse consultation de plusieurs mois, a tenté en vain de faire accepter une politique autochtone plus évoluée.

Il s'est «cogné», lui aussi, à un mur politique infranchissable. On prétend même, dans les officines gouvernementales, qu'une alerte météorologique d'avis juridiques négatifs, la tempête du siècle, dit-on en souriant, s'est alors abattue sur les cabinets politiques ministériels...

Par contre, il est bien évident cependant que l'attitude inconséquente de certains chefs autochtones, qui laissent, aux leaders politiques mohawks et cris, toute la place pour leur discours hargneux et belliqueux contre les Québécois, crée une conjoncture politique qui ne favorise par l'ouverture d'esprit de la part du gouvernement québécois.

Dans les milieux autochtones, on ne peut certes pas nier le fait que de ne jamais les dénoncer élargit continuellement le fossé qui nous sépare et donne des arguments aux anti-Autochtones.

Selon moi, les chefs autochtones devraient répondre «à ces grenouilles qui veulent se faire aussi grosses que le bœuf» et ainsi faire en sorte que la population québécoise ne croie pas qu'ils sont d'accord avec la vision des guerriers. Ces derniers, avec un intérêt politique certain, ont compris, depuis belle lurette, qu'un des faux principes autochtones veut, pour certains, que l'on ne dénonce pas un autre Autochtone. Ils profitent donc, à plein et en premier, de cette naïveté en occupant toute la place publique, encouragés par une presse québécoise qui ne recherche que le sensationnalisme.

À l'inverse, le gouvernement du Québec devrait cesser de toujours mettre de l'huile sur les roues qui grincent en gavant ces groupes de moyens financiers et autres nettement supérieurs à toutes les autres nations autochtones du Québec. Il aurait certes intérêt à travailler avec les nations qui voient un réel partenariat avec les Québécois et négocier et signer des ententes avec ces dernières avec ouverture d'esprit, en respectant la valeur réelle des droits collectifs des premiers habitants de ce coin de terre.

Pour y arriver cependant, le gouvernement actuel devra prendre ses responsabilités et surtout assurer son propre leadership politique. À ce moment-ci, pour ceux qui veulent voir un peu plus loin que le bout de leur nez, la raison de l'échec est d'une évidence évidente : certains fonctionnaires «super» conservateurs du ministère de la Justice du Québec ont récupéré le contrôle des négociations politiques avec les Autochtones et ainsi la définition des droits collectifs de ces derniers.

Actuellement, la peur maladive d'une définition «libérale et généreuse» des droits ancestraux des Autochtones, prônée par la Cour suprême du Canada dans la majorité de ses jugements les concernant, est tellement évidente que l'on est prêt à faire toute l'agitation politique nécessaire pour contrer toute velléité d'ouverture d'esprit.

À titre d'exemple, quant à moi évident, du virage anti-autochtone, il n'est pas du tout question à ce moment-ci que le gouvernement du Québec aborde, aux tables de négociation, le sujet controversé à l'interne de la définition de potentiels droits inhérents à l'autonomie gouvernementale tels que définis par l'actuelle politique fédérale.

Pourtant, en 1986, au cours de la ronde de discussions constitutionnelles sur les droits des Autochtones, à laquelle j'assistais personnellement, en plus d'avoir commenté cet élément majeur à l'émission d'affaires publiques de la télévision de Radio-Canada, *Le Point*, le ministre des Affaires intergouvernementales d'alors, Gil Rémillard, au nom du premier ministre du gouvernement libéral du Québec, Robert Bourassa, affirmait clairement que le Québec accepterait la reconnaissance de ce droit inhérent à l'autonomie gouvernementale des nations autochtones à la condition expresse que le contenu du droit soit négocié entre les parties.

C'est exactement ce que prévoit la politique fédérale du ministre des Affaires indiennes et du Nord du Canada, Ron Irwin.

Que quelqu'un du gouvernement du Québec actuel, politicien élu sur un programme avant-gardiste dans le domaine autochtone, m'explique clairement ce recul inexplicable pour le moins spectaculaire.

On peut sérieusement s'interroger sur la sincérité du gouvernement québécois actuel, ou sur le sens de sa vision d'un État indépendant futur, même si la conjoncture politique ne favorise pas des relations harmonieuses avec certaines nations autochtones, qui fait fi des engagements de son programme politique, néglige les conseils judicieux de ses forces vives et prend des risques incommensurables pour suivre les sirènes qui le conduisent aux écueils politiques acérés et remplis de conséquences risquées pour sa reconnaissance internationale.

Ce geste inconsidéré et à courte vue pourrait devenir un empêchement sérieux à des appuis nécessaires pour une nation qui croit avoir la stature d'un État indépendant.

Des souverainetés nécessairement associées

S'il n'est pas possible de refaire l'histoire, comme on l'a si souvent répété au cours des dernières années, peut-on au moins mettre en place entre les Autochtones et les Québécois un nouveau contrat social qui réaménagera les pouvoirs des uns et des autres et qui précisera les modalités de la cohabitation sur le territoire?

Il ne faut surtout pas oublier que la presque totalité des nations autochtones, entre autres les Montagnais, les Abénaquis, les Atikamekw et les Hurons, ne réclame pas une souveraineté externe, sous forme d'État-nation. Le réalisme aussi bien que l'évolution des sociétés modernes les amènent plutôt à revendiquer la plus grande autonomie possible, à l'interne, avec des pouvoirs spécifiques et clairs reconnus dans la Constitution canadienne, ou québécoise.

En même temps, cependant, elles ne veulent rien entendre de petits pouvoirs locaux de type municipal, ou scolaire, par de la délégation de pouvoirs, au lieu de la reconnaissance de compétences. Les gouvernements veulent les conserver sous leur joug et tardent à leur céder des droits sur l'exploitation des ressources naturelles, la clé pour les Autochtones vers la liberté qui pourrait les sortir des marasmes sociaux à l'assistance gouvernementale sous toutes ses formes.

Il est évident que la période actuelle, marquée par la définition claire des grands enjeux politiques, qui se concrétiseront sûrement par un fédéralisme entièrement renouvelé, ou par la déclaration d'indépendance du Québec, à la suite d'un choix démocratique, est le moment privilégié pour définir les grandes lignes de ce que sera le nouveau contrat social entre les Premières Nations et les autres peuples fondateurs de ce pays. Que ce soit à l'intérieur d'un fédéralisme entièrement renouvelé, ou d'un Québec indépendant, les grandes lignes de ce nouveau contrat social devront être inscrites formellement dans l'une ou l'autre des constitutions.

Tout ce branle-bas constitutionnel ne peut pas s'effectuer réellement sans considération particulière et évidente des Premières Nations du Québec et du Canada. Le Québec, ou le Canada, de demain doit faire en sorte que les Autochtones occuperont la place qui leur est due dans ce pays à rebâtir.

Les nations autochtones doivent profiter de cette occasion unique pour faire reconnaître et inscrire dans la constitution d'un Canada renouvelé, ou d'un Québec indépendant, d'une manière plus explicite que les droits ancestraux le sont aujourd'hui à l'article 35 de la Constitution du Canada, qu'elles ont des droits de premiers occupants du territoire canadien et qu'à ce titre, elles devront avoir une place prépondérante leur permettant de protéger leur caractère distinct qui s'exprime, en autres, par la langue, par la culture et par le mode de vie.

Pour atteindre cet objectif ultime des Autochtones, consacré dans la presque totalité des traités d'alliance signés, au début de la colonie, par les Français et les Anglais, qui sont encore aujourd'hui reconnus par la plus haute instance de la société de droit canadienne actuelle, la Cour suprême du Canada, — *cf.* jugement Sioui sur la reconnaissance du Traité Murray —, la constitution devra favoriser la souveraineté associée, une souveraineté interne partagée, des nations autochtones, telle que décrite par l'ONU dans le projet de déclaration universelle sur les peuples autochtones, la Déclaration universelle des droits humains et vécus dans plusieurs pays dont, en autres, la Russie.

La constitution devra reconnaître le droit des nations autochtones à l'autodétermination, donc d'exister en tant que nations autochtones distinctes, et ainsi consacrer les bases d'un équilibre social nouveau sur lequel bâtir une véritable alliance.

La future constitution devra reconnaître et définir, mais pas de façon unilatérale, les droits collectifs des nations autochtones fondés sur cette souveraineté politique. Une telle souveraineté leur permettra de contrôler leurs propres institutions et de progresser selon leurs propres choix de société. Les nations autochtones seront ainsi directement associées, comme partenaires importants, au développement du pays actuel, ou pays du Québec.

En favorisant un nouveau partage des responsabilités, dont le fondement sera le respect des souverainetés des nations fondatrices associées, la constitution reconnaîtra donc implicitement un droit inhérent à un gouvernement autonome, non ethnique et responsable envers ses citoyens, pour les nations autochtones du Québec.

Il restera par la suite à concrétiser ce droit à l'autonomie gouvernementale, avec des assises territoriales, dans des ententes évolutives et négociées entre les parties concernées, harmonisant ainsi les relations de bon voisinage entre les populations utilisatrices du territoire. À cause de cette souveraineté associée, le palier de gouvernement autochtone ne devra pas, dans le cas du Canada renouvelé, être une créature des gouvernements provinciaux, ou, dans le cas du Québec indépendant, il devra être plus important que les gouvernements régionaux, ou municipaux.

Ces ententes devront être conclues sans extinction des droits ancestraux et de traités des nations autochtones et réévaluées à la lumière des cours de justice et des amendements constitutionnels, mais les parties en cause devront obtenir toute la certitude politique et juridique nécessaire qui évitera des remises en cause à propos de tout et de rien.

Pour que le processus de négociation soit positif et surtout efficace, les gouvernements du Canada ou du Québec devront mettre en place une commission indépendante des revendications et des questions autochtones dont les principaux rôles seront ceux d'un arbitre impartial, ou d'une «ombudspersonne», avec des pouvoirs réels et exécutoires. Ce genre de commission indépendante existe, entre autres, en Nouvelle-Zélande, avec le Tribunal de Waitangi, et en Ontario, avec sa Commission indienne et l'entente de relation politique avec les Premières Nations.

Cette commission doit être paritaire — aucune partie dominante —, et au fait du code juridique, spirituel et culturel des Autochtones. Son rôle pourrait, entre autres, consister à accréditer les revendications, à définir les niveaux de pouvoirs des gouvernements autochtones, à établir des priorités de négociations, c'est-à-dire un cadre général, possiblement étapiste, et un calendrier d'opérationnalisation des dossiers, ainsi qu'à surveiller l'application des ententes.

Donc, l'État ne serait plus juge et partie dans les dossiers concernant les Autochtones comme l'est aujourd'hui le Canada avec le ministère des Affaires indiennes et du Nord canadien.

La future constitution devra reconnaître clairement que les Autochtones ont un lien privilégié avec la terre et qu'ils exercent leurs activités traditionnelles de chasse, de pêche et de piégeage sur de vastes territoires qui sont aussi exploités par d'autres utilisateurs. Cette reconnaissance constitutionnelle du mode de vie autochtone les distinguera spécifiquement des pêcheurs et des chasseurs sportifs avec des prérogatives rattachées à une telle distinction.

Pour bien protéger la richesse du mode de vie autochtone, il faudra évidemment que les gouvernements impliquent les Amérindiens dans l'aménagement et la gestion intégrée des territoires où leurs membres exercent, exclusivement ou prioritairement, leurs activités traditionnelles de chasse, de pêche et de piégeage.

Il ne sera pas possible de construire le devenir des Québécois, ou des Canadiens sans reconnaître la souveraineté politique interne et le caractère distinct des nations autochtones. Il faut que le futur contrat social entre la population québécoise et les Autochtones se réalise à partir d'un tel constat.

Même si le défi est de taille, les gouvernements ne peuvent plus traîner, comme un boulet au pied, les réclamations non solutionnées des Autochtones. Ils doivent faire en sorte que les nations autochtones, qui sont en période de renouveau incontestable, voire de renaissance, connaissent un printemps nouveau à la hauteur de leurs espérances. L'avenir n'est donc pas dans l'opposition stérile, mais sûrement dans le partenariat constructif, respectueux des intérêts légitimes de chacun.

Une lueur d'espoir au fond du tunnel

À ce moment particulier et historique des réformes constitutionnelles majeures, même si l'opinion publique ne leur est pas favorable, il est évident que le pouvoir de négociation des Autochtones avec les gouvernements se trouve considérablement accru.

D'un côté, les leaders sociaux et politiques québécois, indépendantistes, constatent, ou devraient constater, que, s'ils veulent que se réalise le rêve québécois, ils doivent avoir une attitude ouverte envers les dossiers de revendications des Premières Nations. Ils savent très bien que les nations autochtones pourraient contester, au moins sur la partie politique, sinon juridique, l'accession du Québec à son indépendance, au Canada et sur la scène internationale.

Plus encore, ils sont convaincus que des fédéralistes sans scrupule vont tout faire pour convaincre les Autochtones du Québec d'agir en ce sens.

Ils savent surtout que ce serait bien mal démarrer cette indépendance, comme peuple, que de la réaliser en bafouant les droits ancestraux des Autochtones du Québec.

C'est un secret de polichinelle pour plusieurs Autochtones avertis que les forces fédéralistes du Québec et d'Ottawa voient, dans l'opposition des Autochtones à l'accession du Québec à son indépendance, une dernière carte dans leur manche, qu'ils sortiront seulement après avoir perdu le référendum. Les Autochtones sont pour eux le prétexte idéal pour contester au niveau international les velléités indépendantistes de certains Québécois.

Leur stratégie actuelle semble évidente : faire en sorte de démontrer que tous les dossiers importants des Autochtones — Cris, Mohawks, Hurons, Algonquins, Micmacs, Montagnais et

Atikamekw — ne soient pas réglés par le gouvernement du Québec actuel d'une manière satisfaisante pour bien mettre dans la tête de ces derniers, d'une façon subliminale, que les Québécois, quelles que soient leurs allégeances politiques, ou leur forme de gouvernement, sont anti-Autochtones.

De l'autre côté, les sirènes fédéralistes du statu quo actuel courtisent les Autochtones des autres provinces et ceux du Québec en leur promettant une formule de distinction — les nouveaux miroirs chromés — aussi vague et insignifiante que celle qui est proposée aux Québécois.

Pour moi, comme Autochtone, un Canada composé de provinces unies contre les Premières Nations, qui n'a d'ailleurs jamais donné de résultats probants, sinon nous écraser, ne constitue pas nécessairement un objectif à atteindre.

Nos droits ancestraux ne sont véritablement reconnus par aucun de ces gouvernements supposément unis. Le résultat de leur union contre les Autochtones fait en sorte qu'ils ne nous reconnaissent même pas comme peuples fondateurs et que nous sommes totalement absents des grands développements parce qu'on a pris nos territoires ancestraux.

Comme leur Constitution a inscrit une forme de reconnaissance vague de nos droits existants, qui devront être définis par leurs cours, ou issus de traité, acceptés par les provinces, il s'ensuit que nous sommes totalement à leur merci.

Et je défendrais aveuglément ce Canada uni, sans aucun engagement majeur de sa part sous forme de traité-cadre pour toutes les Premières Nations du Canada, en ayant la foi du charbonnier?

Voyons, c'est une farce monumentale, car ce pays m'a si souvent trompé comme Autochtone.

Les Indiens du reste du Canada doivent comprendre qu'un Québec indépendant, qui reconnaîtrait de véritables droits de souveraineté interne aux Autochtones, inscrits formellement dans sa constitution, ouvrirait des portes importantes pour eux dans une future constitution canadienne. Ils seraient sûrement dans une meilleure posture qu'ils le sont aujourd'hui pour négocier avec les gouvernements des autres provinces et le gouvernement du Canada.

Donc, le spectre de la brisure d'un Canada uni ne doit pas servir de paravent pour, encore une fois, écraser la cause autochtone.

J'espère que jamais les Autochtones du Québec, ou du reste du Canada, ne se laisseront utiliser bêtement pour écraser le choix légitime des Québécois. Au contraire, cette menace d'indépendance du Québec doit être la rampe de lancement pour réaliser les rêves les plus chers de nos aînés et ainsi préparer des jours meilleurs pour les enfants de nos petits enfants.

Je tiens vraiment à souligner, en terminant cet élément majeur du développement futur de ce pays de nos ancêtres, que je demeure vraiment convaincu, parce que nous sommes encore là aujourd'hui pour en témoigner, malgré tout, et surtout bien vivants et remplis d'énergie pour nous défendre envers et contre tous, que la fleur de lys d'un Québec indépendant ou la feuille d'érable d'un Canada uni ne pourront jamais s'épanouir à l'ombre d'un éventuel mausolée des cultures autochtones.

Miroir d'une société nouvelle

Pour moi, il ne fait aucun doute que, d'emblée, le futur projet de société des Québécois aura comme fondement ce que le référendum de 1995 a démontré clairement : l'ensemble des Québécois, comprenant également les Canadiens de langue française, ceux de langue anglaise, les Autochtones, constitue un peuple égal à l'autre peuple que sont les Canadiens, comprenant aussi les Canadiens de langue anglaise et française, les Autochtones protégés par la Constitution canadienne et les Néo-Canadiens.

La future Constitution canadienne, en reconnaissant ces deux peuples fondateurs du Canada de demain et les premiers habitants de ce pays, devra être le miroir d'une véritable confédération entre deux États souverains.

C'est donc en décentralisant tous les pouvoirs sans exception du Canada centralisateur d'aujourd'hui vers ces deux États indépendants que se trouve la solution.

Par la suite, ces deux États, par la voie du consensus, donneront possiblement, à un nouveau gouvernement central, des pouvoirs clairement définis comme les relations internationales, les douanes, la défense nationale, la monnaie, ou tous autres sujets qu'ils voudront bien lui confier.

Le temps n'est malheureusement plus aux «réformettes» constitutionnelles du style du lac Meech si les leaders politiques et intellectuels canadiens veulent vraiment sauver le Canada.

Dans la foulée de la démission du premier ministre du Québec, Jacques Parizeau, qui a compris, avec une certaine sagesse, que sa vision politique, l'indépendance pure et dure, ne concordait plus avec celle de l'avenir constitutionnel du Canada de demain, ne serait-il pas d'appoint que le premier ministre du Canada, Jean Chrétien, fasse de même en prenant en considération que sa vision politique canadienne, centralisatrice et dépassée, conduit inévitablement à l'éclatement du Canada et que le référendum québécois de 1995 en est le prélude si des changements majeurs, comme ceux proposés aux paragraphes précédents, ne se produisent pas ?

Conclusion : «Égalité ou indépendance»

Je ne trouve vraiment pas d'autres sources pour conclure cette réflexion que le petit livre, publié en 1965 par feu Daniel Johnson, qui a été premier ministre du Québec dans un gouvernement de l'Union nationale de Maurice Duplessis, œuvre qualifiée après sa mort, par certains observateurs de la scène québécoise, de testament politique.

Je l'ai ressorti de la poussière de ma bibliothèque, relu et trouvé encore aujourd'hui d'actualité, plus de 30 ans après. Je vous en livre donc quelques extraits en guise de conclusion et je vous invite aussi à le relire et surtout à méditer certains passages.

Dans ce volume, Daniel Johnson souligne d'abord clairement que les constitutions sont faites pour les hommes et non les hommes pour les constitutions. «Quand les conditions changent, c'est aux structures juridiques de s'adapter aux circonstances nouvelles et non pas aux peuples de se plier aux structures désuètes.»

«Le fédéralisme, c'est essentiellement la recherche d'un équilibre entre l'unité et la séparation, entre les forces qui tendent à unir et celles qui tendent à diviser. Cet équilibre ne peut pas toujours se réaliser de la même façon, car les forces à concilier diffèrent d'un pays à l'autre et même d'une époque à l'autre à l'intérieur d'un même pays. Le fédéralisme peut donc prendre des formes diverses.»

Daniel Johnson souligne clairement ensuite que les provinces anglaises tendent, de toutes leurs forces, à faire du gouvernement d'Ottawa leur gouvernement national alors que la province française qu'est le Québec a toujours voulu faire du gouvernement du Québec son gouvernement national. Pourquoi donc vouloir aller contre nature? écrit-il. Il serait beaucoup plus simple de reconstruire le Canada de demain sur ces prémisses fondamentales. «Au lieu d'harmoniser les forces en présence, la constitution est ainsi faite qu'elle les pousse à s'affronter.»

Puis, un an plus tard, le 17 janvier 1963, toujours à l'Assemblée législative, feu Daniel Johnson concluait ainsi : «Il ne reste que deux options possibles, entre lesquelles il faudra choisir avant 1967 : ou bien nous serons maîtres de nos destinées dans le Québec et partenaires égaux dans la direction des affaires du pays, ou bien ce sera la séparation complète.»

Qu'en pensons-nous... 30 ans plus tard ?

LES JUIFS DU QUÉBEC VIVENT DANS L'AMBIVALENCE QUOTIDIENNE[*]

Joseph Rabinovitch

L'ambivalence.

C'est le seul mot qui puisse vraisemblablement décrire l'état actuel de la plupart des Québécois de langue anglaise — et plus particulièrement ceux de religion juive. L'ambivalence.

D'une part, nos racines dans cette province remontent à l'arrivée d'Ezékiel Hart et des premiers colons juifs dans les années 1750. D'autre part, ces racines ne nous empêchent pas de nous sentir, la plupart du temps, comme des visiteurs dans notre propre pays.

D'une part, nous partageons la fierté de nos compatriotes québécois devant le succès de stars telles que Céline Dion, Robert Lepage, le Cirque du Soleil et Jacques Villeneuve. D'autre part, nous ne pouvons que lever les yeux au ciel lorsque des produits importés pour la Pâque, étiquetés en anglais et en hébreu, font l'objet d'un débat futile sur les menaces éventuelles qu'ils représentent pour la langue française.

---

[*] Traduit par Dominique Issenhuth.

Nous partageons la colère de nos compatriotes québécois quand nous voyons notre drapeau foulé aux pieds par l'ignorance et le fanatisme à Brockville. Mais nous sommes également indignés lorsqu'on diffuse la même image de façon répétitive et déformée pour faire croire à un Canada qui rejette le Québec. L'ambivalence est omniprésente. Pourtant, c'est ici que nous vivons et c'est ici que nous nous sentons chez nous. Nous sommes quelque 100 000 Juifs qui avons contribué à définir le caractère distinct du Québec, qui avons mis sur pied et soutenu une partie de ses plus importantes institutions, qui avons contribué à exporter son expertise et ses technologies de pointe. Les membres de la communauté juive sont au nombre des Québécois qui ont pris le plus à cœur les tensions linguistiques et nationalistes de cette province. Et, au risque de paraître présomptueux, la facilité de nos rapports avec le Québec d'aujourd'hui est un bon indicateur de la tolérance et du respect de cette société, que nous partageons.

Nous sommes des survivants de l'Holocauste, des immigrants juifs russes, des Séfarades francophones et des Québécois de souche de troisième génération. Mais, dans toute cette diversité, il se trouve un point commun, trame de notre histoire, qui ne peut que nous lier. C'est le sentiment très vif de notre statut de minorité ici et partout dans le monde, exception faite d'un seul endroit. C'est ce sentiment qui nous a aidés à nous adapter aux environnements les plus divers, à déceler les changements de perception des gens et à décoder les signes de tension ou d'intolérance, aussi subtils soient-ils.

Depuis la Révolution tranquille, le Québec est le laboratoire d'expérimentation par excellence où ces sentiments ont été mis à l'épreuve! Il y a eu du pour et du contre. Au fil des ans, des moments de tension et d'hostilité se sont manifestés entre la communauté juive et la majorité francophone. On a entendu des commentaires qui ont pu paraître racistes, de la bouche de célèbres nationalistes comme Pierre Bourgault, et des définitions exclusives plus subtiles du terme «Québécois», venant de leaders politiques et de commentateurs sociaux.

Il y a eu d'autres moments où l'on a ressenti une chaleur et une empathie bien réelles entre deux minorités aussi différentes que similaires. Le dramaturge québécois quintessentiel Michel Tremblay et la directrice de théâtre yiddish Dora Wasserman ont exploré ce terrain fertile dans une production populaire conjointe il y a quelques années. Cependant, comme dans la plupart des relations compliquées, chacun de nous porte un bagage émotionnel. Qu'un Mordecai Richler se lance dans une polémique sur l'exclusivité ethnique du nationalisme québécois, on s'empresse de le dépeindre comme un réactionnaire furibond, et on met aussitôt en doute la loyauté de notre communauté si nous négligeons de le dénoncer. En fait, l'optique de notre communauté est différente. Si les propos de cet auteur estimé sont trop percutants, trop inconsidérés, beaucoup d'entre nous sommes cependant d'accord avec le fond de son diagnostic. C'est vrai, le Québec n'est pas une société antisémite ; par contre, il y a encore bien des signes d'ambivalence collective en ce qui concerne la place des communautés culturelles au sein du mouvement nationaliste. Et si beaucoup de Québécois se sentent personnellement offensés par la façon dont Richler dépeint le Québec, les Juifs québécois, eux, sont furieux à l'idée que leur droit d'exprimer leur opinion, comme celui de n'importe qui, puisse être restreint.

La colère est alimentée par d'autres sentiments et d'autres réalités. À commencer par le fait que tant d'entre nous devons attendre un jour de vacances ou un événement spécial pour revoir nos enfants ou nos amis de toujours. Ils sont partis, en nombre disproportionné, construire leur vie dans d'autres villes, à Toronto, à Vancouver et à New York. Ils sont partis pour s'assurer un avenir, comme beaucoup l'ont toujours fait. Mais ils sont également partis pour laisser derrière eux l'omniprésente incertitude de la vie au Québec pour les non-francophones. C'est un fait bien établi, et l'absence de commentaires collectifs exprimant l'inquiétude des francophones au sujet de cet exode n'a fait que l'exacerber.

Cet exode est source de tristesse et d'insécurité, particulièrement chez les Juifs âgés, excessivement nombreux. C'est cette tranche de notre communauté qui est la moins apte à vivre en français, probablement la plus désavantagée économiquement et, évidemment, la plus touchée par le déclin des services sociaux et de santé. La disparition de leur réseau de soutien de base — celui que leur prodiguaient leurs enfants — est pour eux une source constante d'inquiétude et de peur. Et ces sentiments sont encore aggravés par le spectre de chaque nouvelle guerre linguistique ou spéculation référendaire.

Les résultats du 30 octobre et la réaction imprudente du premier ministre d'alors ont alourdi le fardeau. Ils ont attisé l'ambivalence. Ils ont justifié la colère.

Nombreux sont, dans la communauté juive, ceux qui se sont demandé une fois de plus si leur amour pour le Québec valait l'investissement, s'il allait leur procurer assez pour rester là à attendre le prochain référendum et un autre débat polarisant sur l'avenir de leur société.

Il faut désormais se rendre à l'évidence : notre communauté ne permettra pas que se déroule une troisième campagne entièrement balisée par d'autres. Bien que les opinions soient partagées, beaucoup de Juifs maintiennent que le morcellement du Québec est une question légitime. Si le Québec peut se séparer du Canada, peut-être la province elle-même peut-elle se morceler par la suite. Ce n'est pas que cette idée soit nécessairement réjouissante, et la plupart d'entre nous diraient même qu'elle n'est pas réalisable. Cependant, le fait d'attendre passivement un autre aboutissement est simplement inenvisageable pour un grand nombre de membres de notre communauté.

En attendant, où en sommes-nous? Nous sommes ici chez nous et nous voulons y rester. Mais le pouvons-nous? Le feronsnous?

Les racines sont très profondes. Nous sommes fiers de savoir que c'est un Juif qui a implanté le baseball dans notre plus grande ville, un Juif qui, en fait, a sauvé les Jeux Olympiques du fiasco financier, une Juive qui anime l'une des causeries francophones les plus populaires de notre province et un Juif qui est à la tête de notre plus grand hôpital. Mais c'est plus que cela. La diversité qui définit de plus en plus Montréal est quelque chose que nous savourons et encourageons. Nous sommes fiers de savoir que les *bagels* et le *smoked meat* font autant partie intégrante de Montréal qu'un hot dog «steamé» au Stade ou un cappucino rue Laurier.

Le bilinguisme de Montréal est une force supplémentaire à laquelle nous contribuons très activement : nous devrions tous nous en glorifier de quelque façon au lieu de nous en affliger. Nos propres écoles, nos propres institutions ont soutenu nos communautés tout en s'ouvrant à la majorité. Une fois de plus, notre sentiment d'isolement grandissant va à l'encontre de notre détermination à faire partie intégrante de cette société.

L'ambivalence. L'indécision et l'angoisse associées à ce mot ne sont qu'un élément du tableau. Lorsque la situation sera éclaircie, l'ambivalence se transformera en une détermination à agir. Ces temps-ci, notre communauté ressent un besoin pressant, urgent, qui semble indiquer que des décisions seront prises, que l'ambivalence ne nous empêchera pas d'être maîtres de notre avenir au Québec.

Quelle sera notre décision? Dans une large mesure, nos concitoyens francophones, par leur comportement, par leurs décisions, vont répondre à notre place.

DE QUELQUES BOUTEFEUX, D'UN REVOLVER ET D'UNE PAROLE

Louis Cornellier

Mes tabarnaks, vous l'emporterez pas en paradis

Jean de Brébeuf
(cité dans le *Dictionnaire des injures québécoises*)

J'ai essayé, il y a quelques années, d'être fédéraliste. La lecture de quelques penseurs européens qui alors m'impressionnaient beaucoup, et plus particulièrement la lecture de l'œuvre de Bernard-Henri Lévy, m'avait convaincu d'une chose : le nationalisme était une attitude, une idéologie de droite. Aussi, me voulant homme de bonne volonté et ayant donc fait du souci de justice sociale un dogme, je m'étais résigné : il me fallait être fédéraliste. J'ai raconté, ailleurs, pourquoi j'avais, depuis, changé mon fusil d'épaule et compris que ma naïveté de cette époque n'avait d'égale que ma propension à avaler toutes sortes de couleuvres lorsqu'elles étaient servies par de flamboyants prétentieux, à l'intelligence vive faut-il l'ajouter, qui jouaient les trouble-fête en se croyant au-dessus de la mêlée. Je ne reviens là-dessus que pour mettre une chose au clair : je suis québécois, pas mal souverainiste, plus que jamais animé par l'idéal de justice sociale et je sais, maintenant, comme dirait l'autre, qu'il n'y a rien d'incompatible là-dedans. Au contraire.

Cependant, je sais aussi, comme l'a écrit Daniel Latouche dans une de ses plus belles et plus lucides chroniques, que «l'indépendance du Québec ne vaut pas une seule vie humaine» (*Le Devoir*, 18 juin 1994). Sa réflexion mérite d'être relue : «Une option politique perd-elle de sa valeur et même de son urgence si l'on avoue ne pas être prêt à tuer pour en assurer la réalisation? Voilà bien la question que ce plaidoyer pour une non-violence préemptive soulève. Je ne crois pas que les Québécois soient prêts à prendre les armes pour leur souveraineté. Je n'ai pas honte de ce fait. J'en serais plutôt fier et cela me confirme que, si jamais la souveraineté se réalise, les Québécois seront capables de la considérer comme un simple moyen et pourront facilement résister aux appels démagogiques.» Voilà, on ne peut plus exactement formulé, ce que je crois et c'est la raison pour laquelle je repose la question, mais cette fois-ci, en me tournant vers Guy Bertrand, Diane Francis, Bill Johnson, Stéphane Dion et les fanatiques de la nouvelle équipe de *Cité Libre*, ardents défenseurs du concept «Canada = prison des peuples» : le fédéralisme perd-il de sa valeur et même de son urgence si l'on avoue ne pas être prêt à tuer pour en assurer la persistance? Seul un non ferme en guise de réponse à cette question saurait leur rendre une légitimité d'interlocuteurs qu'ils sont en train de perdre actuellement en multipliant les coups de force symboliques sous couvert de plans B partitionnistes et constitutionnels tous aussi antidémocratiques les uns que les autres. Ce sont ces menaces et leurs conséquences, s'il fallait qu'elles se concrétisent, que ces boutefeux ne sauraient emporter en paradis où, assurément, le bon père Brébeuf a la résurrection paisible. Autrement dit, c'est précisément parce que les deux options sont légitimes que l'intégrisme nous est interdit.

Le revolver du mépris

Les Amarécains, eux autres ils l'ont l'affaire.
Faut être réalisse, câlisse!

Elvis Gratton

Cela admis, entendons-nous bien : respirer par le nez ne signifie pas devenir tiède et jouer la carte d'un modernisme de pacotille oh-combien-ouvert que certains nous présentent comme l'antidote par excellence contre la bêtise et l'intolérance. Il nous faut, au contraire, refuser de toutes nos forces cette illusion qui veut que seul ce qui nous est étranger soit apte à combattre l'intégrisme, à nous ouvrir l'esprit, à nous permettre d'atteindre l'universel. Je sais que je n'invente rien en disant que nous n'avons pas à rougir d'être ce que nous sommes. Or le problème, au moment où j'écris ces lignes, c'est que la culture québécoise, lorsqu'elle l'est vraiment, c'est-à-dire lorsqu'elle travaille à actualiser une symbolique qui nous est propre, attire ou les sarcasmes, ou l'indifférence, ou les accusations de «ringardise» et de repli sur soi. Pour parler clair, plusieurs Québécois chantent eux-mêmes les vertus de leur acculturation et se complaisent dans une attitude où le mépris de soi est élevé au rang de comportement moderne (post peut-être?) garant d'un humanisme *nouveau genre*.

Qu'on se souvienne, par exemple, de l'accueil qui fut réservé à la lecture du préambule de ce qui était appelé à devenir la constitution du Québec. Parce que le paradigme poétique qu'on y retrouvait comportait quelques accents terroiristes, traités de façon littéraire plus qu'idéologique, la levée de boucliers fut subite. Passéisme, romantisme ethnique, culte du sol, du sang et de la race, intolérance, prétention, tous les anathèmes possibles et impossibles ont été jetés. Pourtant, une lecture honnête de ce très beau texte suffit à démontrer clairement et sans l'ombre d'un doute qu'il s'agit là d'un modèle d'ouverture d'esprit, rédigé dans le plus strict respect de notre histoire commune. Mais non, il aurait fallu, a-t-on dit, être plus urbain, se présenter dans la pose de ceux, toujours-déjà-métissés, pour qui l'histoire du Québec commence après la Deuxième Guerre mondiale. Comme si le refus de soi-même était synonyme de liberté.

Il ne s'agit là, faut-il le préciser, que d'un exemple parmi tant d'autres, car nos nouveaux modernes, eux, ne chôment pas et l'auto-flagellation, au Québec, bat son plein à la petite semaine, rythmée par les acclamations des parvenus de l'urbanité, sans que d'aucuns, semble-t-il, y trouvent à redire. Nos petits curés ès acculturation, qui considèrent l'aliénation culturelle comme une condition sine qua non à l'évolution progressiste du Québec, ne pensent pas : ils font la chasse aux «intégristes», faisant ainsi dévier le débat culturel québécois vers une voie de garage, un faux dilemme qu'ils présentent comme incontournable : ou bien vous êtes un défenseur de la langue française, de la loi 101 et donc d'une culture québécoise francophone, alors vous êtes un réactionnaire de la pire espèce, un xénophobe et un fieffé pas d'allure ; ou bien vous tripez sur la culture anglophone, ou métissée, ou sans parole mais d'avant-garde, et alors vous avez saisi que l'heure est à la mondialisation, ce qui signifie que vous êtes intelligent, ouvert, moderne et pas dangereux. That's it. Il ne vous reste plus, maintenant, qu'à sortir votre revolver dès que vous entendez «Québec français», comme le faisaient les Yvettes en 1980 dès que le mot «péquiste» atteignait leurs frustes oreilles. Comme quoi, même s'il existe plusieurs manières de se refuser soi-même, le résultat reste le même : au pays du Québec, la parole francophone typiquement québécoise[1] ne doit pas s'affranchir, car elle risquerait d'être intégriste.

Le plus rigolo, c'est que dans cette croisade, les puristes, c'est-à-dire ceux pour qui la qualité de la langue française au Québec est toujours en péril pour ne pas dire déjà chose du passé, viennent rejoindre les modernistes, car eux aussi considèrent que la parole francophone québécoise n'a pas droit de cité, même si leurs raisons sont autres : nous parlerions, ici, une langue tout croche, d'habitants- pas-sor-tis-du-bois. Aussi, là où les chantres de l'ouverture veulent nous faire taire et nous sauver en nous proposant une fuite en avant vers une culture désincarnée, ces grands philanthropes que sont les défenseurs de la culture «frônçaise» viennent nous dire que, faute de parler comme du monde, c'est-à-dire dans un français purifié de ses plaies québé-coises, mieux vaut nous taire ou parler anglais. Toujours le revolver : vos gueules, bande de caves!

Notre nouvelle colonisation

On me dira peut-être que je mène un combat d'arrière-garde, que ces considérations que j'avance au sujet de la culture québécoise renvoient aux années 1960 et que l'époque de *Parti pris* est révolue. Pourtant, je persiste et signe, car l'urgence de la décolonisation ressentie au moment de la Révolution tranquille ne me semble pas moins nécessaire aujourd'hui qu'hier au niveau culturel. Je m'explique.

L'ébullition culturelle des années 1960 et 1970 a pu laisser croire, à un certain moment donné, que ça y était enfin : nous

---

1. J'utilise ici l'expression «parole québécoise» dans le sens suivant : d'après Saussure, le langage est *universel* parce qu'il s'agit d'un potentiel; la langue, pour sa part, est un système de signes partagés par une *collectivité*; et la parole, finalement, est une concrétisation *individuelle* de la langue. En ce sens, l'expression «parole québé-coise», bien sûr, est imparfaite, mais elle a le mérite d'indiquer qu'il ne s'agit pas d'une langue autre, tout en marquant une singularité. On peut la considérer comme une métaphore du concept de «culture québécoise».

étions un peuple normal, nous venions de l'assumer, nous avions réussi à transcender l'ère de la survivance et il ne nous restait plus qu'à régulariser notre situation en accédant au statut d'État-nation. Or, cette dernière étape ne s'est pas produite. Pourtant, nous avons fait comme si, perdant ainsi l'enthousiasme de la lutte et nous exposant, par le fait même, à un retour en force du phénomène d'acculturation. Car s'il est vrai que sur les plans économique et politique notre recul avait été en partie comblé, il n'en demeure pas moins vrai qu'au niveau culturel, notre fragilité aurait exigé, indépendance ou non, et exige encore, que nous restions aux aguets, la mer anglophone qui nous entoure étant restée la même et ayant même acquis un potentiel d'assimilation encore plus grand dans un contexte de «mondialisation des marchés». Mais nous n'en avons rien fait. Nous croyant modernes et refusant de nous tenir à l'écart de ce qu'on nous présentait comme une évolution progressiste, nous nous sommes jetés dans les bras de ce credo moderniste que j'ai dénoncé plus haut et qui prône le mépris des particularismes au profit d'une uniformisation des cultures qui se drape dans le manteau de l'ouverture internationaliste genre *united colors of Benetton*.

Autrement dit, et peut-être est-ce là l'essentiel à saisir en ces lendemains référendaires, nous sommes encore colonisés, mais d'une façon différente et plus insidieuse, car ce n'est pas seulement le fédéralisme canadien en tant que tel qui se pose en obstacle à notre affranchissement, mais bien plus une tendance mondiale (sur laquelle s'appuient, cependant, à l'occasion, les pires défenseurs du fédéralisme canadien) qui érige le flou identitaire en idéal pour rendre la vie plus facile au rouleau compresseur de l'impérialisme de l'anglo-culture internationale dont les stratégies sont multiples.

Aussi, nous qui pensions en avoir fini avec la résistance, nous voilà reconviés à un combat plus difficile encore que le précédent parce qu'il nous faut le mener contre nous-mêmes et notre fâcheuse tendance à nous croire arriérés devant le monde quand nous voulons nous particulariser, alors que la vraie réaction se trouve plutôt dans la fuite en avant mondialiste que le cinéaste Pierre Falardeau illustre ainsi: «À la cause de la liberté de leur pays, de leur peuple, ils préfèrent monter du théâtre en allemand ou en serbo-croate dans l'eau, dans la terre ou sur les rails. Et les critiques mouillent leurs canneçons de plaisir. "C'est tellement original." Demain ils monteront leurs pièces en sanscrit ou en swahili, dans le Jello au citron, le Cheese Whiz ou la soupane Quaker et les

subventions pleuvront. "C'est tellement original." Et on leur
construira des théâtres car la bourgeoisie aime bien s'exciter le poil
des jambes de temps à autre, histoire d'oublier la grisaille du quotidien qu'elle nous fabrique. Plus c'est d'avant-garde, plus ça l'excite.
D'avant-garde mais inoffensif, surtout inoffensif. Il faut se donner
l'impression de vivre. Seulement l'impression. Du formalisme avant
toute chose. Du décoratif. "C'est tellement original."» («L'Anti-
intellectualisme? Connais pas!», *Cinq intellectuels sur la place publique*,
éd. Liber, 1995, p. 66-67) Bien sûr, comme l'écrirait Marco
Micone, nous ne sommes pas seuls dans cette galère, mais personne
ne saurait nous remplacer sur la ligne de front.

En attendant...

> *Le caractère parfois surréaliste et très certainement*
> périphérique de notre débat devrait nous permettre de
> *nous comporter de façon plus intelligente et surtout*
> *d'apporter des réponses qui vont à l'essentiel.*
> *Être en marge de l'histoire a aussi ses avantages.*
>
> Daniel Latouche

Ainsi, parce que les deux options sont légitimes, l'intégrisme
nous est interdit. Cependant, comme Québécois francophones,
nous ne saurions considérer la tiédeur comme une alternative valable.
Nous avons, quoi qu'en disent certaines têtes mal faites, une
histoire, la québécoise, qui nous appartient en propre, une littérature qui, pas plus que notre histoire, n'en déplaise à Jean Larose,
n'est française même si elle y est attenante, un cinéma, une chan-
son, une culture quoi et donc une parole distincte (ce qui vaut
beaucoup plus qu'une société) qui, même si elle émane de la langue
française, n'en constitue pas moins une concrétisation singulière.
Cette parole, elle a beaucoup résonné, nos grands-pères et nos
grands-mères l'ont entendue, et elle résonne encore, entre autres,
dans les films de Pierre Falardeau, de Gilles Carle, de Pierre
Perrault, dans les chansons de Richard Desjardins, de Gilles
Vigneault, dans les monologues d'Yvon Deschamps, souvent dans
les chroniques de Pierre Foglia, de Franco Nuovo, de façon exemplaire dans le dernier roman de Claude Jasmin, dans l'œuvre
d'Yves Beauchemin et ailleurs. Parfois populaires, ses accents
retentissent de «j'm'en câlisse» sincères offerts aux colporteurs
d'idées vaseuses et tarabiscotées. D'autres fois graves, réflexifs et

critiques, ils s'entêtent à redire l'Homme d'ici afin que celui-ci se saisisse dans son humanité à la fois particulière et universelle et qu'il ne se perde point dans un quelconque disneyland mercantile.

Pas plus que l'indépendance, à elle seule, ne saurait la garantir[2], cette parole, cette culture, le fédéralisme ne peut nous l'enlever. Il pourrait même contribuer, s'il en était un vrai, à nous faciliter la tâche. Le projet canadien, s'il cessait de s'entêter à ne pas reconnaître le Québec, pourrait offrir, à plusieurs niveaux, un terrain propice à l'épanouissement des cultures. Il faudra revenir là-dessus. Mais en attendant, il faut assumer cette parole, la fréquenter, la travailler, la partager, l'échanger, cesser de la mépriser au nom de l'illusion moderniste ou au nom d'une pureté à retrouver. Rien ne saurait nous interdire ce travail, surtout pas le flou constitutionnel, somme toute plutôt démocratique, dans lequel nous pataugeons actuellement et qui, tout bien pesé, vaut peut-être mieux que certaines solutions douteuses. L'indépendance? Bien sûr l'indépendance, mais en attendant...

Je reconnais, bien entendu et comme l'affirme la déclaration d'ouverture, «l'égalité de tous ceux et celles qui vivent au Québec et forment le peuple québécois», de même que «l'enrichissement qu'apporte à la société québécoise la vitalité de ses diverses cultures». Cependant, je laisse à d'autres le soin de réfléchir sur les liens complexes qu'il y a à tisser à travers toutes ces manifestations culturelles. C'est une question de compétence.

---

2.   Cela dit, j'insiste tout de même sur un point : les lois linguistiques sont vitales et incontournables. Le français, au Québec, ne saurait s'épanouir que par la force de séduction. Il faut le rendre nécessaire et cela passe par des lois.

L'APRÈS RÉFÉRENDUM : LES CITOYENS DOIVENT ÊTRE PLUS RESPONSABLES QUE LEURS POLITICIENS

Isabelle Guinard

Une fois le choc du résultat référendaire absorbé, le Québec et même le Canada devenaient le forum idéal pour les discussions constitutionnelles les plus constructives de leur histoire politique. L'ampleur du conflit d'identité et de la division idéologique au Québec devait créer chez tous et chacun le désir de trouver solution, ou du moins compréhension aux aspirations respectives.

Le débat ne pouvait que s'enrichir de nouvelles idées en cessant d'être la chasse gardée de politiciens et de quelques-uns de leurs militants. Or qu'en est-il en réalité ? Que sont devenus les climats social et politique au Québec et au Canada ?

Climat social

La défaite du Oui, plutôt perçue comme match nul, voire comme progression de l'option, a insufflé la motivation nécessaire aux souverainistes pour poursuivre leur idéal. Mais de façon encore plus importante, elle fut la réalisation de la nécessité d'inclusion des non-francophones à notre projet de société.

Oui bien sûr, la très grande majorité des souverainistes avaient déjà ce désir d'ouverture vis-à-vis de tous les citoyens québécois. Principalement les jeunes qui sont nés dans un Québec aux diverses cultures et qui ne sauraient l'imaginer autrement. Mais avouons que nous avons fait preuve d'une certaine apathie à ce niveau et qu'un dialogue est certainement imminent entre toutes les communautés québécoises. Nous devons, par exemple, réussir un rapprochement avec nos nouveaux citoyens qui souvent éprouvent un profond malaise devant l'incertitude politique et les querelles linguistiques. Plusieurs ont quitté leur pays d'origine afin de se refaire une nouvelle vie exempte de conflits sociaux et de bouleversements politiques.

Heureusement, des efforts sont multipliés en ce sens et il me semble que le mot le plus fréquemment employé par les souverainistes depuis le référendum est celui de réconciliation.

Du côté des opposants à la souveraineté, le bouleversement ne fut pas moins important. Ils durent constater qu'alimenter l'insécurité et les peurs créées par l'idée de «séparation» n'avait plus le même effet dissuasif sur le vote des Québécois. Pis encore, le Canada d'aujourd'hui, avec son cadre immobile, s'est révélé impossible à vendre, trouvant à peine quelques acheteurs au Québec. Force leur a été de reconnaître que la souveraineté n'est pas le rêve improbable de quelques éternels insatisfaits mais bien la volonté de 60% des francophones.

À mon avis cette constatation est génératrice d'un certain rapprochement. En effet, certains ex-tenants de l'idée de l'égalité pour tous ou anti-société distincte se retrouvent maintenant aux côtés des francophones à réclamer haut et fort des pouvoirs spéciaux pour le Québec afin de le maintenir au sein du giron canadien.

Et bien que l'idée d'un Québec souverain ne les emballe toujours pas, les allophones et les anglophones se voient obligés de se pencher sérieusement sur les lendemains éventuels d'un Oui. Dommage que les Commissions de consultation sur l'avenir du Québec n'aient pas lieu maintenant. Leur participation à ces délibérations dépasserait certainement le simple rejet systématique de l'idée de souveraineté. Au moins pourrions-nous assister à un «NON... mais si jamais c'était oui, voilà ce que nous aimerions».

Par ailleurs, les solutions suggérées au lendemain d'un Oui ne visent pas toutes le rapprochement. Des idées comme celle de la partition ne font qu'aggraver les tensions existantes. Mais je crois ce néfaste courant de pensée minoritaire. Je dirais même qu'il est source de profond malaise chez la majorité des fédéralistes.

Pendant ce temps, dans tout le Canada se forment des groupes de citoyens, de gens d'affaires, des coalitions de toutes sortes, pour trouver des remèdes à l'impasse constitutionnelle. La peur que les Canadiens ont éprouvée le 30 octobre n'a d'égale que la volonté qu'ils ont de comprendre finalement : « What does Québec want? ».

J'ai moi-même fait partie d'un groupe semblable. J'ai été invitée par la chaîne CBC à passer 72 heures, isolée dans un hôtel en compagnie de 19 Canadiens et 4 autres Québécois. L'objectif était la progression des positions respectives de chacun vers un consensus constitutionnel. Le chemin parcouru surprit la plupart d'entre nous. Et même si nos désirs ne sont pas arrivés à se rejoindre tout à fait, nous sommes sortis de cette expérience avec un respect accru et une meilleure compréhension des différents besoins de tous. Certains cyniques critiquent ouvertement ce type de rencontre. Malgré ce qu'ils peuvent penser, je crois ce genre de dialogue nécessaire à la redéfinition des rapports entre le Canada et le Québec, car, quels qu'en soient les résultats, nous serons toujours voisins.

Climat politique

Le premier ministre Lucien Bouchard a amorcé son mandat par la promesse d'un rapprochement entre son gouvernement et les non-francophones. Certains diront qu'il ne s'agit là que d'une opération de charme destinée à récolter de nouveaux appuis à la souveraineté. Pour ma part, j'y vois tout de même une preuve de bonne foi. Son gouvernement n'est-il pas allé jusqu'à braver le désir d'une importante part de ses militants en ne revenant pas à l'affichage commercial uniquement français ? Et ce, simplement pour ne pas réveiller les vieilles querelles linguistiques.

De plus, ce gouvernement a créé l'unanimité par son appel à tous dans une lutte contre le déficit et le marasme économique. Qui sait quels liens de solidarité peuvent se tisser au cours de ce commun combat ?

Par contre, de manière regrettable, au moment où ses citoyens tentent de déployer leurs efforts afin de réparer les pots cassés, le gouvernement fédéral continue à s'enliser dans un vide intellectuel désolant. Au lieu d'appuyer la volonté de réconciliation chez ses électeurs, celui-ci les entraîne vers un arrêt définitif de toute progression.

Non seulement néglige-t-il de nous présenter la moindre nouvelle idée acceptable, mais, comble de mauvaise foi, conscient de sa propre inefficacité, il vient de décider de mener une lutte contre le droit à l'autodétermination du peuple québécois.

* * *

Comme la plupart des jeunes entre 18 et 25 ans, je crois et espère que la souveraineté aura lieu. En assistant aux délibérations de la Commission des jeunes sur l'avenir du Québec, j'ai été agréablement surprise de constater avec quelle fierté et avec quelle conviction ma génération parlait de souveraineté. Et ce, tout en étant conscient des enjeux, des objectifs et du prix à payer pour cette même option. L'idéologie sans caractère et l'errance politique sont remplacées par la détermination à réussir un but commun, soit la souveraineté du Québec.

Or, avant d'en arriver là, nous devons saisir l'opportunité de la réconciliation. Ce rapprochement pourrait servir beaucoup plus qu'une cause politique. Les échanges au niveau culturel, social et linguistique ne peuvent que nous enrichir en nous faisant découvrir des traditions et des coutumes différentes mais les mêmes objectifs, soit de vivre dans un pays que nous aimons et où l'on peut évoluer dans un climat sans violence ni conflit.

Les conclusions recherchées par Jean Chrétien et ses pairs à l'occasion de la contestation judiciaire qu'il a entreprise contre Québec ne reviennent-elles pas à dire que le droit à l'autodétermination ne pourrait s'accomplir que par la violence?

C'est pourquoi la désapprobation massive du peuple québécois et canadien est essentielle face au combat du gouvernement fédéral contre la démocratie. Les citoyens doivent être plus responsables que les élus du gouvernement au pouvoir à Ottawa, car une démonstration de solidarité à cet effet est nécessaire à toute espèce de réconciliation entre individus. Car si les francophones du Québec sont tolérants, jamais fossé causé par la négation de leurs droits démocratiques ne pourrait être surmonté.

UN PAYS EN PROJET

Naïm Kattan

Au débat constitutionnel ont suivi les demandes de partage du territoire. On parle certes de société, de projet de société, on revient à l'histoire, à l'héritage, à l'origine, à la langue, bref aux ingrédients d'une culture. Le plus souvent on oublie, on passe à côté de ce qui fonde un pays : les hommes et les femmes qui le peuplent.

Le Canada français a constitué une grande entreprise de survie culturelle. Il a trouvé une sauvegarde, utilisé comme armure la religion avant que celle-ci ne se transforme en théologie puis en institutions ecclésiastiques. Le peuple a survécu. Plus, il vivait une culture. Or celle-ci, minoritaire, a suscité en son sein, en plus des bâtisseurs et des créateurs, des protecteurs. Ceux-ci la dotèrent d'un territoire, puis d'un État. En revendiquant ce territoire, ces défenseurs s'aperçoivent que d'autres, entre autres des prédécesseurs, les autochtones, et même ceux qui sont venus plus tard, les Anglophones, peuvent en faire autant. On est forcé alors de revenir au droit que conférerait la préséance, c'est-à-dire, à l'origine, à l'ethnie.

On se pose la question : qui est le vis-à-vis, celui dont on se sépare, en face duquel on s'affirme, avec lequel on négocie ? Les Canadiens anglais ? De Saint-Laurent jusqu'à Chrétien, en passant par Trudeau, le vis-à-vis fut un autre Canadien français. Et ce Canadien, celui du reste du pays, se regardant dans le miroir de l'autre, ne reconnaît point son visage. Car celui-ci est multiple. Ses origines? L'Écossais qui échappait silencieusement à l'Empire quitte à s'en réclamer plus tard pour se donner un statut, l'Irlandais qui se fond partiellement, le catholicisme aidant, dans la masse canadienne-française? Où loge-t-il? L'Est, l'Ouest et le Centre. Tout un continent. Que dire des masses successives d'Allemands, d'Ukrainiens, d'Italiens, de Juifs, de Grecs? La liste est longue et ne cesse de s'allonger. Qu'est-ce qui fait le tissu de cette humanité? Qu'est-ce qui rassemble ces groupes? Leur diversité, oui, certes. Mais une fois connue la différence, reconnue et admise, une fois qu'elle est affichée et exercée en toute liberté, sur quelle voie, quelle route ces hommes et ces femmes sont-ils engagés? Ils sont les fondateurs d'une culture. Assurément. Ils la bâtissent, la construisent, en prolongeant, souvent inconsciemment, une Europe britannique de plus en plus lointaine et en s'opposant, se protégeant contre une formidable puissance, un immense voisin, avec lequel, d'ailleurs, ils partagent la langue et aussi une manière de vivre le quotidien, ce qui ne rend pas la tâche facile.

Une culture qui se protège, dans un esprit de garnison assiégée dirait Northrop Frye. Dans un continent, ce vaste territoire, découpé en provinces diverses de par l'histoire et la géographie, des hommes politiques surgissent, se réclament de la nécessité de sauvegarde et commencent par protéger leur partie du territoire, s'arrêtent en chemin et finissent par devenir les gardiens d'une région, d'une province, en d'autres termes, d'une localité. Souvent, et c'est là le comble du paradoxe, ce sont les nouveaux venus, libre d'une histoire réduite le plus souvent à un passé, ne détenant pas les privilèges de la préséance, qui cherchent, de par leur différence et au-delà de cette différence, même quand on leur propose de s'y cantonner, le lien avec l'autre, l'échange, l'élaboration d'un projet.

Le projet commun est là. Mal défini sans doute, encore embryonnaire, il peut, de par son ouverture qui a souvent l'apparence d'un flou, donner l'exemple d'une communauté de groupes qui se rejoignent, à travers la différence et au-delà. Et si c'était cela justement la modalité des rapports entre groupes que l'on cherche partout dans le monde, de l'Europe à l'Asie?

Il y a problème si on commence par les définitions, c'est-à-dire les frontières. Qu'elles soient historiques, religieuses ou linguistiques, celles-ci servent, un peu partout, comme alibi d'une volonté de conquête et de domination.

Il est temps que les penseurs, les intellectuels, les écrivains, les artistes prennent la parole, disent le projet ou les projets et affirment leur volonté de bâtir et de créer. Les individus se trouveront librement engagés dans ce qui les rassemble à partir et au-delà du groupe. On cherchera alors, dans la liberté, à aménager les modalités politiques, les structures étatiques pour qu'un ou deux projets rassembleurs qui se battent pour se réaliser, se définissent, en route, de par le mouvement de création, au lieu de s'épuiser dans l'auto protection.

Peut-être qu'à l'intérieur de chaque groupe nous avons peur du défi. Nous avons depuis trop longtemps pris l'habitude de nous protéger pour nous sentir libres d'accueillir l'autre au lieu de l'acculer à s'auto protéger.

Ce que j'avance peut sembler trop vague, trop utopique. Je persiste. De part et d'autre, il faut croire en un projet et explorer ensuite les avenues de dialogue et d'échange. Il faut commencer par l'essentiel : la construction d'une culture. Et chercher, à partir d'un projet qui peut être double, les modalités politiques, constitutionnelles pour libérer les énergies et permettre l'expression d'une vitalité, la recherche d'une substance, la quête du sens.

Le Canada français puis le Québec ne sont que les cadres à l'intérieur desquels un peuple a cherché à vivre sa culture. Nous sommes parvenus à une autre étape. Sans renier ses racines, sans se séparer de ses origines, cette culture est à présent assez forte, dispose d'assez d'énergie pour accueillir l'apport de l'autre, des autres, s'en enrichir, bref, pour accepter désormais d'être une culture multiple.

C'est à partir de cette confiance, de cette volonté d'épanouissement, faite de création et d'accueil qu'elle va à la rencontre de l'autre, se prolongeant dans le dialogue et l'échange.

Le défi des Anglophones du Canada, quelle que soit leur origine, est de vivre un projet de culture et de consentir, dans la confiance, l'échange et le dialogue. Si, de part et d'autre, on bute sur des obstacles, des impasses, c'est qu'on s'arrête aux modalités en oubliant le projet. Il est temps d'aller au-delà des modalités, de n'y voir que des instruments négociables, modifiables et de se mettre à l'écoute des hommes et des femmes qui vivent et qui créent et qui n'ont plus besoin de protecteurs.

Les lois linguistiques à elles seules ne suffisent pas à protéger la majorité. Mais elles affirment son existence. Elles affirment un fait. Les minorités ont elles aussi des droits qui sont protégés par la Charte des droits de la personne. Pour vivre dans la légalité et surtout dans l'harmonie avec la majorité, elles sont appelées à pouvoir communiquer dans la langue de cette majorité. Elles disposent, par contre, de la possibilité de préserver leurs propres cultures, de conserver leur héritage et leur patrimoine. Cela devient même une condition de leur participation à la vie de la cité. Une cité vivante ne peut être composée d'individus anonymes. Elle rassemble des personnes porteuses d'une culture, c'est-à-dire des hommes et des femmes qui, possédant un passé, peuvent vivre le présent et préparer l'avenir. Ce sont des citoyens qui sont là avec leurs bagages et qui offrent leurs richesses à la collectivité. Une société vivante ne définit pas sa culture, ne l'érige pas sur un socle. Elle lui donne constamment naissance et, pour l'édifier, fait appel à tous les apports. Elle devient non pas une tâche, mais une passion commune qui ne rejette pas la diversité mais l'exige.

POSTFACES

QUELQUES QUESTIONS EN
GUISE DE CONCLUSION

Julien Bauer

L'idée était saugrenue. À l'invitation de Marc Brière, un certain nombre de personnes, choisies par lui parmi les franco, anglo, allo et auto «de bonne réputation», se sont réunies pour réfléchir sur les lendemains moroses du référendum. De cette première réunion, en janvier 1996, on en est arrivé à la publication de ce livre.

Je viens d'en finir la lecture complète. Les contributions sont fort diverses tant dans la forme que dans le fond. Certains sont indépendantistes purs et durs, d'autres fédéralistes intransigeants, d'autres se situent quelque part entre les deux extrêmes. Certains textes sont de facture universitaire, d'autres pamphlétaires sans oublier les styles poétique, humoristique, juridique, etc. Une deuxième lecture m'a permis de trouver un certain lien entre la présence aux réunions et le ton des textes. Je ne parle pas des convictions, qui sont restées largement les mêmes qu'au début de l'exercice, mais d'un ton généralement moins dogmatique, moins prêchi-prêcha, plus respectueux des autres chez ceux qui ont plus participé. Plutôt que de prêcher des convertis — dans le style de la campagne référendaire —, ceux qui ont vécu l'expérience de la convivialité ont plus cherché à expliquer leurs positions, à présenter des arguments, qu'à attaquer les autres.

Loin de moi l'idée qu'il suffit de quelques rencontres pour trouver des solutions, que des contacts sociaux peuvent remplacer un choix politique. Le travail est une chose, la politique une autre. Par contre, le débat politique ne peut que gagner à une meilleure connaissance réciproque des diverses parties. Combien de lecteurs de ce livre, et de sa traduction anglaise, étaient conscients que l'autre camp, que ce soit celui du OUI ou celui du NON, se sentait menacé? Beaucoup ont du mal à comprendre que les Québécois francophones se sentent minoritaires alors qu'ils constituent la majorité au Québec. Dans l'autre sens, beaucoup ont du mal à comprendre que les anglophones se sentent minoritaires alors qu'ils font partie de la majorité anglo-canadienne. Être conscient de ces peurs ne change pas les choix politiques mais pousse à l'accommodement, à la recherche d'un compromis honorable.

La lecture de cet ouvrage a sans doute suscité une question. Si ce n'est pas le cas, c'est un symptôme inquiétant. Autant des points de vue, peu connus et mal compris — et je pense en particulier aux Autochtones — sont présents, autant un point de vue brille par son absence. Parmi tous ces franco-anglo-allo-auto, où sont donc les franco-fédéralistes, les 40% de Québécois d'origine canadienne-française qui ont voté NON? Dans la mesure où ce livre n'a pas d'ambition scientifique, ce n'est pas dramatique. Par contre, si, à la fin de votre lecture, vous n'avez pas pris conscience de l'absence de représentant d'environ un tiers de l'électorat québécois, c'est grave. Plusieurs auteurs insistent, à juste titre, sur la notion de conquête et sur son effet traumatisant. Par contre, aucun ne fait allusion à la notion que, faute de mieux, nous appellerons copropriété, la propriété partagée du Canada entre ses deux peuples fondateurs. Cette notion, rarement énoncée, fait, elle aussi, partie de la réalité politique, de ce que certains appellent péjorativement notre ambiguïté, de ce qui est, vu sous un angle plus optimiste, notre complexité et notre richesse politique.

Cette complexité se manifeste dans le cas des Autochtones. Elle se situe aux niveaux politique et administratif. Sans volonté politique de trouver une solution, solution qui peut prendre de multiples formes depuis l'indépendance jusqu'à la municipalisation, depuis un statut quasi provincial jusqu'à un troisième palier de gouvernement à définir, le dossier traînera. Une décision politique est d'autant plus difficile à atteindre qu'il n'y a pas de modèle facilement transposable à la situation d'ici. De plus, ne serait-ce qu'en raison de caractéristiques comme la taille de la population et l'éparpillement géographique, la gestion administrative, concrète, quotidienne d'une nouvelle répartition des pouvoirs poserait d'énormes problèmes d'application. La complexité se manifeste également pour le Québec. Que le choix politique soit l'indépendance, un statu quo avec dix provinces égales ou une fédération des deux peuples fondateurs (le fédéralisme asymétrique), là aussi il n'est pas évident qu'il existe une volonté politique d'accommodement. L'inévitabilité d'accords administratifs avec ou à l'intérieur du Canada créera, là aussi, des problèmes majeurs de gestion concrète quotidienne, problèmes exacerbés par la présence, quel que soit le choix, de fortes minorités dissidentes.

À de rares exceptions près, la majorité veut garder de bonnes relations avec les autres Canadiens, que le Québec soit dans le système ou à côté. Quelles sont les juridictions en jeu? On peut les ramener à trois catégories. La première comprend les juridictions actuellement du ressort exclusif du gouvernement canadien ou du gouvernement québécois et que quasiment personne ne remet en cause. On pense à la monnaie — un Québec indépendant utiliserait le dollar canadien —, à la défense — peu de Québécois tiennent à avoir une armée —, à l'éducation — aucun groupe n'envisage de la transférer à Ottawa —, etc. La deuxième catégorie comprend une zone grise, qui évolue dans le temps, de juridictions plus ou moins concurrentes, conjointes ou partagées, où le contrôle de budgets et de moyens d'intervention, la rentabilité, l'emportent sur l'identité, l'appartenance. On pense à la formation de la main-d'œuvre. La troisième catégorie comprend les juridictions qui, croyons-nous, sont fondamentales pour permettre à une société, et encore plus à ceux qui définissent cette société comme un peuple, de se maintenir et de se développer. On pense à la culture, à la recherche, aux communications, aux arts, au cinéma, à l'informatique... Autant la première catégorie ne pose pas vraiment problème, autant la seconde est surtout une question de gestion, autant la troisième, liée à l'identité, à l'image de soi, à la cohésion de la société, nécessite une remise à jour des principes de base et des aménagements possibles. Il ne s'agit pas de prétendre trouver des réponses administratives à des questions politiques mais d'accorder la priorité politique qui convient à des questions cruciales.

L'essentiel est de continuer non pas à parler mais à *se* parler entre nous, à reconnaître que ceux qui ont une idéologie politique différente ne sont pas a priori des imbéciles ou des traîtres, qu'il est légitime de ne pas être d'accord.

À une très petite échelle, un groupe d'hommes et de femmes de bonne volonté (oh réminiscence de Jules Romains) a pu dépasser les limites de la tolérance (il y a des maisons pour cela) et, malgré les réticences, les difficultés, les hésitations, atteindre le niveau du respect mutuel.

Philosophies différentes, intérêts différents, rêves différents, c'est le problème auquel nous sommes confrontés. Respect des autres, c'est notre chance de trouver une réponse.

Juin 1996

C'EST LA GRÂCE...

Marc Brière

Il ne s'agissait pas de réinventer le monde ni de trouver la formule constitutionnelle magique pour résoudre la crise canadienne. Mais, plus modestement, de réunir des Québécoises et des Québécois de toutes origines ethniques et orientations idéologiques pour jeter les bases d'un dialogue franc et ouvert en vue de l'établissement d'une vraie république des citoyens habitant ce pays. Une république qui soit autre chose qu'un simple rassemblement de collectivités disparates ou d'individus vivant côte à côte sans appartenance commune. Un pays de catalogne plutôt que de cocagne, mais avec une fibre solide unissant bien le tissu social. Une mosaïque peut-être, mais dont le ciment assure l'unité et la solidité de l'œuvre.

Il ne s'agissait surtout pas de convertir quiconque à une seule solution politique fondée sur un nécessaire consensus. Personne ne représentait personne et chacun demeurait libre de ses options, qu'elles soient de nature fédérale, confédérale ou indépendantiste. Aucun n'était obligé de contribuer par un texte, ni de signer la déclaration commune. De sorte que certains posèrent les deux gestes, tandis que d'autres se contentaient de signer la déclaration ou de faire un texte, ou de ne rien faire du tout, sans qu'on puisse interpréter leur choix, encore moins le leur reprocher. Mais tous devaient être ouverts à la critique de leurs idées et respecter les opinions de chacun.

Certains durent quitter le groupe en cours de route, comme Josée Legault pour cause de maladie — nous lui adressons nos vœux amicaux de prompt rétablissement —, Nadia Assimopoulos pour cause de présidence du Conseil de la langue française — ce dont nous nous félicitons —, d'autres par manque de temps ou d'intérêt.

Avons-nous relevé le défi que nous nous étions fixé? Ce sera au public de juger.

Mais notre premier défi était d'exister et de nous rendre au bout de notre cheminement; nous y sommes parvenus grâce à la bonne volonté de tous.

C'était déjà un fait assez rare, voire exceptionnel, qu'un tel rassemblement se produise dans notre société. Le seul autre dont je me souvienne est celui du Rassemblement des forces démocratiques, de la fin des années cinquante, sous l'impulsion de... Pierre Elliot Trudeau et de Gérard Pelletier.

Il n'allait pas de soi, en effet, que l'on puisse signer une déclaration de principe qui reconnaissait, comme point de départ de tout ce qui pouvait advenir, l'existence d'un peuple québécois et son droit à l'autodétermination politique.

Cette déclaration avait le grand tort de ne pas mentionner expressément les autochtones, mais la question autochtone occupe dans cet ouvrage une place importante, inversement proportionnelle à l'intérêt que les Québécois ont porté au sort de leurs compatriotes amérindiens. Certes, ceux-ci sont peu nombreux, mais leurs renvendications historiques n'en sont pas moins légitimes que celles des Franco-Québécois et il faudra bien leur rendre justice tôt ou tard, et tard c'est maintenant.

La convergence de personnalités d'origines culturelles et d'idéologies politiques diverses est un fait suffisamment rare dans notre société pour constituer un événement, à moins que ce ne soit dans le domaine des arts ou des sciences, ou encore en matière de politique internationale ou environnementale.

Que cette convergence survienne à propos du débat fondamental qui est celui de l'avenir du Québec et du Canada, qu'elle porte sur la reconnaissance du peuple québécois et de son droit à l'autodétermination, l'événement n'en prend que plus d'importance, et l'on comprend mal qu'un grand journal canadien, *The Globe and Mail*, l'ait passé complètement sous silence, tant sur le plan de la nouvelle que celui du commentaire éditorial. On comprend mal et on s'en attriste.

Sans charger indûment la presse de tous les maux dont notre société souffre, elle n'en a pas moins une lourde responsabilité dans le traitement de la crise constitutionnelle que vivent le Canada et le Québec et de son éventuel dénouement. Devoir de bien informer d'abord, d'éclairer ensuite les citoyens appelés à choisir les voies de leur avenir.

Aussi convient-il de se rappeler les uns les autres nos devoirs, aussi bien que nos droits. Et comme le premier devoir est celui de participer, c'est ce que nous avons voulu faire, le plus simplement possible, sans prétention d'en imposer à quiconque, avec comme seul espoir celui d'être utiles, de servir.

C'est pourquoi nous avons préparé, en français et en anglais, cet ouvrage collectif sur la difficulté de vivre ensemble au Québec et au Canada, ainsi que sur les moyens d'y remédier, ouvrage qui s'inscrit dans le sillage de la déclaration de principe dont nous avons donné communication aux journaux le 9 avril 1996.

* * *

La nation québécoise est multiethnique et multiculturelle. Peut-elle être unilingue?

On a dit qu'elle ne doit pas être multilingue. Il n'y aurait qu'une langue officielle, le français. La minorité anglophone et les peuples autochtones n'auraient que «des droits sacrés» à l'usage de leurs langues : «C'est tout!».

Ce tout est un peu court.

Tout le dilemme du Québec est là. Son taux de natalité est trop faible et il a besoin d'y suppléer par l'immigration. Mais les immigrants, les autochtones et les anglophones lui font problème. D'où une volonté, plus ou moins affichée, plus ou moins consciente, de pratiquer une politique d'assimilation plutôt que d'intégration des groupes minoritaires.

Certes, on distingue les minorités nationales, qui ont «des droits sacrés», des autres, qui n'en ont pas.

Cette discrimination est fondée historiquement, mais quels sont ces droits sacrés? Et les autres, s'ils n'ont aucun droit, pourraient-ils se voir reconnaître quelques petits privilèges?

Commençons par le commencement. Les autochtones et les anglophones, le voudrait-on, ne sont pas assimilables. Au mieux, on peut seulement souhaiter que, avec le temps, ils s'intègrent dans la nation québécoise et participent à la vitalité de sa culture d'expression française, tout en conservant leur propre culture et leur langue.

Cela fait déjà un Québec multilingue. Même si le français est la langue commune, la seule langue commune.

Le Québec ne peut, en effet, se payer le luxe de deux langues communes, car la force ambiante de l'anglais écraserait pour sûr le français.

Mais les langues minoritaires nationales, l'anglais et les langues autochtones, doivent être officiellement reconnues, respectées et protégées. En ce sens, le Québec est et doit être multilingue. Même si la place du français doit y être dominante, disons plutôt «principale» ou «première». Ce qui entraîne, évidemment, la nécessité d'établir, en pratique, le dosage approprié d'un certain usage linguistique qui respecte les uns sans menacer les autres. Ce délicat exercice d'équilibrisme et d'exorcisme ne saurait être évité. Mais n'avons-nous pas créé le Cirque du soleil?

Quant aux autres minorités d'origines migratoires variées, pourquoi ne jouiraient-elles pas, dans la nation québécoise, de la possibilité d'y maintenir leurs cultures et leurs langues maternelles? Pourquoi voudrait-on délibérément s'appauvrir en les faisant disparaître par la force d'une politique d'assimilation aux multiples contraintes? Andreï Makine, l'un des meilleurs écrivains français contemporains, menace-t-il la culture française en demeurant russe?

La seule chose qui importe, c'est que les minorités ethniques provenant de l'immigration s'intègrent, le mieux possible, au bassin linguistique et culturel d'expression française et renforcent ainsi l'élément fondamental sans lequel il n'y aurait plus de nation québécoise, au lieu d'aller grossir la minorité nationale anglophone et de menacer, par voie de conséquence, l'identité et la survie d'un Québec principalement français.

D'ailleurs, le principal problème du Québec, à cet égard comme à tous les autres, c'est le chômage. Comment recevoir et intégrer des immigrants si on n'a pas d'emplois francophones à leur offrir? Si la société franco-québécoise est pauvre, comment peut-elle attirer à elle du sang neuf? Et si elle y parvenait, elle ne s'en appauvrirait que plus. Cercle vicieux, qu'il faut à tout prix briser. On a besoin des autres pour survivre, mais on doit d'abord vivre convenablement pour pouvoir accueillir des étrangers et les intégrer à la collectivité franco-québécoise.

Cependant, on nous dit que le plein emploi est un rêve du passé, qu'il ne sera plus jamais réalisable. Si cela est vrai, il faudra stopper l'immigration. Mais je conserve l'espoir — que j'espère n'être pas illusoire — d'une société juste dans laquelle il y aura, sous une forme ou une autre, du travail pour tous. Et du bonheur pour tous les Québécois et les Québécoises, de quelque origine qu'ils soient?

Le Québec sera français, mais il ne le sera pas exclusivement. Il sera aussi multilingue. Les minorités nationales verront leurs droits linguistiques inscrits dans la constitution. Les autres minorités devront s'intégrer à la société franco-québécoise qui, en retour, devra les aider à conserver leurs cultures et leurs langues. Car la nation québécoise est pluraliste.

Le philosophe juif Shmuel Trigano, directeur du Collège des études juives de l'Alliance Israélite universelle, dit que l'appartenance à une communauté juive «ne peut venir que des individus eux-mêmes, du désir d'être ensemble, de se retrouver, de s'entendre sur un certain nombre de valeurs communes. Car le judaïsme n'est pas une donnée génétique : l'adhésion à la judéité ne peut être que volontariste. Pour rester juif, il faut le vouloir»[1].

Il en est de même du peuple québécois. Pour rester ou pour devenir québécois, il faut le vouloir, il suffit de le vouloir.

Et nous forgerons ensemble notre culture publique commune, une culture québécoise, qui sera nôtre et dont tous les Québécois pourront être fiers. Cette culture s'exprimera principalement en français, mais aussi en anglais et dans les langues autochtones. Car ce Québec d'abord français sera aussi multilingue.

Si tous les Québécois auront des droits égaux comme citoyens d'un même État, il va sans dire qu'on ne forcera personne à être Québécois, à s'identifier à la nation québécoise. Il ne suffira pas de

---

1. *Le Nouvel Observateur*, 3 mai 1996. Trigano a publié récemment *Un exil sans retour? Lettres à un Juif égaré*, Stock. Il a aussi dirigé la publication de *La Société juive à travers l'histoire*, Fayard, 4 tomes, 1992-1993.

reconnaître les autochtones, les anglophones et les allophones comme des citoyens à part entière, au même titre que les francophones, pour qu'ils se sentent chez eux, dans leur pays, au Québec. Il faudra qu'ils se sentent inclus, non seulement individuellement, mais aussi collectivement, comme membres d'une Première Nation, d'une minorité nationale ou d'une communauté culturelle, intégrée à la nation québécoise certes, mais conservant sa vitalité propre; et non comme des individus appartenant à des communautés en voie de désintégration, d'assimilation, de disparition.

L'État québécois devra promouvoir, outre les droits et libertés des personnes, les droits et privilèges collectifs des minorités nationales, autochtones et anglophone. Il devra favoriser, non seulement leur intégration à la culture publique commune d'expression française, mais aussi la vitalité des diverses communautés culturelles qui forment le peuple québécois.

Si la politique fédérale du multiculturalisme pouvait viser à contrer le nationalisme canadien-français, une politique québécoise du multiculturalisme devrait, par contre, contribuer à détacher progressivement les diverses communautés ethniques de la minorité québécoise anglophone et faciliter leur intégration au peuple québécois et à sa culture d'expression française. Une telle politique québécoise serait autant bénéfique que la politique fédérale pouvait être nocive.

Deux solitudes, disait-on des sociétés québécoises francophone et anglophone. Multisolitude est le constat que l'on peut dresser à la lecture de cet ouvrage au regard des diverses communautés culturelles formant la société québécoise, notamment à l'égard des peuples autochtones trop longtemps enfermés dans ces ghettos que sont encore les réserves indiennes, par suite des politiques fédérales certes, mais aussi à cause de l'indifférence et de l'ignorance générales.

Si les Franco-Québécois catholiques sont largement responsables de l'effet de serre qui cause la surchauffe actuelle — ayant vécu si longtemps repliés sur eux-mêmes, enfermés dans leurs paroisses pour mieux assurer la sauvegarde de leur foi et leur survivance comme peuple français — il est certain que les Anglo-Québécois ont voulu vivre à l'écart de cette société francophone, pauvre, méprisée et exploitée, dans leurs citadelles westmountoises et autres villes plus ou moins fermées dont ils ont parsemé le territoire québécois, au Lac Saint-Jean, en Abitibi, en Estrie, en Outaouais, dans une forme d'apartheid rhodésien.

Il en a été de même, à des degrés divers, des Québécois de religion juive ou d'origine italienne, grecque, chinoise, portugaise, africaine.

Il appartiendra à chaque groupe de jeter des ponts entre ces divers îlots pour en faire un archipel bien intégré, mais la responsabilité première reposera toujours sur le groupe majoritaire, qui devra manifester par des politiques concrètes sa volonté d'inclusion de tous dans la nation québécoise.

Et cela, quelle que soit l'option constitutionnelle que la majorité choisira : rester dans la fédération canadienne ou opter pour une souveraineté québécoise appelée à s'exercer dans une confédération nord-américaine ou, à la rigueur, en association avec l'Union européenne.

Ce choix-là, les citoyens du Québec devront bientôt le faire dans le respect absolu des règles démocratiques, avec sagesse et le plus de sérénité possible, en évitant les déchirements, les dénigrements, toutes les formes de violence physique ou morale, qui causent trop souvent d'irréparables fractures, d'éternelles blessures, d'innombrables tourments, même aux peuples les plus civilisés du monde.

C'est la grâce que nous nous souhaitons, et qui ne viendra de personne d'autre que de nous-mêmes. Nous, le peuple québécois...

Avec, naturellement, la sollicitude fraternelle des autres Canadiens.

* * *

Avec la permission de l'auteur de l'anti-préface, je crois devoir ajouter ce qui suit. Non pas pour avoir le dernier mot, ni pour justifier les lacunes de notre ouvrage collectif, mais par devoir de justice envers les participants d'abord, mais aussi envers le lecteur.

La critique si percutante que notre amical anti-préfacier dresse de cet ouvrage a l'avantage de rétablir le déséquilibre même qu'il déplore si justement et que je regrette aussi. Il n'était pas voulu. Mais le risque qu'il se produise était déjà dans l'amorce de cette folle entreprise.

S'il est vrai que la thèse fédéraliste est sous-représentée, il est aussi vrai que la thèse indépendantiste «P4 pure et dureP4» l'est également. Cela ne m'a pas trop inquiété, cependant, puisque — je dois le rappeler — tel n'était pas l'objet de cet ouvrage.

Ce que je regrette, cependant, c'est qu'il n'y ait pas eu davantage d'interaction entre les auteurs et que les textes ne se répondent autant qu'on eût pu le souhaiter. Mais cette aventure n'était que l'amorce d'un dialogue, même si d'aucuns prétendent que celui-ci a trop duré ou qu'il s'avère impossible, chacun demeurant sourd aux préoccupations de l'autre.

Tant il est vrai que plusieurs participants ont exprimé le désir de poursuivre notre travail, qui se voulait, au départ, purement ponctuel. Car chacun ressent sûrement le caractère incomplet, inachevé, insatisfaisant de ce que nous avions quand même réussi à accomplir.

Les résultats de notre entreprise illustrent bien la difficulté du dialogue interculturel au Québec, et sans doute ailleurs aussi, partout où se pose un problème d'identité nationale. Certes nous aurions pu retarder cette publication pour en améliorer le contenu et éviter les reproches que formulent notre anti-préfacier. Mais nous avons préféré livrer l'œuvre telle qu'elle se trouve dans son élan spontané plutôt que de la peaufiner, d'une part parce que, à tort ou à raison, nous avons le sentiment d'une certaine urgence, et, d'autre part, ses imperfections témoignent bien du chemin qu'il nous reste tous à parcourir pour atteindre un degré convenable de compréhension et d'acceptation mutuelles.

Il faut espérer, en effet, que le dialogue se poursuive non seulement entre les auteurs de cet ouvrage, mais dans toute la société québécoise et entre tous les Canadiens de bonne volonté.

C'est encore et vraiment la grâce que je nous souhaite.

Juillet 1996

ANNEXES

ANNEXE I

REVUE DE PRESSE
POST-RÉFÉRENDAIRE

Jean Du Pays

Au Canada anglais

Sauf quelques rares exceptions, dont la remarquable intervention du directeur du *Globe and Mail* pour qui le Canada doit au Québec réparation du tort qu'il lui a fait en changeant unilatéralement la constitution en 1982, le Canada anglais s'abandonnait alors à une dérive de ressentiment et de littérature haineuse envers le Québec trouble-fête qui avait osé exprimer une volonté quasi majoritaire d'émancipation.

On alla même jusqu'à écrire que les Québécois francophones se comportaient vis-à-vis de leurs compatriotes anglophones de la même manière que les antisémites français de la fin du siècle dernier, au temps de Dreyfus, s'étaient conduits envers les Juifs de France. Car, c'est bien connu, les Français ne se contentent pas d'être chauvins comme tout le monde, ils sont nécessairement racistes, contrairement aux vertueux anglophones canadiens, américains ou sud-africains. Un article comme celui de William Johnson, dans *The Gazette* du 6 janvier 1996, intitulé «Demonization of les

Anglais had parallel in France», est de la littérature haineuse, destinée à soulever des passions anti-French chez les populations anglophones d'Amérique, notamment chez les Juifs, passions déjà exacerbées par le mouvement nationaliste québécois.

Sortant du grenier aux oubliettes le livre qu'Édouard Drumont publiait en 1886 sous le titre de *La France juive*, Johnson cite un passage où Drumont se plaint de la conquête de la France par les Juifs qui ont asservi le peuple français, forcé de travailler pour les maîtres d'un vaste système d'exploitation, réduit à la servitude par une race dominante, menacé de perdre son identité. C'est ainsi que le nationalisme français s'est développé, ajoute-t-il, contre les Juifs, comme le nationalisme allemand. Et Johnson de conclure :

> Sound familiar? [...] It was a shock to read Drumont and find there a terribly similar mythology. Substitute the word Juif for Anglais, tone down some of the virulent language, and you have the same intellectual structure. In both cases, the national identity is defined as resistance to *l'autre*, who is the alien enemy rather than a fellow citizen. [...] Drumont wanted to exclude Jews from France's boundaries. The separatist objective is to exclude most Anglais from their country by adjusting its boundaries.

Purification ethnique, ajustement des frontières! Qui parle d'ajuster les frontières d'un Québec devenu souverain? Les séparatistes? Pas que je sache. Les fédéralistes, du moins certains d'entre eux et non les moindres, les Chrétien, Massé, Dion.

De la littérature haineuse, vous dis-je, haineuse et mensongère, destinée à tromper et soulever des passions racistes sous le couvert d'un hypocrite antiracisme. Semences de violence.

Et n'y a-t-il pas jusqu'à la rédactrice en chef du *Financial Post*, Diane Francis, qui réclame une partition du Québec pour n'accorder la souveraineté qu'au territoire québécois formé des seules régions où le vote sécessionniste serait majoritaire, c'est-à-dire, pense-t-elle, à l'exclusion de Montréal, de l'Outaouais, des Cantons de l'Est et du Nord québécois, pays des Cris et des Inuit. Et, sans sourciller, elle propose comme modèles l'Irlande et l'Irlande du Nord! La partition du Québec et le départ de sa faction d'irréductibles («l'équivalent canadien des Palestiniens : un groupe ethnique ayant quelques membres qui n'arrêteront pour aucune considération avant d'avoir leur propre patrie» - quelle infamie!) libéreraient le Canada d'un fardeau : il faut se débarrasser de ces séparatistes qui persistent à vouloir saboter notre pays et ses procédés démocratiques, dit-elle, pour s'occuper de «problèmes plus importants, tels que la compétitivité économique, le règlement de la crise de la dette et la perpétuation d'une société basée sur la tolérance ethnique, la démocratie et la primauté du droit».[1]

Reconnaissons avec Diane Francis que la tolérance, la démocratie et la primauté du droit font, en effet, problème au Canada.

Et rappelons ce que Yitzhak Shamir déclarait au *Devoir* (25 octobre 1995) :

> Dans le monde contemporain, la formule civilisée veut que chaque peuple gouverne son pays. Chaque peuple a droit à son territoire, et nous défendrons le nôtre jusqu'au bout.

C'est bien ce que la majorité des Québécois pensent de leur avenir. Le premier ministre d'Israël, Yitzhak Rabin, était alors un ardent défenseur de l'intégrité du territoire israélien mais, avant son assassinat par un Juif fanatique, il avait compris que la sécession de la Palestine était nécessaire, inévitable, et que la séparation était la seule solution à l'éternel problème israélo-palestinien.

Mais aussi

Heureusement, des voix plus sages se sont aussi fait entendre.

Dans *The Gazette* du 9 décembre 1995, le président du Conseil pour l'unité canadienne, M. Peter G. White, mettait le Canada en demeure d'accorder au Québec ce à quoi il a droit (Canadiens face an easy choice : Give Quebec its due, or country will split).

Dans *The Globe and Mail* du 22 novembre 1995, Robert L. Stanfield, l'ancien chef du Parti progressiste conservateur canadien, écrivait :

> Before the constitutional changes of 1982 we had a tradition in Canada that significant constitutional changes would not be made if Quebec objected to the change. (...) Canadiens cannot build a strong federation by trying to force Quebeckers to accept a constitution that is not acceptable to them.

---

1. Traduction du *Devoir*, 2 février 1996.

Dans *La Presse* du 23 décembre 1995, l'éditeur du *Toronto
Star* analysait les conséquences du choc causé aux Canadiens anglais
le soir du référendum québécois du 30 octobre :

> Il s'est toutefois produit quelque chose de fondamental. Il ne
> suffit pas de dire que rien ne sera plus jamais comme avant. En
> effet, les Canadiens ne voient plus leur pays du même œil; en
> outre, les règles du jeu ont changé. Et d'autres choses aussi : le
> discours autrefois civilisé entre les deux solitudes, notre patience
> et notre tolérance mutuelles. Des questions qui étaient autrefois
> taboues sont désormais matière aux débats politiques. Preston
> Manning n'hésite pas à discuter des conflits possibles entre le
> Québec et le reste du Canada. Aucune perspective ne l'effraie,
> pas même le conflit armé. [...] Dans mon coin, on entend de plus
> en plus les gens remettre en question la tolérance d'autrefois. Un
> sentiment collectif de ras-le-bol.

Mais le rédacteur en chef du *Globe and Mail*, William
Thornell, dans son édition du 22 janvier 1996, faisait entendre la
voix de la modération et du bon sens :

> Thus, the sober urgency about Canada's unity that has emerged
> since Oct. 30 coexists with some feeling among anglophones that
> Canada might be better off in a loose economic relationship with
> a sovereign Quebec. [...]

> At least two approaches seem wise : clarity in stating the condi-
> tions and consequences of Quebec separation; and clarity in
> applying the 1867 division of powers in the Constitution (mea-
> ning much less federal trespassing on provincial turf). We might
> add an expression of regret that Quebec has been so coldly
> rebuffed since 1980, and some inspiring federal initiatives within
> Ottawa's jurisdiction. [...]

> At the same time, we must reassert our commitment to demo-
> cratic principles in the context of Canadian history and interna-
> tional law. The recent descent to talk of federal disallowance,
> violence, military action and the secession of Montreal or the
> aboriginals from a sovereign Quebec should be rejected out of
> hand. The human and democratic rights of minorities within
> Quebec are of fundamental importance and central to any dis-
> cussion of its future. But only tragedy awaits the impulse to

conceive of Quebec as anything less thant its constitutionally recognized jurisdiction today.

Puis, le 27 janvier 1996, c'est l'ancien chef du Nouveau parti démocratique canadien et président du Centre international des droits de la personne et du développement démocratique, Ed Broadbent, qui disait lors d'un colloque tenu à Ottawa (*Le Devoir*, 1 et 2 février 1996) :

> Pour qu'un droit culturel ou linguistique ait un sens dans la vie d'un Canadien francophone ou autochtone, il faut qu'existe une collectivité où il peut exercer ce droit. Chez de nombreux autochtones et Québécois, le sens fondamental de l'identité en tant qu'individus relève d'une appartenance collective autre que celle qui est rattachée à la citoyenneté canadienne. [...] Vivre dans le respect de l'autre au sein d'une société diversifiée et pluraliste signifie que l'on ne s'en tienne pas aux seuls droits individuels. Cela veut dire aussi accepter le fait qu'il y aura à certains moments conflit non seulement entre les droits individuels et les droits collectifs, mais aussi entre diverses catégories de droits collectifs. Lorsqu'il s'agit par exemple de protéger la culture québécoise en rognant de manière minimale sur les autres droits, le droit à l'affichage dans ce cas, cela devrait être accepté par la culture majoritaire sans provoquer de réactions hystériques. Une telle hystérie, si elle se prolonge, pourrait entraîner l'éclatement de la fédération. Et entraîner les pires conséquences, comme nous avons pu en voir des exemples ailleurs dans le monde.

Un des facteurs de «l'extranéité» des allophones, peut-être le facteur principal, est ainsi exposé par Charles Taylor dans *La Presse* du 21 novembre 1995 :

> Certains adversaires des nationalistes les accusent de racisme, et rien ne me semble plus faux. Bien sûr, le racisme existe au Québec, comme il existe dans le reste du Canada et dans tous les pays du Nord. Il n'est pas pire ici qu'ailleurs, et il est beaucoup moins grave que dans certains pays où une partie de la classe politique le véhicule, comme en France et en Autriche. Le nationalisme québécois a opté résolument pour une forme libérale, qui exclut le racisme, prône l'égalité des droits et la citoyenneté pour tous.

L'accusation de racisme est non seulement injuste, mais elle occulte le vrai problème. Car, en la repoussant avec l'indignation de la bonne conscience calomniée, les souverainistes se dispensent d'examiner les vraies sources de l'aliénation des minorités.

Car l'exclusion se situe ailleurs. Il est dans le modèle de démocratie libérale vers lequel la plupart des nationalistes semblent s'orienter. C'était le modèle dominant jusqu'en 1960. Un État démocratique doit s'efforcer toujours de créer une compréhension commune de ses principes de base, des droits et des devoirs des citoyens, du partage entre le privé et le public, des limites et contours de l'espace de discussion publique. Car le débat démocratique exige un consensus de base s'il va renforcer au lieu de miner la cohésion de la société. On peut parler de cette compréhension partagée comme d'une formule commune.

Or, le propre de l'ancien modèle c'est qu'on croyait normal que la formule soit décidée une fois pour toutes par les fondateurs et les citoyens de souche, et que le rôle des nouveaux venus était de s'y conformer sans question. Ainsi, la France de la Troisième république a-t-elle pu assimiler des milliers de Polonais entre les guerres, et en faire des Français dans le moule traditionnel. C'est le modèle qu'on pourrait appeler «jacobin».

Alors qu'en France et aux États-Unis

Au même moment, les Français commençaient enfin à comprendre ce qui se passe au Québec.

L'éditorialiste du *Point*, Claude Imbert, écrivait dans le numéro du 4 novembre 1995 :

J'ignore si Ottawa, le Canada entendra la semonce et libérera enfin par une évolution confédérale de sa Constitution une société qui veut être *distincte*. Ou si le Québec reviendra aux urnes pour arracher une souveraineté de rupture. Il reste que, d'ores et déjà, le pauvre et plat multiculturalisme fédéral a gagné une bataille mais perdu sa guerre.

Je me souviens, en 1967, de quelle marée de moqueries les caciques de la politique avaient accueilli l'appel du général de Gaulle au balcon de Montréal et compissé son donquichottisme. Mais, pour finir, qui donc voyait clair et loin ? Depuis trente ans, le désir d'autonomie n'a pas diminué mais augmenté. Et il s'en est fallu de 53 000 voix que toute la province puisse crier enfin, elle aussi, «Vive le Québec libre!». [...] L'éternel défi de la «Nation» demande, aujourd'hui comme hier, d'être abordé avec lucidité. C'est la Nation qui fait lever, par magie blanche, le mystérieux «vouloir-vivre-ensemble». Qu'on la réprime, et surgissent alors, par magie noire, le nationalisme et son hideux cortège. La nation québécoise se cherche. Elle va se trouver. Il faut que nous nous retrouvions auprès d'elle.

Pour sa part, Jean Daniel, l'éditorialiste du *Nouvel Observateur*, disait dans le numéro du 2 novembre 1995 :

> Ce que l'on peut dire du Québec de plus optimiste : ou bien il reste dans la fédération, mais avec une minorité indépendantiste si forte qu'elle lui permet de parfaire une véritable autonomie; ou bien il se sépare, et il lui reste la possibilité de négocier avec le Canada le maintien d'une monnaie unique et le partage des responsabilités qui peuvent ne pas faire s'effondrer la puissance canadienne.

Aux États-Unis, on commençait aussi à comprendre ce qui est en train de se passer au Québec.

L'éditorialiste de *The Economist*, dans son édition du 4 novembre 1995, écrivait :

> The central difficulty is that most French-speaking Quebeckers feel more affection for Quebec than they do for Canada and, if many of them still vote to stay in Canada, they do so more out of a fear of the unknown than of loyalty to any concept of Canadianism. [...] All the evidence suggests that Quebec's unhappiness derives not from bad or even remote government but from the desire of a French-speaking people to run their own country. When the Earl of Durham was sent from England in 1838 to investigate grievances in Canada, he «expected to find a contest between a government and a people»; instead, he found «two nations warring in the bosom of a single state». They are still warring, and for the same reason : the French-speakers want to run their own show. [...] Unless hearts change all across the country on a huge scale, Canada has been spared break-up on this occasion only to prepare for it on the next.

• Et, dans l'édition du 13 novembre 1995 de *Time*, Charles Krauthammer écrivait :

«Cajun» is a corruption of «Acadian» a region of Nova Scotia that was home to many French Canadiens until they were expelled by the British in 1750s and '60s. Many emigrated to Louisiana, then a French possession, where their language and culture withered, evolving into a kind of folk curiosity. Quebeckers do not want to go the way of the Cajun. They do not want to end up as some colorful ethnic subculture known for its music or cooking or the odd linguistic twist. Quebeckers are driven by a terror of being crushed by an English-speaking continent of 300 million into a mere cultural curiosity. Hence their hunger for political independence.

The real problem of Quebec is the problem of all small peoples in a world of irresistibly globalized commerce and culture. (...) From the former Yugoslavia to the former Czechoslovakia to the former Soviet Union, from Sri Lanka to Quebec, the tendency to separation is inexorable. [...] Canada has an escape. By accident of geography, separation is a real option because the different cultures inhabit different territories. For a country like America, where the different cultures are thoroughly intermixed, there is no such answer. Canada can break up cleanly; the U.S. cannot.

Et au Québec français

Se prononçant en faveur du Oui, dans l'édition du journal *Le Devoir* du 26 octobre 1995, Lise Bissonnette avait ainsi conclu son article :

La souveraineté est, enfin, une nécessaire libération. Le «natio-nalisme ethnique» qu'on nous reproche, non sans raison parce qu'il a encore affleuré au cours des derniers mois, est un effet pervers du statut politique du Québec au sein de la fédération. Ce repli sur le «nous» qui sous-entend souvent le seul «nous francophones», perdure à cause du type de citoyenneté que nous propose le Canada, et qui était si évident dans l'Accord de Charlottetown. On n'accepte de reconnaître le Québec que dans sa différence linguistique, une langue qu'il faut préserver dans le formol, comme une espèce menacée d'extinction ainsi qu'on le permet aux francophones des autres provinces. C'est cela, le repli sur l'ethnie. La capacité pour le Québec d'étendre son influence, ses pouvoirs de décision, d'être assez fort pour intégrer pleine-ment les nouveaux venus et leurs descendants, tout cela aurait pu être possible si le Canada l'avait reconnu comme peuple à part entière.

Dans *La Presse* du 15 décembre 1995, un groupe qui s'appelle «Intellectuels pour la souveraineté» (IPSO), comprenant le sociologue Guy Rocher, affirmait que le nationalisme québécois n'est pas ethnique, mais plutôt «démocratique, libéral et pluraliste», et que la nation québécoise est «pluriculturelle et multiethnique» — comme cela est joliment dit! — et il concluait très justement:

> Pour certains, le fait que la minorité nationale anglophone et les allophones n'endossent pas le projet souverainiste doit nous forcer à y renoncer, et à formuler un projet plus «rassembleur». Mais au contraire, nous estimons que cette non-adhésion constitue une raison additionnelle pour proposer la souveraineté.

> Le rapprochement avec les minorités est essentiel, et un tel rapprochement est impossible dans le cadre du régime fédéral. Aussi longtemps que la nation québécoise sera rabaissée au rang de minorité culturelle, nous nous buterons à cette difficulté. Et comme, encore une fois, les Canadiens s'apprêtent à réitérer leur refus de reconnaître le caractère multinational du Canada, le seul moyen que nous avons d'assurer une inclusion plus aisée des allophones dans la nation québécoise est de faire accéder le Québec à la souveraineté politique.

Le témoignage suivant (*Le Devoir*, 27 décembre 1995), d'un Québécois d'origine grecque, est éloquent:

> J'ai quitté la Grèce à 19 ans pour vivre dans plusieurs pays d'Amérique latine dont le Brésil, et en Afrique du Sud où l'on retrouve deux langues officielles (l'anglais et l'afrikaans). Je suis arrivé au Canada en 1969. J'ai d'abord vécu et travaillé en Ontario, puis émigré au Québec où j'ai décidé de rester, la société québécoise étant la plus généreuse, accueillante et ouverte de toutes celles que j'ai connues en exil. [...]

> S'il y a un examen de conscience à faire, il revient aux communautés ethniques bien davantage qu'au gouvernement québécois. Comment la majorité d'entre elles peut-elle encore ignorer l'existence du peuple francophone du Québec?

> Théo Kessaris
> Ouvrier grec

Un autre témoignage (*Le Devoir*, 8 novembre 1995), cette fois d'un Québécois d'origine polonaise, n'est pas moins éloquent :

Je suis Polonais et Québécois de naissance. Mes parents ont choisi, contrairement à la quasi-totalité de leurs compatriotes et des autres nouveaux arrivants, d'intégrer leurs enfants à la culture française et québécoise bien avant l'adoption de la loi 101 et à une époque (trop vite oubliée ou trop souvent ignorée) où l'anglais dominait largement au centre-ville et sur la «Wall Street» de Montréal. Les raisons de leur choix ? Les similitudes et les affinités évidentes entre les cultures française et polonaise, mais surtout le respect pour les habitants du pays qu'ils ont choisi en attendant la libération de leur propre patrie. Les autres sont allés du côté anglophone... au mieux par ignorance, mais probablement par opportunisme. C'était il y a 40 ans. Mais les choses ont-elles beaucoup changé depuis ? À voir les résultats du référendum, on ne le croirait pas.

Nous crions haut et fort lorsqu'on nous empêche d'exprimer notre identité culturelle mais quand les Québécois veulent s'affirmer, nous les combattons. [...]

> Kazimierz Babinski
> Pharmacien.

Et cet autre (*Le Devoir*, 8 novembre 1995), de Frédéric Seager :

Les Québécois doivent décider du genre de pays où ils veulent vivre — un ramassis de ghettos, comme c'est le cas actuellement, ou bien une société moderne et ouverte, où les gens se comprennent parce qu'ils parlent la même langue et ont un but commun.

ANNEXE II

LES PREMIÈRES NATIONS

Les peuples conquérants, comme les sociétés majoritaires, ont tendance à prendre pour acquis les peuples conquis ou soumis à leurs règles, tout en ignorant, volontairement ou non, les différences et les particularités des minorités. Ces peuples de conquérants sont si sûrs d'eux que quiconque vit ou agit différemment est considéré comme inférieur. Les minorités n'existent pas en tant que peuples; et elles n'ont pas d'identité propre aux yeux des sociétés dominantes.

Bernard Assiniwi, «Je suis ce que je dis» dans *Le renouveau de la parole identitaire*, Centre d'études littéraires françaises du XXᵉ siècle, Université Paul Valéry, Montpellier, France, et Queen's Université, Kingston, Canada, Cahier no 2, 1993.

Il faut savoir que les Premières Nations québécoises sont au nombre de onze et formaient, en 1990, une population totale de 61 584 personnes (inscrites ou non selon la Loi sur les Indiens) d'après le ministère fédéral des Affaires indiennes et du Nord canadien et le ministère des Affaires municipales du Québec. Cette population se répartit ainsi :

Abénaquis	1 489
Algonquins	6 257
Attikamekw	3 691
Cris	10 101

Hurons-Wendats	2 427
Malécites	242
Micmacs	3 387
Mohawks	15 885
Montagnais	11 265
Naskapis	440
Inuit	6 400
GRAND TOTAL	61 584

Les autochtones représentent environ 0,7% de la population totale du Québec.

Les autochtones québécois appartiennent à trois groupes linguistiques très distincts : les Algonquiens, les Iroquoiens et les Inupiaqs. Les Algonquiens comprennent les Micmacs, les Malécites, les Montagnais (ou Innus), les Naskapis, les Atikamekw, les Algonquins, les Abénakis et les Cris. Les Iroquoiens comprennent les Hurons-Wendats et les Mohawks. Ceux qui parlent Inupiaq sont Innuit (ou Esquimaux, selon l'appellation péjorative ancienne).

La population autochtone du Québec est très jeune : 67% ont moins de 30 ans dans les communautés du sud et 56% ont moins de 20 ans chez les Inuit. Au Québec, les moins de 20 ans forment 31% de la population.

57% des communautés autochtones du Québec sont géographiquement isolées, particulièrement dans la région du Nouveau-Québec.

Les Abénaquis vivent dans deux villages, de la région de Sorel-Trois-Rivières.

Les Algonquins vivent dans neuf villages, dans la région de l'Abitibi-Témiscamingue.

Les Atikamekw vivent dans trois villages de la Région de la Haute-Mauricie.

Les Cris vivent dans neuf villages du bassin versant de la Baie-James.

Les Hurons-Wendats vivent dans le village de Wendake, près de Québec.

Les Micmacs vivent dans trois villages de la région de la Gaspésie.

Les **Mohawks** vivent dans trois villages de la région sud de Montréal :

Kanesatake : 838 habitants
Kahnawake : 5995 habitants
Akwesasne : 4775 habitants ; cette bande déborde les frontières du Québec et s'étend en Ontario et aux États-Unis.

Les **Montagnais** vivent dans neuf villages des régions du Lac-Saint-Jean et de la Côte-Nord.

Les **Naskapis** vivent dans un village de la Région de Shefferville.

Les **Malécites** vivent hors-réserve.

Les **Inuits** vivent dans 14 villages de la Côte de la baie d'Hudson et de l'Ungava.

ANNEXE III

ANALYSE DE LA JURISPRUDENCE SUR LE DROIT AUTOCHTONE CANADIEN

James O'Reilly

Les analyses en droit autochtone débutent généralement par l'étude de l'arrêt St. Catherine's Milling and Lumber Co. c. The Queen du Conseil Privé. Dans cet arrêt de 1888, le Conseil Privé a décidé que les Indiens avaient un droit personnel de la nature d'un usufruit dans les terres qui ont fait l'objet d'un traité.

Lord Watson affirme que la Couronne a toujours eu un droit fondamental et suprême sous-jacent au titre indien qui est devenu un titre de pleine propriété dès que le titre indien a été cédé ou autrement éteint.

Le Conseil Privé a déclaré que le droit des Indiens dans les terres constitue un intérêt autre que celui de la Province au sens de l'article 109 de la Loi constitutionnelle de 1867. Ainsi, après la Confédération, seul le Gouvernement du Canada pouvait accepter une cession de ces droits ou les éteindre, mais c'est le Gouvernement de la Province qui s'appropriait tous les titres une fois dégrevés de l'intérêt indien.

Cette division des droits fonciers a toujours son importance pour la bonne compréhension des articles 25 et 35 de la Loi constitutionnelle de 1982. La nature juridique du droit ancestral des Indiens est demeurée indéterminée pendant près d'un siècle.

L'affaire Calder en Colombie-Britannique constitue le point de départ du droit moderne en matière de droits autochtones. En 1973, la Cour suprême du Canada a reconnu l'existence d'un titre aborigène comme un droit de common law, découlant de l'occupation et de la possession historique par les Indiens de leurs terres tribales.

On y a décrit la demande des Indiens comme visant un usufruit et un droit d'occupation sur un bien-fonds et un droit de jouissance quant aux fruits de la terre, de la forêt, des rivières et cours d'eau.

La demande des Indiens Nisga'a ne niait pas le titre suprême de la Couronne reconnu par le droit des gens et le droit public de la Couronne britannique. Le juge Hall a affirmé que la Proclamation royale n'était pas l'unique fondement du titre indien et que la common law reconnaissait également le titre indien.

Vers la fin de 1973, dans la cause de la Baie James, *Kanatewat et al. c. La Société de développement de la Baie James*, monsieur le juge Malouf a décrit les droits des Cris et des Inuit dans leurs terres ancestrales comme étant des droits d'usufruit qui leur conféraient le droit à l'occupation exclusive du territoire et le droit à une injonction afin d'arrêter les travaux de la Baie James.

Cependant, la Cour d'appel du Québec dans cette même cause a qualifié le droit ancestral comme étant un droit bien éphémère, lorsqu'il existe, n'ayant jamais été défini d'une façon certaine.

La Cour suprême du Canada a autorisé l'appel de ce jugement, mais la signature de la Convention de la Baie James et du Nord québécois a mis un terme aux procédures sans que les tribunaux aient à trancher la question de la nature et de la portée des droits des Autochtones au Québec.

En 1984, l'arrêt Guerin confirme l'existence d'un titre aborigène découlant de l'occupation et de la possession historique par les Indiens de leurs terres tribales, tel que défini dans Calder. Le juge Dickson a qualifié le droit ancestral de droit sui generis.

Ce droit de common law permet aux Autochtones d'occuper et de posséder certaines terres dont le titre de propriété est détenu, en dernière instance, par Sa Majesté. De plus, la Cour a reconnu une obligation de fiduciaire du gouvernement fédéral en faveur des Autochtones quant aux terres réservées aux Indiens.

Cette obligation s'étend également à d'autres domaines. Elle découle historiquement et logiquement du pouvoir exclusif du gouvernement fédéral de traiter avec les Indiens eu égard à leurs terres et à leur bien-être. Cette obligation historique se retrouve en partie dans 91(24) de la Loi constitutionnelle de 1867. Cette responsabilité est toutefois partagée, puisqu'il est maintenant accepté, du moins par une certaine doctrine juridique, que l'obligation de fiduciaire peut lier la Couronne provinciale lorsque ses activités affectent les Nations autochtones.

Dans l'arrêt Sparrow de 1990, la Cour suprême du Canada a examiné, pour la première fois, la portée de l'article 35(1) de la Loi constitutionnelle de 1982. La Cour a reconnu que les droits ancestraux existants jouissent d'une protection constitutionnelle importante et que l'intention d'éteindre un droit ancestral doit être claire et expresse. Six principes se dégagent de cet arrêt :

a) la Cour suprême affirme que l'expression les droits ancestraux existants au paragraphe 35(1) enchâsse dans la Constitution des droits substantiels en faveur des Autochtones ;

b) les droits ancestraux ainsi constitutionnalisés doivent être interprétés de façon souple et de manière à permettre à ces droits d'évoluer avec le temps ;

c) les droits ancestraux bénéficient d'une protection constitutionnelle contre la compétence législative provinciale ;

d) l'article 35 comporte une restriction à l'exercice du pouvoir souverain du Parlement fédéral ;

e) tout règlement gouvernemental qui porte atteinte à des droits ancestraux doit être justifié selon un test élaboré par la Cour, analogue au test contenu à l'article premier de la Charte canadienne des droits et libertés ;

f) l'article 35 englobe l'obligation de fiduciaire du gouvernement du Canada à l'égard des Autochtones.

La décision Sioui, qui a été rendue quelque temps avant Sparrow, s'inscrit dans un courant jurisprudentiel qui donne une interprétation large au concept des traités avec les Indiens et une place importante aux éléments historiques et à la perception des parties lorsqu'il s'agit d'interpréter les documents concernant les Autochtones.

Il est intéressant de noter que la Cour suprême dans cette affaire a confirmé le statut des Indiens en tant que nations en 1760. La Cour a qualifié les relations avec les tribus indiennes comme se situant quelque part entre le genre de relations qu'entretiennent des États souverains et les rapports que de tels États entretiennent avec leurs citoyens. Les traités sont donc des instruments spéciaux.

Dans l'arrêt *Sioui*, la Cour suprême fait deux constatations importantes pour l'interprétation des droits ancestraux et issus de traités :

1. Tant la Grande-Bretagne que la France considéraient que les Nations indiennes jouissaient d'une indépendance suffisante et détenaient un rôle assez important en Amérique du Nord pour qu'il s'avère de bonne politique d'entretenir avec eux des relations très proches de celles qui étaient maintenues entre nations souveraines.

2. Dans leurs relations avec les nations européennes (en général) qui occupaient l'Amérique du Nord, les nations indiennes étaient considérées comme des nations indépendantes.

Le jugement Sioui confirme, par conséquent, l'approche historique et globale que les tribunaux doivent employer pour interpréter les droits ancestraux ou issus de traités des Autochtones.[1]

---

1. *Note de l'éditeur* : Le droit inhérent des autochtones à la souveraineté continue d'être une question juridique controversée, comme en fait foi un article de Me *André Emond*, «Le sable dans l'engrenage du droit inhérent des autochtones à l'autonomie gouvernementale», publié dans le N° 1 du vol. 30 de la Revue juridique Thémis (1996). L'auteur conclut ainsi :

   Le gouvernement inhérent des autochtones a vécu jusqu'à l'incorporation de leurs terres au domaine de la couronne. On ne peut le faire revivre de manière à déclencher le mécanisme de protection du paragraphe 35(1) de la Loi constitutionnelle de 1982, celui-ci ne couvrant que les droits ancestraux existant lors de l'adoption de la Loi. Il ne faudrait pas conclure pour autant que l'autonomie gouvernementale des Premières Nations est une question entendue car notre article se confine au cadre du droit positif. La légitimité politique des revendications autochtones concernant leur autonomie gouvernementale n'est pas contestée, d'autant plus que la communauté internationale semble prête à la reconnaître. Cependant, comme toute autre question politique, elle devra être résolue par la négociation plutôt que par la voie judiciaire.

ANNEXE IV

LES IDENTITÉS MULTIPLES

Philip Resnick[*]

L e vrai défi pour une fédération comme la nôtre est de trouver une façon de réconcilier les identités nationales multiples qui s'y trouvent. Si les Pères de la Confédération avaient vraiment réussi à fonder une nouvelle nationalité en 1867, *a mari usque ad mare*, nous serions aujourd'hui tous des Canadiens sans ambiguïté. Il n'y aurait qu'une vision de la nationalité canadienne partagée par tous.

L'histoire canadienne, à travers ses différentes péripéties, indique que la fusion des identités dont beaucoup, surtout du côté anglophone, ont rêvé, n'a jamais eu lieu. Au mieux, une certaine notion du Canada comme maison commune à tous ses habitants a pris racine. Mais les désaccords, entre autochtones et Européens d'abord, et entre francophones et anglophones par la suite, n'ont pas manqué.

[*] Ce politicologue de l'Université Fraser a publié ce texte dans *Le Devoir* du 21 juin 1996. Je remercie l'auteur et la rédactrice de ce journal d'en avoir autorisé la reproduction. M.B

Ainsi, la Conquête, le rapport Durham, l'exécution de Louis Riel, la violation des droits des minorités dans les écoles du Manitoba et de l'Ontario et les crises de la Conscription durant les deux guerres mondiales ont alimenté les visions contradictoires de l'histoire que s'attribuent les francophones et les anglophones.

Malgré le fait que nous partagions tous depuis 1947 la même citoyenneté canadienne, malgré le fait que les symboles qui par le passé liaient le Canada au Royaume-Uni aient en grande partie disparu, nous restons confrontés à la réalité de vécus nationaux divergents où la langue et culture ont beaucoup de poids.

Ainsi, croire que les Québécois, en grande majorité francophones, allaient accepter de noyer leur sentiment d'appartenance dans un grand Canada fédéral, même officiellement bilingue, relève de l'invraisemblable. Pas plus que les Catalans n'allaient noyer leur sentiment d'appartenance dans l'Espagne, ou les Flamands dans une Belgique unitaire.

C'est dans la nature des fédérations qu'on peut classer comme multinationales de permettre une distinction entre appartenance nationale et citoyenneté. Car s'il n'y avait qu'une seule façon d'être Espagnol, Belge ou Canadien — une seule nationalité, comme le général Franco, par exemple, a bien voulu l'imposer lors de son long passage au pouvoir en Espagne —, une telle conception ne pourrait subsister longtemps en régime démocratique.

Ainsi s'explique l'énorme effort que des fédérations comme la nôtre doivent consacrer à la question de la coexistence entre les différents groupes linguistiques qui les composent; et l'énorme difficulté que les groupes majoritaires et minoritaires à l'intérieur du même État éprouvent à partager la même allégeance envers leur pays commun.

Il n'y a jamais de solution définitive à cette question des identités multiples et contradictoires. Il peut y avoir des périodes prolongées de calme relatif; et il peut y avoir des périodes prolongées de calme relatif; et il peut y avoir des périodes de crise, comme celle que le Canada connaît depuis 35 ans.

Évidemment, la gérance de fédérations dites territoriales, comme l'américaine, l'australienne ou l'allemande, est plus facile que celle des fédérations multinationales. Car dans le deuxième cas, le danger d'éclatement est toujours présent et les heurts d'identités aussi.

Faut-il en conclure que les fédérations multinationales, par nature, sont destinées à s'effondrer comme cela est arrivé en Europe de l'Est à la suite de la chute du communisme? Ou faut-il reconnaître que des fédérations comme la canadienne, la belge ou l'espagnole ont leur propre raison d'être, surtout au moment où nous vivons la fin du modèle de l'État-nation qui nous vient du passé européen?

On ne se sent nullement obligé de choisir aujourd'hui entre nationalité française ou allemande d'une part, et appartenance européenne d'autre part. Les identités multiples semblent être à la base de l'Union européenne qui se construit peu à peu, non sans succès aussi.

De la même façon, nos identités en cette fin de siècle marquée par la mondialisation ne restent plus uniquement nationales. Les échanges commerciaux et les communications de masse deviennent de plus en plus internationalisés. Et certains des grands problèmes du jour - l'urbanisation poussée, les déboires écologiques, la misère du Sud, les violations des droits de la personne, les problèmes d'emploi — appellent une conscience qu'on peut nommer, faute d'un autre mot, planétaire.

La présence d'États où les identités nationales coexistent n'est donc pas une violation de toute logique et de bon sens. Ce sont peut-être les laboratoires d'un XXIe siècle où les rapports État-nation et citoyenneté-identité nationale risquent d'être beaucoup plus complexes que par le passé.

Cela ne garantit aucunement la solidarité entre les différentes composantes des États multinationaux. Pour réussir, il faut que chaque élément s'y sente chez soi tout en éprouvant un minimum d'identification avec l'ensemble. Est-ce encore possible entre Québécois, Canadiens et autochtones? Une chose est certaine : ce n'est que par la franche acceptation de nos identités multiples que nous aurons la possibilité d'y arriver.

LES AUTEURS

Julien Bauer

Après avoir travaillé dans la Fonction publique québécoise, il est, depuis 1975, professeur au département de science politique de l'UQAM. Parmi ses publications, on compte : *Les partis religieux en Israël,* Que sais-je?, 1991. *Les Juifs hassidiques,* Que sais-je?, 1994, *La nourriture cacher,* Que sais-je?, 1996 *Les minorités au Québec,* Boréal, 1994.

René Boudreault

Né à Jonquière en 1946, il a étudié à l'Université Saint-Paul d'Ottawa et à l'Université Laval de Québec. Organisateur communautaire bien connu dans la région de Québec, il a œuvré dans des projets d'aménagement coopératif et il a milité dans divers mouvements d'action sociale. Il travaille depuis plus d'une dizaine d'années comme négociateur, recherchiste et consultant dans les dossiers autochtones et il a publié dans les journaux et dans diverses revues spécialisées des articles d'analyse portant sur les relations avec les peuples autochtones et l'avenir du Canada et du Québec.

Marc Brière

Né à Montréal en 1929, au coin des rues Saint-Denis et Crémazie dans la paroisse Saint-Alphonse d'Youville, ce «petit juge» a écrit plusieurs ouvrages sur le droit, la justice, la politique, notamment *Un nouveau contrat social,* avec Jacques Grand'maison, Montréal, Leméac, 1980, *À bâtons rompus sur la justice...*, Montréal, Wilson &

Lafleur, 1988, *La justice? Quelle justice?*, Montréal, Stanké, 1991. Il travaille présentement à un premier roman.

Ancien élève du collège Stanislas de Montréal, il passa deux ans à l'école navale de Royal Roads, en Colombie britannique, et devint officier de la Marine Royale du Canada, pour entreprendre ensuite des études de droit aux universités de Montréal et de Paris. Membre de *Cité libre* et de la Fédération libérale du Québec, il participa activement à la Révolution tranquille aux côtés de Paul Gérin-Lajoie et de René Lévesque. Il contribua à la fondation du Mouvement souveraineté-association, en 1967, puis à celle du Parti québécois. Robert Bourassa le nomma au Tribunal du travail en 1975. Pour avoir publié dans *Le Devoir* un article intitulé : «Que sont devenus les enfants de l'Empire?», en 1980, il se mérita une réprimande du Conseil de la magistrature. Il a aussi écrit quelques jugements et publié plusieurs articles sur le droit et les relations de travail.

Gretta Chambers, C.M., O.Q., LL.D.

Journaliste et analyste politique dont la chronique hebdomadaire paraît dans *The Gazette*, elle est chancelière de l'Université McGill, Présidente du Conseil consultatif sur l'éducation anglaise auprès du ministre de l'Éducation et de l'Institut de recherches de l'Hôpital pour enfants de Montréal–Université McGill. Elle est aussi membre du Conseil judiciaire du Québec, du Conseil de la Fondation du Musée des beaux-arts de Montréal, de Axa Insurance, de l'Institut de Design de Montréal, de la Fondation de l'Hôpital pour enfants de Montréal et membre associé de Portage, de Passages et du *YMCA's Women of Merit Awards*.

Bernard Cleary

Originaire de la communauté montagnaise de Mashteulatsh (Pointe-Bleue), actuellement négociateur et conseiller en matière autochtone, auteur d'un ouvrage sur les négociations territoriales, *L'enfant de 7 000 ans*, Bernard Cleary a exercé la profession de journaliste au quotidien Le Soleil, dans la presse régionale et à la télévision, et il enseigne le journalisme à l'Université Laval.

Claude Corbo

Né à Montréal en 1945, Claude Corbo est petit-fils d'immigrants italiens par son père et Québécois de souche par sa mère. Bachelier ès-arts du collège Jean-de-Brébeuf (1964) et docteur en philosophie de l'Université de Montréal (1973), il œuvre à l'Université du Québec à Montréal depuis 1969 et il en a été le recteur de 1986 à 1996. Entre autres activités, il a présidé en 1992 le groupe de travail du ministre de la Sécurité publique sur les relations entre les communautés noires et la police à Montréal et, en 1994, le groupe de travail du ministre de l'Éducation sur les profils de formation au primaire et au secondaire. Claude Corbo est l'auteur de *Mon appartenance. Essais sur la condition québécoise* (1992), *Matériaux fragmentaires pour une histoire de l'UQAM* (1994) et *Lettre fraternelle, raisonnée et urgente à mes concitoyens immigrants* (1996).

Louis Cornellier

Jeune poète, pamphlétaire et professeur de littérature au cégep Joliette-De Lanaudière — il est né en 1969 —, il est rédacteur en chef de la revue *Combats*. Il a publié deux recueils de proses poétiques : *Neurones fragmentés* (Écrits des forges, 1990) et *Pavane pour des proses défuntes* (Écrits des forges, 1994). Il a aussi dirigé le collectif *Cinq intellectuels sur la place publique*, paru chez Liber éditeur en 1995. Ses interventions pamphlétaires ont paru, entre autres, dans *L'Action nationale, Lectures, Québec français, Possibles, Dires, Le Devoir, La Presse*, de même que dans *Je me souverain* (collectif, éd. Les Intouchables, 1995) et *D'Espoir et d'éducation* (collectif, éd. Les Intouchables, 1996).

Myra Cree

Née à OKA — KANEHSATAKE en 1937, dans un milieu trilingue, cette fille et petite-fille de chef ne connaît que quelques rudiments de la langue Mohawk et ressent très tôt une profonde attirance pour la langue française qui deviendra son «beau souci», son outil de travail.

Entrée à Radio-Canada en 1973, elle œuvre d'abord à la télé — au Service de l'information, première lectrice de nouvelles de l'audacieuse Maison, puis elle anime «Second Regard», magazine d'information religieuse, pendant sept ans. Elle passe ensuite à la radio où elle anime actuellement «L'embarquement» à la chaîne culturelle.

Active dans le milieu autochtone, elle est l'un des membres fondateurs du MPJOK (Mouvement pour la justice et la paix à OKA – KANEHSATAKE) créé à l'été 1990. Elle est présidente du conseil d'administration de «Terres en vues», société pour la diffusion de la culture autochtone, et anime depuis ses débuts, en 1988, le festival du film et de la vidéo autochtones. En 1984, elle reçoit le prix Judith-Jasmin (radio). En 1995, elle est nommée chevalier de l'Ordre national du Québec.

Françoise David

Née à Montréal en 1948, elle détient un baccalauréat en service social de l'Université de Montréal dans le secteur de l'organisation communautaire. Elle a travaillé dans le réseau public de services sociaux et dans le secteur communautaire, et elle a contribué à la publication d'un livre intitulé *De l'isolement aux solidarités*. Elle a publié plusieurs textes, sur la réforme des services sociaux et de santé et sur l'évolution des organismes communautaires. Depuis 1994, elle est présidente de la Fédération des femmes du Québec.

Jean du Pays

Soumis au devoir de réserve judiciaire, ce juge québécois a publié sous ce nom de plume deux essais, peu avant le référendum québécois du 30 octobre 1995 : *Ni oui, ni non. Bien au contraire!*, préface de Jean Allaire, Montréal, Éditions Hurtubise HMH, 1995, et *Le Pays rapaillé*, préface de Jean-Roch Boivin, Montréal, Les Éditions Flora, 1995.

Claude Forget

Admis au barreau de la province de Québec en 1959, il poursuivit ses études à la Johns Hopkins University de Baltimore, pour l'obtention d'un doctorat en économique et recherche opérationnelle. Il fut professeur d'économie aux universités de Montréal, McGill et UQAM. Élu député libéral dans Saint-Laurent en 1973, il fut ministre des Affaires sociales dans le cabinet Bourassa de 1973 à 1976. Il est un consultant indépendant.

Isabelle Guinard

Après avoir obtenu sa licence en droit à l'Université d'Ottawa, elle est étudiante à l'École du Barreau du Québec. Elle fut la conseillère juridique en chef du comité du Oui pour le comté de Chapleau lors du référendum de 1995. Au cours de cette campagne, elle fut invitée à divers débats et émissions télévisées à titre de jeune souverainiste, notamment à l'émission *Le Point*. Tout récemment elle participait à un forum télévisé intitulé «72 hours to Remake Canada».

Naïm Kattan

Né en 1928 à Bagdad, où il a fait ses études secondaires et de droit, il fit des études littéraires à la Sorbonne. En 1954, il émigre au Canada et participe activement à la vie culturelle. Il enseigne à l'Université Laval et devient rédacteur à la Commission royale d'enquête sur le bilinguisme et le biculturalisme.

Romancier, nouvelliste, essayiste, critique littéraire, Naïm Kattan est l'auteur de vingt-cinq ouvrages. Il fut pendant 25 ans chef du service des lettres et de l'édition puis directeur associé du Conseil des Arts du Canada. Il est maintenant professeur associé au département d'études littéraires de l'UQAM. Il vient de publier *Culture, alibi ou liberté?* aux Éditions Hurtubise HMH. Il est membre de la Société royale du Canada et de l'Académie des lettres du Québec.

Panayotis Merlopoulos

Né le 18 mars 1993 à Athènes, en Grèce, il dut s'exiler parce qu'il avait commis, avec le professeur Jean Meynaud et G. Notaras, un livre considéré incontournable par ceux qui désirent s'informer sur les réalités sociopolitiques de la Grèce contemporaine : «Les forces politiques en Grèce», Études de science politique, Montréal, 1965. Jadis avocat, il a dû changer de profession quand il s'est établi au Québec. Il est professeur aux départements d'Économique et des Sciences Sociales du CEGEP de Limoilou.

Marco Micone

Né en Italie en 1945, il a quitté la région de la Molise en 1958 pour venir rejoindre son père à Montréal. Après avoir étudié en français et en anglais, il a obtenu une maîtrise en littérature française à l'Université McGill. Tout en enseignant au niveau collégial depuis 1970, il a écrit quelques pièces de théâtre, un récit sur l'immigration et de nombreux articles dans les journaux et les revues. Il est souverainiste depuis des lustres.

Henry Mintzberg

Il est professeur de management à l'Université McGill de Montréal et à l'Institut Européen d'Administration des Affaires de Fontainebleau (France). Il est l'auteur de plusieurs ouvrages en management, et de *Les Propos d'un pur coton : Essai sur la problématique canadienne*, publié par Québec/Amérique en 1995.

James A. O'Reilly

Avocat montréalais spécialisé en droit autochtone, membre de l'Association du barreau canadien, du Barreau du Québec, ainsi que du Barreau albertain, il a contribué au comité spécial de l'Association du barreau canadien sur le droit des autochtones et a cosigné le rapport intitulé *Les droits des autochtones au Canada : Du défi à l'action*, publié en 1988. Auteur de nombreux articles et mémoires traitant des droits des autochtones, il a été un des conseillers juridiques de l'Association des Indiens du Québec et du Comité National des autochtones du Canada sur les droits et les traités, à la fin des années 1960 et au début des années 1970. Il représentait les Cris dans la désormais célèbre cause de la Baie James qui a mené à la signature de la Convention de la Baie James et du Nord québécois. Il a représenté plusieurs nations autochtones de diverses régions du Canada devant les tribunaux canadiens et a été impliqué dans de nombreux différends se rapportant notamment à la Nation Mohawk et à la Nation Crie, au Québec, à la nation Miawpukek à Terre-Neuve et aux Nations Cries, Lubicon et Samson en Alberta. Il a participé aux conférences constitutionnelles et à plusieurs négociations et ententes dans le domaine autochtone. Il continue activement son travail juridique pour le compte de plusieurs nations autochtones du Canada.

Robin Philpot

Auteur et traducteur, il est originaire d'Ontario et diplômé de l'Université de Toronto en histoire et en lettres anglaises. Conseiller au service autochtone d'Hydro-Québec, depuis trois ans, il fut deux ans professeur d'anglais et d'histoire au Burkina Faso, puis il travailla en éducation spécialisée, à Montréal, et comme technicien en électricité. Il a prononcé de nombreuses conférences et participé à des débats dans des universités ou dans des réunions publiques au Québec, au Canada, aux États-Unis et au Chili.

Parmi ses publications : *Oka : dernier alibi du Canada anglais* (VLB éditeur, 1991) ; «Quebecers Are Getting a Raw Deal on Aboriginal Issues ; and It's No Accident», in *Inroads*, (1993) ; «Les héritiers de Jack Kérouac», in *Possibles*, 1995 ; «Québec Bucking the Monoculturalists Current», in *Ishmael Reed's Konch* (1995) ; «Para une comprension equilibrada de los derechos indigenas en el contexto de la soberania de Québec», *Revue de l'Association américaine de juristes* (1994).

Joseph Rabinovitch

Né et élevé à Montréal, il a suivi le chemin typique d'un jeune juif de son époque. Fils aîné de parents émigrés de l'Europe de l'Est, il est allé à l'école secondaire Baron Byng et aux universités McGill et Concordia.

Il commence sa carrière comme professeur de mathématiques à la Commission des écoles protestantes du grand Montréal puis enseigne au Collège Vanier avant de retourner au CEPGM où il devient Directeur général. Après un court séjour à Vancouver, il revient à Montréal comme Directeur général de l'Association des écoles de jour juives. En 1995 il est nommé administrateur des YM-YWHA – Centres communautaires juifs de Montréal.

Guy Rocher

Après avoir obtenu un Ph.D. en sociologie de l'Université Harvard, il devint professeur titulaire de sociologie à l'Université de Montréal et, depuis 1961, chercheur attaché au Centre de recherche en droit public de la Faculté de droit. De 1976 à 1982, il fut sous-ministre au développement culturel et au développement social du Québec. Il a participé à plusieurs commissions et comités d'enquête ou d'étude, québécois et canadiens, dont la célèbre Commission Parent sur l'éducation, dans les années 1960. Il est codirecteur de la collection «L'Homme et la société» aux Éditions Hurtubise HMH et directeur de la collection «Sociologie» des Cahiers du Québec, chez le même éditeur. Il a publié entre autres : *Introduction à la sociologie générale*, Montréal, Éditions Hurtubise HMH, 1969 ; *Talcott Parsons et la sociologie américaine*, Paris, PUF, 1972 ; *Le Québec en mutation*, Montréal, Éditions Hurtubise HMH, 1973 ; *Entre les rêves et l'histoire* (Entretiens avec Georges Khal), Montréal, VLB, 1989 ; *Études de sociologie du droit et de l'éthique*, Montréal, Les Éditions Thémis, 1996.

Charles Taylor

Docteur en philosophie de l'Université Oxford, il est professeur de science politique et de philosophie à l'Université McGill et fut président de la section québécoise du nouveau parti démocratique. Autorité mondialement reconnue, il a publié, entre autres, *Explanation of Behaviour* (1964), *Pattern of Politics* (1970), *Hegel* (1975), *Hegel and Modern Society* (1979), *Philosophical Papers* (1985), *Sources of the Self* (1989), *The Malaise of Modernity* (1991). Il est membre de la Société royale du Canada et de l'Académie britannique.

Peter G. White

Né au Brésil en 1938, il est diplômé des universités McGill et Laval. En 1969 il s'associe à Conrad Black et David Radler pour acheter et gérer des journaux. Il est actuellement Président et administrateur de la branche québécoise de Hollinger inc. qui comprend *Le Soleil* à Québec, *Le Droit* à Ottawa-Hull ainsi que *Le Quotidien* et *Le Progrès Dimanche* à Chicoutimi.

Il a occupé plusieurs postes au gouvernement et a été Premier secrétaire du Premier Ministre Brian Mulroney de 1983 à 1986. De 1986 à 1988 il a été PDG de Domgroup Ltd et éditeur du *Saturday Night Magazine*.

Vice-président du Conseil pour l'Unité canadienne et Président de l'Institut canadien des affaires internationales, il siège aux conseils de Téléglobe, Télésystème inc., Southam inc. et de Deutsche Bank du Canada. Il réside à Banff (Alberta) et Knowlton (Québec).

TABLE ALPHABÉTIQUE DES SUJETS

(Les lettres renvoient à l'introduction et les chiffres arabes aux chapitres.)